Du même auteur:

Répertoire des jeux et sports traditionnels, Festival mondial des Jeux et sports traditionnels de Montréal 2004, Internationaux du Sport de Montréal, 2001

MayaVentura - Ma Propre aventure, Funkey Studios, 2000

Jouer pour rire, avec Robert Blais, Éditions Louise Courteau, 1989

La rubrique économique du Professeur Crippe, avec Pierre Berger, Productions C.R.I.P.P.E., 1976

Autres parutions aux Éditions Olographes:

La Surprise - par Michel Cormier - Pièce de théâtre , 160 pages

1,000 Lexiques - Collection de vocabulaires - 600 pages

Dictionnaire d'expressions anglaises, 50 000 expressions (français-anglais) - 390 pages.

Dictionnaire de Traduction - Translation Dictionary - 960 pages

Le Dictionnaire Topique - 25,000 mots classés par sujets - 400 pages

Le Guide de l'écrivain - 160 pages

Le Traducteur Instantané - The Instant Translator - 20,000 expressions (français - anglais, anglais-français) - 400 pages

Pour commander un de ces livres, consultez: www.olographes.com

JEUX du MONDE

par Paul Chartier

Illustré par Frankoy

Photoreportages de Valérie Panel Watine,
Arnaud Drijard et Christophe Meunier

« Si l'on souhaite se faire une idée juste du caractère de n'importe quel peuple, il est absolument essentiel d'examiner les sports et les loisirs que ces gens pratiquent »
- Joseph Strutt, 1801

« Parler de jeu et de sport, c'est nous ramener aux origines de l'humanité. Ce sont des expressions innées, des manifestations à travers lesquelles l'homme se développe, définit sa culture et crée des structures et des normes qui donnent un sens à la vie, dans l'individuel, le familier et le social. »
- Alicia Zurita Bocanegra, 2000

*Joseph Strutt, The Sports and Pastimes of the People of England, 1801

**Alicia Zurita Bocanegra, Juegos y Deportes Autochtonos y Tradicionales de Mexico, Federacion Mexicana de Juegos y Desportes Autochtonos y Tradicionales, A.C., 2000

Table des Matières

Jeux de Festivités

Jeux de Force et d'Adresse

Remerciements

Comment remercier tous ceux qui ont contribué à la mise au monde de ce livre? Ils sont innombrables... merci à tous!

Merci à toute l'équipe du Festival Jeux du monde 2004 de Montréal, Pierre-Luc Brodeur et Line Gingras en tête, qui m'ont associé d'entrée de jeu à leur ambitieux projet de faire connaître les jeux du monde au peuple canadien. Merci aussi à tous les chefs de délégation des quatre coins de la planète qui m'ont gracieusement tracé le portrait de leur réalité ludique et sportive traditionnelle.

Merci à Nancy Vallée qui a coordonné la recherche des contenus, merci à son équipe de relectrices, et merci à Esther Morales et Gaston Miville-Dechêne à qui je dois la relecture finale.

Merci aussi à mes collaborateurs-reporters Valérie Panel-Watine, Arnaud Drijard et Christophe Meunier qui ont admirablement complété l'ouvrage, sans oublier Frankoy mon fidèle partenaire artistique, qui a si bien illustré chaque jeu.

Merci enfin à Denis Fréchette mon éditeur, qui a cru en cet ouvrage et en ma capacité de le réaliser.

Pour terminer je dédis ce livre à Roger et Noé, mon père et mon fils, qui m'accompagnent allègrement depuis toujours dans mon « chemin du fou ».

- Paul Chartier, avril 2008

Préface

On ne joue pas avec le jeu, c'est trop sérieux!

On joue toute sa vie... avec un hochet, dans son jeune nombril, avec un bout de chiffon, avec une branche transformée en fière monture, avec les sentiments des objets de désir, avec le destin d'un peuple, un ballon ovale ou rond, sa sécurité financière, sa santé, le bonheur de l'entourage, et en vieillissant, on joue encore dans son vieux nombril.

Le jeu n'a pas d'âge et il n'y a pas d'âge pour jouer.

On joue même à jouer.

Interpréter Shakespeare ou participer à un tournoi de poker, l'important reste de détourner la vie de ses platitudes inéluctables, d'un sort peu enviable, de s'étourdir de ses craintes. En jouant, on tente à répétition de déjouer la mort, finalement. Comme si on jouait pour être enfin pris au sérieux!

Dans une étude sur les mécanismes du bonheur rééditée il y quelques années (Le Bonheur Possible, éditions Stanké), notre équipe de recherche avait identifié les quatre besoins fondamentaux de la « bébite humaine » :

- Besoins énergétiques (manger, boire, énergie de la lumière...)
- Besoins affectifs (reproduction, amitié, sociabilisation, valorisation...)
- Besoins de sécurité (à l'abri des intempéries et de toutes les formes d'agressions...)
- Besoins de stimulation (apprentissage, JEUX).

Les trois premiers sont connus depuis longtemps, en particulier dans les travaux d'Abraham Maslow. Mais la psychologie positiviste insiste en plus sur l'importance de satisfaire les besoins de stimulation.

Il n'y a pas de bonheur possible sans satisfaction de l'ensemble des quatre besoins. La première chose à faire quand le moral ne va pas fort, c'est d'abord de faire l'inventaire de nos quatre besoins et de leur satisfaction. On voit alors rapidement là où la machine a besoin de lubrification...

Le jeu n'est donc pas une friandise occasionnelle. Agréable et superflue. Il s'agit bel et bien d'un besoin fondamental. Quand on voit l'ampleur de l'économie de la fabrication, de la mise en marché, et de la vente des « bébelles » destinées aux adultes, il n'y a pas de doute envisageable sur l'importance du jeu pour les grands, gros, et vieux bébés que nous sommes. Du sac de hochets de golf aux déguisements de la mode, en passant par les plaisirs cathodiques, exotiques, acoustiques, pas catholiques ou impudiques, ludiques, sémantiques, érotiques, électroniques, alcooliques, aromatiques, artistiques… (à chacun de compléter…), le jeu ne vient pas en « option » dans nos vies. Il s'agit d'une nécessité de base.

Que l'on veuille triompher des autres ou leur faire la guerre, il vaut mieux, de toutes façons, le simuler que de le réaliser. La réalité ne comprend pas de bouton « reset ». Mieux valent les dommages virtuels que les horreurs irrémédiables réelles. S'il fallait que les jeux vidéos ressemblent à la réalité vitale, nous en serions réduit à se reproduire par copier/coller. Dommage.

Le jeu permet de modifier ses désirs en testant les conséquences éventuelles avant de se commettre ou de commettre l'irréparable.

Ce livre nous confirme ou nous apprend qu'il n'y a pas une situation problématique, un conflit humain, une frustration, une déception, une colère, une déviance qui n'a pas son JEU qui permette, consciemment ou non, de l'explorer, l'exprimer, et peut-être le désamorcer.

En suivant l'approche ludique de Paul Chartier, on ne peut qu'être convaincu de la nécessité souvent exprimée mais trop rarement pratiquée de *ne pas se prendre au sérieux pour travailler sérieusement…*

Je connais Paul. J'ai joué avec Paul. J'ai travaillé avec Paul. J'ai observé Paul. Quand je le lis dans ce livre, je le vois et l'entend. Paul Chartier est la réincarnation du *Joueur de Flûte de Hamelin* que l'on suit pour le meilleur ou le pire…

À la différence, qu'en nous entraînant dans un jeu, Paul est à l'écoute attentive de la moindre fausse note chez le moindre des participants. Il ajuste son pas, son rythme, et sa mélodie au gré des humeurs du groupe et de chacun des participants volontaires. La force de Paul Chartier, dans ses animations de jeux comme dans ce livre c'est qu'il se met au service des joueurs et non du jeu. Pour lui, une règle ne doit pas diviser mais unir.

C'est ainsi qu'il faut suivre Paul Chartier dans ce livre plein d'ingrédients fuyant la rigide recette.

Le plaisir, c'est de voir cet auteur-clown jongler avec les outils qui le rendent si nécessaire dans une société qui n'en peut plus de se prendre ridiculement au sérieux. Il faut jouer avec Paul en le lisant.

L'école du jeu, c'est l'apprentissage libérateur de l'intuition et de l'écoute active. Dans une époque encarcannée dans un cul-de-sac de raisonnements biaisés, isolée dans la désolante crise de l'expression à tue-tête d'un égotisme exacerbé.

Je vous souhaite de jouer à trouver dans ce catalogue de cadeaux les jouets essentiels à ce besoin fondamental de JOUER.

Cherchez, ils y sont… Suivez Paul, il nous y mène.

- Robert Blondin

Préambule
Célébrer les jeux du monde

Ce livre se veut une célébration des diverses traditions ludiques et sportives des peuples du monde. Loin d'être exhaustif ou encyclopédique, il constitue plutôt une mise de l'avant bien subjective de certaines pratiques contemporaines remarquables et susceptibles de capter votre intérêt. Par le fait même, il entend provoquer une réflexion générale sur le jeu actif et le plaisir de jouer comme sur le sport et son détournement excessif au profit de l'obligation de rendement.

J'utilise dans ce livre le mot jeu dans son sens le plus large, pour ne pas dire le plus noble, ce qui me permet de vous entretenir indifféremment de jeux actifs, d'activités sportives et d'arts martiaux. J'ai ainsi sélectionné pour vous une centaine d'activités qui illustrent bien la grande richesse et variété du patrimoine mondial au niveau des activités sportives. Et je les ai regroupés en sept catégories, soit: Combats et Arts martiaux, jeux de Court, jeux de Festivités, jeux de Force et adresse, jeux de Récré, jeux de Roulés et lancers, jeux de Terrain.

Cette division catégorique est tout à fait arbitraire, car on sait fort bien qu'un seul jeu peut appartenir à deux ou plusieurs catégories et que, dans la réalité, certains échappent à toute catégorisation. Qu'importe donc l'étiquette que je leur assigne, retenez plutôt que toutes les activités sélectionnées dans ce recueil ont en commun une notion de plaisir et de joie partagée qui font d'eux des véhicules d'affirmation, de communication, de célébration et de création dans l'action.

Mon intention est donc de vous raconter avec humour, intelligence et sensibilité ce que j'ai découvert sur l'origine et l'évolution de ces jeux du monde et de vous entretenir sur leur transformation dans le temps, leur propagation dans l'espace et leurs possibilités d'avenir.

Pour ce faire, j'ai aussi fait appel à des collaborateurs hors pair, Valérie Panel Watine et Arnaud Drijard d'une part, et Christophe Meunier de l'autre. Valérie et Arnaud, dont le site web *unmondedesports.com* constitue un arrêt rafraîchissant sur le web, sont tellement des mordus qu'ils ont virevolté un an autour du monde à découvrir les peuples à travers leurs sports traditionnels. Ils vous livrent ici sept photoreportages passionnants tirés de leur expérience unique. Quant à Christophe Meunier, il propage la bonne nouvelle du plaisir de jouer auprès de tous les groupes d'âge dans les écoles, les quartiers, les villages et les villes, de même que sur le web à: *lemoulinavent.org*. Les programmes participatifs et expériences d'apprentissage proposés par son groupe d'animation dans le cadre du Moulin à vent et de la Cité des jeux du Monde font chaud au cœur. Ils réunissent allègrement jeux traditionnels, jeux forains, jeux nouveaux et arts circassiens pour vous transporter dans un univers vibrant et spectaculaire. Christophe nous livre ici, en deux photoreportages, l'essentiel de son action.

Tout comme ces collègues que je respecte et admire, j'ai aussi à cœur d'accroître votre intérêt face à la diversité de l'offre culturelle ludique mondiale, tout en vous remettant en contact avec votre propre expérience ludique. Car *«Il existe maintenant un consensus sur le fait que les sports sont le reflet de la société qui les pratiquent, et qu'en jouant les gens se révèlent et révèlent des choses significatives sur leur culture ou civilisation»*(1).

Pas étonnant donc que mes chroniques, bien à mon image, fassent le portrait d'une humanité imprégnée d'émotions dans l'intensité du moment, concentrée dans l'accomplissement dans l'action et finalement plus intéressée par le chemin entrepris que par le résultat obtenu. Notre façon de concevoir les notions de jeu et de sport font de nous qui nous sommes aujourd'hui et nous identifient tout autant que nos choix alimentaires, vestimentaires et musicaux.

J'espère ainsi alimenter votre réflexion sur la place que prend le jeu actif et le sport dans votre vie comme dans la société. Pour m'en assurer, j'ai incorporé à mes chroniques quelques textes de réflexion assez porteurs qui sauront, sans nul doute, vous allumer.

Des textes où les éléments positifs du jeu actif et du sport et de leur pratique sont examinés et honorés, et où les aspects tordus et excessifs du 'monde du sport' sont impitoyablement dénoncés.

Cela dit, je suis avant tout un animateur. Loin de moi donc la présomption de vous éduquer sur la question ou encore de vous convaincre de quoi que ce soit. Je ferai donc souvent parler à ma place beaucoup de gens de tous les milieux. Et tant mieux si l'expérience réfléchit sur vous! J'aurai gagné mon pari si ces lectures vous font embarquer dans le jeu.

Pour paraphraser Benjamin Franklin, *«dis-moi et j'oublie, enseigne-moi et je me souviens, fais-moi participer et j'apprends»*.

Replongeons donc carrément dans notre réalité de joueur et explorons notre univers ludique tout en nous rappelant qu'il n'est pas nécessaire de posséder de qualités physiques particulières, de terrains marqués, de programmes tout organisés, de règles bien codifiées et d'obséder sur la victoire à tout prix pour se mettre en action. Car c'est bien de nous dont je parle quand je trace un portrait des plus dynamiques de l'être humain: imagination fertile, sens de l'humour poussé, cran à revendre, goût de l'effort et du risque, fair-play, courage et détermination, amour de l'action bien accomplie, voire même élévation de l'esprit.

Dans ce grand jeu qu'est la vie, voilà que nos chemins se rencontrent: bienvenue sur mon *'chemin du fou`*!

(1) Robert G. Glassford & Gerald Redmond, Physical Education and Sport in Modern Times, History of physical education and sport, Prentice-Hall, 1979

Le sens des mots

Avant d'aller plus loin, il m'importe de clarifier le sens que je donne et que d'autres que moi accordent à certains mots qui, dans ce livre, pèsent plus lourds que d'autres.

Jeux du monde: l'ensemble des pratiques ludiques et sportives pratiquées actuellement par les peuples du monde entier.

Activité physique, *et activité*: terme choisi pour englober l'ensemble des pratiques actives reliées au jeu.

Jeu et *jeu actif*: Activité dont l'objectif premier est le plaisir dans l'action. Les règles ne sont pas immuables, la durée, les limites et le nombre de joueurs peut varier: joueurs et circonstances déterminent la nature du jeu. Dans ce livre, jeu implique activité physique; les jeux de table, par exemple, ne sont pas abordés.

Traditionnel, *tradition*: un concept dynamique qui décrit les activités poursuivies par un groupe particulier au cours d'une période de temps étendue et transmises de génération en génération. Qui dit traditionnel dit vivant, vibrant, reflet d'un peuple, d'une culture. Ce qui permet à ce peuple d'aller de l'avant.

Contemporain, *actuel*: associé au temps présent. Le terme est utilisé ici en conjonction avec le mot traditionnel, afin de souligner la pratique contemporaine de l'activité traditionnelle décrite. Ainsi chacune des activités présentée dans ce livre est soit bien actuelle ou encore en processus de réémergence, et appelle à quelques-uns des qualificatifs suivants: dynamique, original, particulier, familier, spectaculaire, étonnant, excitant, intriguant.

Jeu traditionnel contemporain: Gieger et Grindler décrivent ainsi ces activités pratiquées librement partout sur la planète: *«Il s'agit pour la plupart de jeux très anciens, transmis de génération en génération depuis un lointain passé et qui tirent leur origine de régions situées bien au-delà de notre petite patrie. Ces jeux offrent d'innombrables variantes et se pratiquent de manières différentes selon les localités»*(1).

Sport: Selon Eitzen: *«Une activité organisée dans laquelle un effort physique est mis en relation avec les efforts d'autres dans le but d'arriver à un aboutissement relativement mesurable et en suivant des consignes et des formes acceptées»*(2). Selon Diane H. Jones Palm: *«Comme on l'entend communément aux États-Unis, le sport est une activité qui a à voir avec la compétition, des produits et gagner, et qui est très liée aux croyances et aux valeurs profondes associées au capitalisme et à la consommation»* (3). Et selon Zintz: *«Aujourd'hui le terme sport est devenu le terme générique désignant pratiquement l'ensemble de la culture physique contemporaine»*(4).

Sport moderne: règles fixes et universelles, régies par des fédérations nationales et internationales. Les obligations de résultat viennent supplanter le simple plaisir de jouer. À la limite, ce n'est plus du jeu. Selon

Huizinga: «*Dans la société moderne, le sport s'éloigne de la pure sphère ludique et devient un élément sui generis qui n'est plus du jeu sans être sérieux*»(5).

Jeu sportif, ou sport traditionnel contemporain: semblable au jeu dans son objectif premier de procurer du plaisir; semblable au sport au sens de l'activité organisée dans laquelle un effort physique est mis en relation avec les efforts d'autres dans le but d'arriver à un aboutissement relativement mesurable et en suivant des consignes et des formes acceptées; plus local ou régional qu'international; règles fixes, mais peuvent varier d'un peuple à l'autre ou encore muer dans le temps ou selon l'espace; différent du sport moderne car non régi par une fédération internationale et inacceptable aux Jeux Olympiques.

Sport-spectacle ou sport d'élite: Selon Michel Caillat: «*Le sport dont nous parlons ici est la pratique corporelle de compétition contre un Autre (l'adversaire) ou/et contre soi-même, d'un type de société donnée (la société capitaliste qui l'a fait naître), où le corps-marchandise est saisi comme un objet de performance individuelle ou collective, qui demande un désir d'affrontement, un entraînement rationalisé, une exigence de résultat, le tout se déroulant dans le cadre d'une structure internationale, nationale ou locale (fédérations, comités, clubs) qui* impose des règles à ses membres et son modèle à ceux qui souhaitent agir hors de l'institution*»(6).

Sportivisation: je préfère la version anglaise de ce nouveau terme, *sportification*, car elle m'apparaît la conjonction des mots sports et fortification. Toujours est-il que le terme est décrit par Roland Renson comme étant «*la tendance hégémonique universelle de standardisation et de globalisation des pratiques sportives qui affecte et réprime la différentiation régionale des jeux traditionnels*»(7). Le terme décrit par extension l'implantation insidieuse de ce modèle dans d'autres sphères de la société, telles la politique et la culture.

Peuple: ensemble de personnes vivant en société, habitant un territoire défini et ayant un certain nombre de coutumes, de traditions, d'institutions. Ce livre s'intéresse aux peuples de la terre, au delà des nations et pays. Les Mohawks, un peuple autochtone du Canada. Le peuple québécois. Le peuple ouzbèque, d'Afghanistan.

Autochtone, *aborigène, indigène*: issu du sol même où il habite, l'autochtone est censé ne pas y être venu par immigration. Les peuples autochtones du Canada. Les aborigènes d'Australie. Les nations indigènes de l'Amazonie.

(1) Erwin Geiger et Karlheinz Grindler, Ébats Joyeux et jeux, Aubanel,1966
(2) Stanley D. Eitzen, Sport in Contemporary Society, St. Martin's Press, 1996
(3) Diane H. Jones Palm, Worldwide Experiences and Trends in Sport For All, Meyer & Meyer Sport, 2002
(4) Thierry Zintz, Vice-président du Comité Olympique et Interfédéral Belge, allocution sur 'Le Sport dopé par l'état', mai 2006
(5) Johann Huizinga, Homo Ludens, Paris, Éd. Gallimard, 1951
(6) Michel Caillat, Le sport, la compétition, la violence, Revue Alternatives non-violentes, Lyon,109, 1998-1999)
(7) Roland Nelson, The Reinvention of Tradition in Sports and Games, Journal of Comparative Physical Education and Sport, Vol. XIX, No.2, 1997

Le jeu:

à la fois nouveau, traditionnel et contemporain

Ce bref tour du monde est l'occasion pour moi de partager avec vous, à travers cet univers bigarré des jeux et sports des peuples, la joie intense qui m'habite chaque fois que je découvre une nouvelle façon de jouer, chaque fois que je fais l'expérience d'un nouveau jeu.

Pour moi c'est tout simple, tous les jeux sont par définition des nouveaux jeux. Vous voyez, je suis comme l'explorateur qui aperçoit une contrée vieille comme le monde et qui la baptise néanmoins nouveau monde, car nouvellement apparue dans sa perception. En effet, même millénaire, un jeu est toujours nouveau pour celui qui le découvre. Je vais même jusqu'à avancer qu'un jeu reste aussi toujours nouveau et frais pour celui qui le pratique car *«Chaque fois qu'une occasion de jeu se présente, elle porte en elle toutes les possibilités»* (1). De même, le déroulement d'un jeu implique dans son essence même la notion d'expérience unique, et donc de changement.

L'ethnologue Chantal Lombard frappe dans le mille lorsqu'elle écrit: *«Les jeux sont à la fois perpétrations d'une tradition et intégration du changement»*(2). Quand il s'agit de jeu, les mots 'tradition' et 'changement' font en effet bon ménage. Cette capacité d'intégration du changement que l'on retrouve intrinsèquement dans les jeux est le facteur qui le maintient toujours nouveau, frais, contemporain. Tous les jeux

actifs dont je vais vous entretenir dans ces pages se pratiquent d'ailleurs sous une forme ou une autre depuis très longtemps. Qu'ils proviennent de traditions anciennes n'enlève donc rien à leur actualité, bien au contraire.

Pourquoi insister sur cette évidence? C'est que le mot tradition tel qu'entendu dans notre société du nouveau-jetable peut faire grincher. L'esprit écologique de récupération et de sauvegarde du patrimoine planétaire, quoique bien à la page, est encore loin d'être intégré en profondeur dans notre conscience individuelle et collective. Ça se reflète dans notre manière de vivre. On reste le produit d'une culture qui a tendance à valoriser le changement tout en y opposant la tradition. En effet, *«la culture occidentale moderne considère que tradition et changement sont foncièrement antinomiques»*, alors que dans les faits *«...la tradition serait de l'ancien persistant dans du nouveau»*(3).

J'ai avec moi le *Nouveau Larousse Universel,* édition 1949, que m'a légué mon père (une tradition). Je suis de plus abonné à l'Encyclopédie Larousse en ligne (très actuel). Je me livre donc à un petit exercice ludique sur le mot tradition et son évolution en soixante ans. En 1949, Larousse définit tradition ainsi: *«Transmission orale de récits vrais ou faux, faite de bouche en bouche pendant un long espace de temps: la tradition lie le passé au présent. Façon d'agir,* de parler, de penser qui se transmet durant un long espace de temps, de génération en génération…». En 2007, voilà que Larousse le redéfinit plus succinctement: «*Manière d'agir ou de penser transmise depuis des générations à l'intérieur d'un groupe: Cette fête est une tradition régionale…*».

Retenons de cet exercice de sémantique que l'auteur de ces lignes doit avoir bien du temps à perdre pour l'utiliser de cette façon! Je suis très riche en temps, en effet, quand il s'agit à la fois de m'amuser l'esprit et de faire des apprentissages. Mais trêve de balivernes, revenons à nos moutons. L'attrait de jouer ne tient-il pas en grande partie à l'imprévisibilité de l'expérience qu'il procure? Le plaisir ne puise-t-il pas sa source autant dans l'inattendu que dans le familier? Poser la question c'est y répondre. Le jeu, aussi codifié qu'il puisse être et rassurant dans ses règles librement acceptées, procède en effet d'un scénario ouvert qui se nourrit d'imprévus. On peut espérer un certain déroulement – ou pas, œuvrer en fonction d'un certain résultat - ou pas, mais on ne peut rien garantir. Et c'est ça justement qui nous maintient sous le charme.

Autant jouer nous rassure et nous réconforte dans ses aspects familiers, autant est-il source de flirt avec l'inconnu, Goût du changement et soutien de la tradition se retrouvent ainsi en balance dans le fait de jouer comme dans l'application des règles de jeu. «*L'enfant aime la règle. Dans la règle il trouve le plus sûr instrument de son affirmation, par elle se manifeste la* permanence de son être, son autonomie» (4). Et selon que l'on préfère le familier ou que le changement nous attire, ainsi jouera-t-on. En effet, «*Choisir toujours tel jeu plutôt qu'un autre, préférer systématiquement telle ou telle variante, c'est d'une certaine façon dire son rapport au monde, se situer dans une hiérarchie des valeurs sociales et individuelles*»(5).

Pour ma part, je penche du côté de ceux pour qui l'expérience la plus mémorable - l'expérience optimale - provient sans aucun doute d'un déroulement inespéré. Les meilleurs souvenirs que l'on a et que l'on raconte ne sont-ils pas précisément des moments de déviation du scénario habituel ou attendu?

Ainsi donc, jouer c'est choisir, continuellement et rapidement. Et c'est vivre avec les conséquences de ses décisions, avec un déroulement incessant de nouvelles situations qui en engendrent d'autres… comme dans la vie, sauf que le jeu ne dure que le temps qu'il dure. Jouer c'est donc s'entraîner à la vie dans un contexte inconséquent.

Il faut donc profiter le plus possible de cet espace privilégié qui nous permet de nous découvrir, d'expérimenter librement, d'essayer des façons de faire autrement… Car là réside notre pouvoir créatif. Comme Hugh Prather, je nous souhaite un cœur léger: «*que tous tes jeux te permettent de chanter, et que tout ce que ton esprit touche se transforme en musique*» (6).

(1) Erwin Geiger et Karl Heinz Grindler, Ébats Joyeux et jeux, Aubanel,1966
(2) Chantal Lombard, Jeux et changements culturels, Revue RPC, 1973, 1976
(3) Gérard Lenclud, La tradition n'est plus ce qu'elle était…, Terrain n°9, octobre 1987
(4) Jean Château, L'enfant et le jeu, Scarabée, 1967
(5) Christian Bruel, Bertrand Legendre, Jouer pour changer, Éditions Le sourire qui mord, 1984.
(6) Hugh Prather, A Book of Games, Doubleday & Company, 1981

Trois composantes du jeu...

et du bonheur

«Il ne s'agit pas d'un passe-temps, ni d'une simple détente, mais d'un enrichissement tiré des relations humaines.» Les maîtres de jeux Geiger et Grindler expriment ici toute la profondeur qui entoure le simple fait de jouer. *«Les jeux sont un bien inestimable. La plénitude qui réside en eux procure un enrichissement infini»*(1).

Pour ma part, je soutiens que cet enrichissement infini que nous procure le fait de jouer provient d'une conjugaison des trois notions intimement reliées de plaisir, d'engagement et de sens. Jouer appelle en effet un état d'esprit qui nécessite, alimente et développe tout à la fois ces trois composantes hautement recherchées du bonheur.

Plaisir

Parlons d'abord du plaisir évident de jouer. Dans le livre *Jouer pour rire*, Robert Blais et moi en faisons l'éloge: *«Ici, pas besoin de vous préoccuper de ce que les autres vont penser, pas besoin de vous préoccuper de ce que vous allez penser, pas même besoin de penser ... à autre chose que d'avoir un sacré plaisir! Si tout le monde se sent bien tout le monde gagne!»* Et nous en rajoutons: *«Jouer comme du monde (...) c'est reconnaître ses besoins et ceux du groupe avec lequel on joue; c'est se rappeler que l'on joue pour se faire plaisir et que c'est là la seule, l'unique priorité. Jouons donc (...) pour avoir du plaisir, de la*

joie tout en relevant des défis en agréable compagnie »(2).

Pourquoi Robert et moi insistons tant sur cette évidence qu'est l'importance de jouer joyeusement? Sans doute parce que nous voyons la notion même du plaisir de jouer menacée. Et parce qu'enlever au jeu la notion de plaisir, c'est lui retirer sa raison d'être, son objectif, sa justification, voire même son essence. L'activité ludique et sportive prend tout son sens et trouve toute sa motivation dans la promesse du plaisir qu'il va procurer. Tout le reste en découle. Et en contrepartie, quand l'aspect performance, rendement et victoire à tout prix menace l'aspect fondamental de la recherche du plaisir, souvent au point de le subjuguer, le jeu perd de son humanité, jouer perd son sens.

On retrouve d'ailleurs la notion du plaisir de jouer profondément intégrée dans tous les types de jeux actifs et de sports, même dans les activités de combats et d'arts martiaux. La lutte islandaise *Glíma* pour ne nommer que celle-là, est à priori un rigoureux combat singulier. Pourtant elle se définit carrément comme un sport joyeux. En islandais, *Glíma* signifie en effet *jeu de joie*.

Engagement

Au-delà du plaisir, jouer requiert aussi une forme d'engagement solide. Certains dirons: Engagement? Je n'ai jamais ressenti cela en jouant; bien au contraire: pour moi, jouer c'est être libre de tout engagement.' Je comprends que l'on chérit l'espace ludique comme un endroit de liberté, où la responsabilisation n'a pas demeure. Et pourtant. Jouer c'est précisément s'engager, s'entendre en consensus sur un ensemble de règles de jeu et accepter de les soutenir tout le temps de la durée de l'activité… Un joueur désengagé de son activité est un mauvais joueur et représente un danger pour le jeu. De même le tricheur, celui qui joue selon ses propres règles, menace le groupe et leur action commune par son engagement envers lui-même plutôt qu'à celui de son groupe, qu'il récuse implicitement par sa pensée et ses gestes. Et avant de parler de groupe, le tricheur a commencé par briser un engagement tout-à-fait personnel envers la droiture et l'excellence, envers lui-même.

Jouer implique faire ensemble, d'un commun accord et franchement; jouer exige de croire à ce que l'on fait. Jouer c'est donc s'engager à soutenir franchement une réalité que l'on a créée de toutes pièces. C'est s'engager ensemble à défendre une fiction que l'on tient pour vraie, un fruit de notre imaginaire que l'on alimente de nos efforts…même si les gestes posés peuvent paraître totalement insensés pour qui ne reconnaît pas l'activité. Embarquer dans le jeu, c'est s'y laisser prendre, c'est s'y donner à plein simplement parce qu'on a décidé de le faire. Il s'agit donc d'un engagement librement assumé qui tient de l'acte de foi.

Lorsqu'on s'engage pleinement dans un jeu, on se retrouve ainsi dans un état de réceptivité et d'ouverture optimal. Et c'est cette expérience optimale, où tout est tellement intense, fluide, et vibrant que l'on recherche. Jouer exige donc un engagement total, qui vient d'ailleurs tout naturellement et sans effort.

Sens

«C'est en offrant le meilleur de soi sans jamais compter que la quête prend son sens, que la course est gagnée». (3)

Par le plaisir et l'engagement conjugués, jouer donne aussi du sens à notre vie, et prend alors tout son sens. Car lorsque l'on joue avec plaisir et bien engagés, on en vient à se vouer corps et âme à l'accomplissement de notre activité, toute simple en soi, mais qui paradoxalement nous dépasse. Robert Blondin exprime bien cette quête de sens et de soi dans *Le Bonheur possible: «Faire bien tout ce que l'on fait. Simplement. Loin de toute pression de performance exceptionnelle… C'est dans l'application aux tâches les plus humbles qu'on trouve la rigueur qui mène à la connaissance directe de soi».* (4)

Chacun à notre manière, nous souhaitons tous accomplir du mieux possible, donner le meilleur de nous-mêmes; nous vouer à une cause, nous investir pleinement dans la vie. Et quand nous jouons, nous pouvons tout expérimenter cela sans contraintes, ou tout au moins sans trop la risquer, cette vie. Dans l'état de jouer on peut donc atteindre cette félicité tant recherchée, cet état de grâce.

Mihaly Csikszentmihalyi, l'un des principaux tenants de la psychologie positiviste, appelle cet état le *flow*. C'est un état avec lequel chacun de nous est familier, à divers degrés. Nous vivons le flow lorsque nous sommes si intensément impliqués dans une activité que rien n'importe sauf celle-ci et que l'expérience elle-même est si agréable que l'on en vient à s'investir totalement dans le seul but d'accomplir.

N'est-ce pas là une bonne description de l'état d'esprit qui nous anime lorsque l'on joue? Ça fait tout plein de sens.

Les composantes du bonheur

«La véritable joie ne vient pas du confort, des richesses ou des applaudissements des hommes, mais bien de faire quelque chose qui en vaut la peine».
-Sir Wilfred Grenfell

Plaisir, engagement et sens... Pour Martin Seligman, auteur de *Authentic Happiness*, voilà précisément les trois matières premières du bonheur. Seligman, cet autre tenant de l'important courant de pensée américain qu'est la psychologie positiviste, va plus loin en affirmant que «des trois chemins menant à une vie heureuse et satisfaisante, le plaisir est la voie la moins conséquente (...) engagement et sens sont beaucoup plus importants»(5). Reste que le plaisir est la voie d'entrée la plus invitante vers l'engagement et le sens, de même qu'un élément de motivation fondamental, primordial et permanent. Conjugués ensemble, plaisir, engagement et sens sont imbattables comme blocs moteurs de nos vies.

Nos deux compères psychologues positivistes ont passé la plus grande partie de leur vie professionnelle à interroger des milliers de personnes de partout dans le monde sur leur niveau de satisfaction personnelle. Tout ça pour en arriver à des conclusions similaires et somme toute assez évidentes. Selon Seligman, «Ce n'est pas devant la télé, en mangeant du gâteau ou en se prélassant à bord d'un paquebot de luxe qu'on est le plus heureux. C'est quand on est occupé à une tâche qui sollicite au maximum nos forces et nos talents». Et pour Csikszentmihalyi, «La meilleure façon d'être durablement heureux reste de développer ses forces et ses talents au maximum, tout en se sentant lié à son milieu et responsable du monde dans lequel on vit»(6).

S'il est un fil conducteur qui relie profondément toutes les activités ludiques et sportives chroniquées dans ce livre, c'est bien le plaisir qu'elles procurent, la place intime qu'elles occupent dans leur milieu et l'engagement qu'elles exigent de ses pratiquants. Les actions que celles-ci posent tout naturellement sollicitent au maximum leurs forces et leurs talents; et, consciemment ou inconsciemment, chaque joueur se retrouve de facto à assurer la survivance et la floraison de l'activité qu'il pratique, et par la bande à affirmer la vitalité de la culture du peuple d'où le jeu provient et ainsi à en servir la cause.

Sources et ressources

Ce devoir de soutien est par ailleurs consciemment pris en charge par une poignée de passionnés qui soutiennent dans leur quotidien et à bout de bras les traditions ludiques du monde. Je parle de ces mordus qui se retrouvent au cœur de ces activités, et de leurs organisations et de leurs communautés, qui se donnent totalement afin d'en assurer la pratique et qui mettent leurs compétences au service de leur cause, bien au-delà de leurs seuls intérêts personnels.

Dans ce livre, vous retrouverez de ces passionnés de même leurs associations mentionnés à la fin de presque chaque chronique, sous la mention *source*. Ces précieuses sources d'information et de passion, ces ressources de vie, je les salue ici d'une citation de René Dubos, auteur de la célèbre formule *'Penser globalement, agir localement'*: «Le bonheur est contagieux et pour cette raison sa pratique est presque un devoir. Les membres les plus utiles du corps social ne sont pas nécessairement ceux qui augmentent la production ou la connaissance, mais ceux qui contribuent le plus à la joie de vivre»(7).

Vivre le *flow*

Je vous souhaite de ressentir au fil des chroniques qui vont suivre le même enjouement qui anime les pratiquants de ces jeux et sports à la fois traditionnels et contemporains. Je nous souhaite le *flow*.

Incorporons l'esprit ludique dans notre quotidien. Car jouer, au travail, en famille, avec soi, restera toujours la voie 'en douceur' d'apprentissage au changement, à l'innovation et au renouveau. Jouer pour se jouer de la pression du rendement, jouer pour redonner la place aux valeurs humanistes dans le travail comme dans le sport.

Pratiquer des activités ludiques et sportives pour le simple plaisir de le faire mais en s'engageant pleinement, tout en en retirant bien entendu tous les bénéfices sanitaires et de rayonnement qui s'ensuivent, voilà une des clés du bien vivre. Assurer la pérennité de l'activité que l'on pratique par sa seule pratique enthousiaste et engagée. Voilà ma foi un devoir agréable, qui s'inscrit simplement dans le quotidien et qu'il fait plaisir d'accomplir. Accordons-nous de la place dans nos vies à ce bien vivre, toute la place qu'il mérite? Il faut absolument prendre un temps d'arrêt pour se regarder aller dans ce *rat race* de notre vie, pour faire le point et retrouver ses sens, retrouver l'esprit ludique qui peut nous sauver de cette course effrénée et insensée contre la montre et contre l'humain où même le plaisir d'accomplir court le risque d'être subjugué. L'état de grâce n'est pas si loin, il est simplement là, en nous, toujours prêt à s'activer, attendant notre appel.

Rappelons nous sans cesse, comme le fait Hugh Prather dans ses *notes à lui-même*, que «le bonheur est une attitude présente et non une condition future»(8). Et accordons-nous le droit d'être drôle et de rechercher le bonheur en toute occasion, comme le prône le populaire humoriste américain Drew Carey. À un fan qui lui demandait: «Ressens-tu jamais le besoin de prendre un *break* d'essayer d'être comique?», il répondit simplement: «C'est comme me demander, si je ressens le besoin de prendre un *break* d'être heureux. Mon dieu seigneur, j'espère que non. On ne peut jamais avoir trop de *fun*. Les gens doivent savoir que c'est *O.K.* de faire des farces et d'être heureux»(9).

(1) Erwin Geiger et Karl Heinz Grindler, Ébats Joyeux et jeux, Aubanel,1966
(2) Robert Blais et Paul Chartier, Jouer pour rire, Louise Courteau éditrice, 1989
(3) Geider & Grindler, op.cit.
(4) Robert Blondin, Le Bonheur Possible, Stanké, 2005
(5) Martin Seligman, Authentic Happiness: Using the New Positive Psychology to Realize Your Potential for Lasting Fulfillment. Free Press, 2002
(6) Mihaly Csikszentmihalyi, Vivre - La psychologie du bonheur, Robert Laffont, 2004, traduction de : Flow: The Psychology of Optimal Experience, Harper & Row, 1990
(7) René Dubos, United Magazine, avril 1982
(8) Hugh Prather, Notes to Myself: My Struggle to Become a Person, Real People Press, 1970
(9) Drew Carey, 10 Questions, Time Magazine, 20 août 2007

Création, recréation, récréation

C'est le propre du jeu d'être à la fois création, recréation et récréation.

En effet, un jeu est d'abord et avant tout invention, création de l'esprit, pur produit de l'imagination. «Il y a place en eux pour la faculté créatrice et l'épanouissement de l'imagination»(1). Le jeu ne tient à rien, sinon à la volonté de ses créateurs et pratiquants de lui insuffler la vie et de le maintenir en vie par l'action. Sylvie Lavoie et Yannick Morin, qui ont parcouru le Québec pour répertorier la tradition ludique auprès des aînés avant qu'elle ne se perde, le constatent ainsi: «un consensus est établi et un bagage d'expressions consacrées suffit...rien ne maintient la règle sinon le désir de continuer à jouer. Il faut 'jouer à fond' ou pas du tout»(2). Ainsi donc le jeu n'existe que le temps d'y croire, ne persiste que dans l'effort et ne dure que le temps d'un consensus. Jouer, c'est créer et entretenir sa création.

Puis il y a recréation. On peut en effet parler de recréation dès qu'un jeu est joué à nouveau. On accorde ainsi au jeu le droit de revivre dès qu'on décide de le repratiquer. D'autre part, comme le jeu est une création pure faite de consensus, elle est de facto sujette au changement, car assujettie à l'humeur et à la volonté de ses pratiquants. Transformer un jeu est en effet un jeu d'enfant. Pour accorder au jeu une nouvelle existence, il suffit de nuancer une règle un tant soit peu ou encore d'en ajouter ou d'en retrancher. Le jeu assume alors automatiquement une nouvelle forme et une nouvelle direction. On parle donc aussi de recréation lorsque le jeu passe par le changement et revit alors sous une forme différente d'auparavant.

«Essayez de vous permettre et de permettre à vos joueurs d'être créatifs, innovateurs et spontanés dans le changement»(3). C'est dans cet esprit que la *New Games Foundation*, qui dans les années 70 a formé toute une génération d'animateurs du changement, s'est inspirée de toutes les traditions ludiques du monde pour proposer une voie vers le plaisir qui passe par la réinvention constante des jeux.

Autant le jeu se fige dans le moment, autant il se transforme dans le temps. Il s'incarne et se réincarne au gré des parties, des générations, des environnements et des cultures, pour servir ses créateurs dans leur besoin de se divertir, de se réjouir.

Enfin, jouer et se récréer sont synonymes. Faites le test. Si vous pratiquez une activité ludique et/ou sportive et que vous constatez qu'elle ne vous procure pas un moment de récréation, eh bien demandez-vous ce que vous foutez là. Et questionnez votre rapport avec le bonheur.

Car c'est aussi le propre de la vie d'être création, recréation et récréation. De là à dire que la vie est un jeu, il n'y a qu'un pas, que j'ai allègrement franchi il y a longtemps. La vie pour moi est en effet non seulement un jeu, mais LE grand jeu d'aventure par excellence. C'est une comédie dramatique ou encore un drame loufoque où chacun est le héros de sa propre aventure, et où chacun forge sa propre voie comme il peut selon ses actions, les circonstances et ses réactions aux circonstances. Ce grand jeu c'est un chemin du fou que l'on se dessine tout en le parcourant; c'est une espèce de quête de la sagesse qui part de l'innocence et s'abreuve d'expériences pour finalement aboutir à une nouvelle *innosens*.

Créativité, transformation et festivité

Dans leur livre *Jouer pour changer*, Christian Bruel et Bertrand Legendre décrivent ainsi les jeux de créativité: «Ces jeux sont des jeux de la nouveauté. Ils s'éloignent des pratiques réglées, codées, inexorables. L'imaginaire est sollicité. Et l'expression de soi, les représentations du monde»(4). Pour ma part, j'étendrais leur définition à l'ensemble des jeux, ou tout au moins à tous les jeux et grands jeux que je pratique et dissémine. Car pour moi tout jeu qui en vaut la peine est occasion de créativité, de transformation et de festivité.

C'est en effet sous cette prémisse que je joue avec et fais jouer les gens depuis plus de trente ans. J'interviens tant dans des contextes de créativité que de transformation et de festivités. En fait, ces trois éléments sont toujours présents, mais ce qui change, c'est la commande, le contexte, les circonstances.

Ainsi, lorsque qu'il s'agit d'intervenir dans le domaine récréotouristique, je porte plusieurs chapeaux: pour SOS Labyrinthe et MayaVentura, je suis créateur d'attractions interactives; pour Intrawest Resorts, je deviens expert-conseil en animation participative, et pour le Vieux-Port de Montréal, concepteur d'événements participatifs. Dans ces circonstances le jeu devient expérience novatrice et le maître de jeu, ingénieur d'expériences optimales. Mais je reste toujours essentiellement un animateur par le jeu. Car toutes mes recommandations, créations et réalisations appellent au défi, à l'accomplissement et au dépassement dans l'aventure, la découverte

et le plaisir. À la créativité, la transformation et la festivité. À jouer, tout simplement, sous des vocables plus évocateurs, plus vendeurs.

De même, lorsqu'il s'agit d'interventions en entreprise, l'animateur que je suis devient agent de transformation alors que l'accent est mis sur le développement de la créativité et l'ouverture au changement. Il s'agit en effet de mettre en place les circonstances qui permettront d'éveiller les consciences, de rétablir la confiance et de rapprocher leaders et employés de leurs valeurs profondes. Car, comme le dit si bien Rémi Tremblay dans son livre *Les Fous du Roi – il n'y a pas de crise du leadership. Il n'y a que des leaders en crise*, «Je crois que le monde des affaires n'a rien de différent du monde tout court. Il est simplement un lieu privilégié pour s'exprimer, se sentir utile, contribuer quelque chose de plus grand que soi. La confiance est son joyau le plus précieux»(5). J'ai ainsi créé, pour le Cirque du Soleil, les CRAC. Ces Cercles de réflexion et d'action créatives ont permis à plus de deux cent employés d'aller à la découverte des stimuli et des freins à la créativité au Cirque du Soleil... et par la bande, d'explorer leur propre rapport à la créativité. L'atelier de créativité par le jeu est ainsi un instrument d'ouverture puissant vers la confiance et la réalisation. Tout comme il est aussi un outil formidable pour quiconque accorde de l'importance à la capacité d'imaginer.

There is a crack in everything
That's how the light gets in.
   - Leonard Cohen

Après tout, le jeu n'est-il pas l'espace privilégié pour interpréter le monde et le réinventer à notre goût? De même le jeu collectif, qui est l'espace premier où chacun de nous avons appris à socialiser dans l'action, est l'endroit idéal où revenir pour reprendre contact avec ces acquis qui font de nous de bons collaborateurs en réseau : l'ouverture, la flexibilité, la réaction rapide, le contrôle partagé. Par le jeu et l'humour, on peut s'ouvrir aux autres, s'exprimer et être reconnus pour qui on est tout simplement, sans égard à notre poste ou niveau hiérarchique, sans craindre ou menacer. Ce faisant on développe les liens de confiance de base de la camaraderie qui font les groupes solides. En collaborant dans la bienveillance et le plaisir partagés, on fait aussi œuvre utile. Animés d'un esprit ludique, on coopère ensemble et on s'amuse à se mesurer et à se dépasser dans le plaisir et le respect, ce qui permet alors de (se) réaliser tout en repoussant les frontières du possible.

«Ne vas pas par où le chemin peu t'emmener. Vas plutôt par où il n'y a pas encore de chemin et laisse une trace».

- Auteur inconnu

(1) Erwin Geiger et Karl Heinz Grindler, Ébats Joyeux et jeux, Aubanel,1966

(2) Sylvie Lavoie et Yannick Morin, Jeux d'hier, jeux d'aujourd'hui, Éditions de l'Homme, 1982

(3) The New Games Book, New Games Foundation, edited by Andrew Fluegelman, Doubleday & Company Inc, 1976

(4) Christian Bruel, Bertrand Legendre, Jouer pour changer, Le Sourire qui mord, 1984

(5) Rémi Tremblay avec Diane Bérard, Les Fous du Roi, Éditions Transcontinentales, 2004

On est comme on naît...

et on naît joueurs!

«L'éveil des sens, la découverte du corps, la proximité de l'Autre avec la constellation de refus, d'incitations, d'échanges, de conflits que cette présence suscite, tous les apprentissages, tous les jeux de la petite enfance passent en premier lieu par l'action»(1).

Ceux qui n'oublient pas et ne renient pas leurs origines reconnaissent d'emblée le jeu comme une des grandes clés de la vie et comme un des outils de croissance et de transformation les plus puissants qui nous accompagne tout au cours de notre vie. Jouer est notre premier champ d'expertise, celui à partir duquel on développe toutes nos connaissances. On vient tous au monde avec une pleine dose de ce grand talent. Ainsi va la vie: *«Un jeu conduit à un autre, et tant qu'à se balancer, aussi bien se balancer en chantant; et puisqu'on va de l'école à la maison, pourquoi pas le faire à cloche-pied ou un pied dans la rue et l'autre sur le trottoir, ou en veillant à ne pas 'piler sur les lignes', ou s'attarder à examiner une chenille? Quand on est heureux, rien ne presse»*(2).

J'sais pas pour vous, mais en tout cas c'est mon cas. Le plaisir de jouer m'habite à plein temps - j'y travaille au quotidien. Je n'ai de cesse d'alimenter cet esprit ludique, et il n'a jamais cessé de me nourrir. Quand il m'échappe...mon côté sombre apparaît. Dois-je vous dire que tous préfèrent mon côté lumineux?

Quand il s'agit de vendre l'idée qu'il faille mettre de côté son attitude d'enfant avec l'âge, on ressort souvent l'apôtre Paul: *«Quand j'étais un enfant, je parlais comme un enfant, je pensais comme un enfant, je raisonnais comme un enfant, mais quand je suis devenu un homme, j'ai mis de côté tous ces enfantillages»* (1 Corinthiens 13: 11-12). Mais son Maître ne fustigeait-il pas justement ses disciples quand ils cherchaient à repousser les enfants d'autour de Lui? Au disciple Paul, je renvoie donc la parole de Jésus: *«Laissez venir à moi les petits enfants, et ne les empêchez pas; car le royaume de Dieu est pour ceux qui leur ressemblent»*. Et l'autre Paul que je suis crie haut et fort qu'il faut à tout prix et en toutes circonstances conserver sa nature d'enfant, préserver son ouverture face au jeu, développer sa capacité de jouer, entretenir son talent de joueur et raffiner cette expertise ludique qui est le fruit de tous nos enfantillages. Car c'est justement notre capacité de connecter avec notre enfant intérieur qui rend la vie agréable et qui maintient notre esprit ouvert, éveillé et créatif. Comme l'a dit John Guarrine, *«La vie est un gag que Dieu nous joue. Notre mission consiste à en découvrir le punch»*.

Et si nous avons été créés à l'image du Créateur, il doit être un moyen comique! Martin Luther King, humoriste à ses heures, semblait bien le croire: *«Le sens de l'humour est une qualité divine et Dieu a le sens de l'humour le plus développé entre tous. Il doit en être ainsi, car sinon pourquoi aurait-il créé autant de politiciens?»*

J'ai eu la grande chance de pouvoir choisir consciemment de consacrer ma vie à jouer et à faire jouer, à jouir et à partager cette réjouissance avec le plus de gens possible. Le pitre de la classe est devenu clown professionnel puis maître de jeu et enfin ingénieur d'expériences interactives. Ça veut dire que je passe ma vie à créer et à réaliser des expériences ludiques, pour moi comme pour les autres. En réalité, ça veut dire aussi que je passe beaucoup de temps chaque jour à m'amuser avec le monde autour de moi, à les faire rire, à appeler leur sens de l'humour – quitte à les débalancer à coup de jeux de mots et de double-entendres. Mais que voulez-vous, on est comme on naît, et je suis un enfant de cœur, pas un enfant de chœur. Un enfant qui aspire à l'humour comme à l'amour. Car l'humour et l'amour sont frères: *«L'humour véritable est amusant -c'est 'le fun'. Il ne rabaisse pas, ne niaise pas, ne se moque pas. Les gens se sentent à merveille, pas différents, séparés ou mis à part. Sous l'humour véritable se trouve la compréhension que l'on est tous ensemble dans le même bateau»*(3).

(1) Christian Bruel, Bertrand Legendre, Jouer pour changer Le Sourire qui mord, 1984
(2) Sylvie Lavoie et Yannick Morin, Jeux d'hier, jeux d'aujourd'hui, Éditions de l'Homme, 1982
(3) Hugh Prather, Notes to Myself: My Struggle to Become a Person, Real People Press, 1970

Jeu et plaisir
vs sport et rendement

Les jeux et sports du monde que l'on connaît et pratique aujourd'hui sont le fruit d'une constante évolution. Qu'ils soient récents, centenaires ou millénaires, ces jeux nous proviennent des individus et peuples qui les ont d'abord créés puis codifiés. Ensuite, par la pratique, le voisinage, les échanges interculturels, la conquête et enfin la globalisation, ils ont été adoptés par d'autres et se sont adaptés pour devenir ce qu'ils sont aujourd'hui, partie d'un vaste et grouillant champ de pratiques tant originales que variées.

Mais tout n'est pas jojo dans cet univers mondialisé, on le sait fort bien. «*En s'imposant progressivement comme la seule pratique légitime (parce que symbole de la 'civilisation' et du 'progrès'), le sport contamine et pervertit nombre de pays en voie de développement et leur interdit toute possibilité d'affirmer leur identité culturelle*» (1). Et je ne limiterais pas ce jugement aux seuls pays en voie de développement. Les auteurs du livre *Circus Company* décrivent bien le mouvement de glissement des valeurs qui affecte notre société, toutes nos sociétés: «*La mondialisation nous fait entrer dans l'hyperconsommation, même les activités autrefois les plus transcendantes, gratuites et porteuses de sens n'échappent pas à cette tyrannie des forces du marché*»(2).

Mondialisation. Le mot est lâché. Mais apparaît avec ce mot ce qu'on appelle l'alter mondialisation, qui en est en fait un dérivé positif. En effet, comme le constate l'historien du sport bien connu Roland Renson, la mondialisation, qui a pour effet principal la standardisation des pratiques au niveau macro régional, provoque par contre un effet secondaire puissant de micro régionalisation qui, lui, permet la reconnaissance et encourage la revitalisation de pratiques locales et régionales. Cet effet secondaire donne une occasion au sport traditionnel de s'ouvrir à la mondialisation et ainsi de participer au mélange post-moderne, au métissage des cultures. En voici la démonstration cocasse: lors du Festival mondial des jeux et sports traditionnels de Bangkok en 1996, la délégation belge wallonne fait la démonstration d'un jeu traditionnel belge flamand de *bowl* appelé *piersbollen*. En français, ce jeu s'appelait 'jeu de Siam' (Siam est l'ancien nom de la Thaïlande). Ainsi un jeu réputé 'flamand' fut mis en démonstration en Thaïlande par des Wallons sous l'appellation équivoque d'un jeu siamois! (3)

De même, des individus tels que moi-même et des organismes tels le Moulin à Vent font maintenant activement la promotion des traditions mondiales de jeu actif et de sport traditionnel à travers leurs concepts d'animation et d'intervention auprès des groupes, des foules et des entreprises. Pour justement faire contrepoids et offrir une alternative saine et créative à l'accélération forcenée de notre rythme de vie, à l'obsession du rendement toujours plus élevé, à notre course vers la mort.

La vie contemporaine correspond en effet de plus en plus à une course contre la montre, où plus souvent qu'autrement, les deux parents de la famille travaillent pour joindre les deux bouts tout en tentant de concilier travail, famille et loisirs. L'image du *rat race* est omniprésente à l'esprit. Cette image évocatrice d'une course de rats dans un labyrinthe, évoquée comme un gag satirique au milieu du vingtième siècle, est sans contredit devenue la réalité pour la majorité. L'activité physique et le sport ont suivi, quand ils n'ont pas montré le chemin. La course contre la montre, la lutte contre le temps est un des éléments déterminants du concept de rendement attaché au sport contemporain. Il ne faut pas que performer, il faut le faire à l'intérieur des périodes de temps prescrits, ou encore en se battant contre la montre. Qui peut mieux nous parler de cette réalité qu'un sprinter olympique? Bruny Surin, le multi-médaillé olympique canadien se livre: «*La vie a toujours été un sprint pour moi. Défier le temps était une obsession. Courir plus vite, toujours plus vite. Courir pourquoi? Courir après qui?*» Et de conclure: «*J'ai passé la moitié de mon existence dans cet état, mais aujourd'hui je veux prendre mon temps, le temps de respirer, de voir grandir mes enfants, d'être un bon père de famille, de prendre le temps d'apprécier la vie, sinon… Quel serait le sens de la vie?*»(4).

Comme ce facteur temps fait partie intrinsèque de nos vies contemporaines, il est difficile d'imaginer une époque où le temps n'existait pas, où sa dictature ne nous dominait pas. Gertrud Pfister, de l'Université libre de Berlin nous parle de cette époque où le temps mesuré n'existait pas: «*Les jeux traditionnels, dans leur rapport avec le temps, reflètent les attitudes et les*

comportements préindustriels. Le temps n'était pas alors vécu et utilisé comme une structure linéaire, quantitative et abstraite (…) le temps, en tant qu'instrument de mesure et de charpente, n'occupait pas un rôle déterminant. Les jeux et les divertissements procédaient d'un scénario ouvert; le temps n'était pas un facteur et personne ne souhaitait se battre contre le temps. La durée d'un jeu s'étendait sur la durée du festival (le plus souvent) religieux, qui était souvent la raison de jouer le jeu… les participants n'étaient pas des athlètes entraînés et spécialisés. Ils se retrouvaient ensemble souvent par accident»(5).

Dans plusieurs cultures, les jeux étaient en effet pratiqués dans un contexte de festival religieux; de même les sports, à leur apparition, étaient au départ réservés aux classes sociales élevées, alors qu'aujourd'hui: «*Ni pour les dieux, ni réservé à l'élite sociale, le sport moderne véhicule le principe de méritocratie, du tous contre tous et de la victoire pour la victoire*»(6).

Remarquable quand même, cette description de Pfister, de comment on jouait *'dans le bon vieux temps'*. Car elle correspond en tout point à comment on joue aujourd'hui quand on joue librement et à comment on aime pratiquer nos loisirs; elle correspond à comment les enfants jouent encore quand on les laisse faire et elle correspond à comment beaucoup d'adultes pratiquent leurs jeux actifs et leurs sports traditionnels entre amis ou amateurs. Elle correspond même je dirais à une aspiration que bien des jeunes et des adultes ont de jouer simplement, sans contrainte, sans chercher à être des athlètes, pour le simple plaisir de s'activer et de socialiser hors contexte, en dehors de la course des rats, en dehors de la pression quotidienne du rendement. Et ce n'est pas simple nostalgie d'un temps révolu. Il s'agit plutôt d'un besoin criant et essentiel pour balancer nos vies et conserver notre santé et *sanité*, une alternative *'hamac'* à notre mode de vie en constante accélération. Le retour au plaisir de jouer est une nécessité absolue aujourd'hui, car on n'en a plus que pour le sport, et que le sport est malheureusement perverti, décentré: «*Le sport est la perversion du jeu par l'introduction systématique du rendement corporel*»(7).

Comme l'a si bien dit George Leonard: «*Nos sports sont tellement compétitifs qu'on serait porté à croire que tous les êtres humains et les mâles en particulier naissent compétiteurs. Ainsi donc, nous serions donc génétiquement programmés pour considérer la victoire comme 'la seule avenue possible'. En réalité, les jeux de nombreuses cultures ne proposent aucun élément compétitif...*»(8). En effet, il est erroné de croire que l'humanité doit son évolution à la compétition incessante entre les hommes et avec la nature. Charles Darwin l'a clairement affirmé: «*La survie de la race humaine doit beaucoup plus à l'intelligence, au sens moral et la coopération sociale qu'à la compétition*».

Malheureusement, la notion de jouer est maintenant quasi-totalement obnubilée par le sport contemporain, sauf dans son marketing, où là on aime bien reprendre et y associer les notions de jeu et de plaisir de jouer. Tenter de convaincre nos jeunes qu'en pratiquant rigoureusement un sport '*on va bien s'amuser*' est une notion fallacieuse qui ne se vérifie souvent pas à

l'essai et qui devient une bonne manière de faire décrocher plusieurs de toute activité physique en groupe. Et cette confusion que nous entretenons volontiers entre jeu et sport, elle sert à qui, à quoi? On joue au *foot*, on joue au *volley*, mais quand le football est-il un jeu? Et quand le volley-ball devient-il un sport? La réponse est simple. Tant qu'on est en mesure d'adapter notre façon de jouer aux joueurs en présence, à leur nombre, à leur composition, à leurs compétences et au temps dont ils disposent, bref tant que le pouvoir décisionnel reste consensuel et tant que l'objectif fondamental reste le plaisir, alors là il y a jeu et des gens qui jouent ensemble, même en compétition. En contrepartie, dès que l'on attache plus d'importance au résultat qu'à l'action elle-même, dès que la notion de l'emporter sur l'autre et surtout de ne pas perdre prend plus d'importance que le plaisir d'être ensemble et de se donner à fond, autrement dit dès que la recherche du plaisir est subordonnée au rendement, alors là on parle de sport moderne.

Ce qu'affirmaient il y a plus de cinquante ans Geiger et Grindler, vaut toujours, et encore plus aujourd'hui: «*Selon que nous exerçons notre pouvoir, notre influence, notre faculté de commandement, c'est de nous qu'il dépendra de transformer le jeu en plaisir ou en souffrance, pour le meilleur et pour le pire*»(9).

(1) P.Arnaud et G.Broyer, Des techniques du corps aux techniques sportives, Psycho-pédagogie des APS, Privat, Toulouse, 1986)
(2) Laurent Saussereau, Thierry Roussin et Eric Axel Zimmer, Circus Company, Eyrolles, 2007
(3) Roland Renson, The Reinvention of Tradition in Sports and Games, Journal of Comparative Physical Education and Sport, vol.19 # 2,1997
(4) Isabelle Clément, Le sens de la vie?, Portrait de Bruny Surin, Fides, 2006
(5) Gertrud Pfister, Research on Traditional Games- The Scientific Perspective, Journal of Comparative Physical Education and Sport, Vol.19 #2, 1997
(6) N. Elias et E. Dunning, Sport et civilisation, la violence maîtrisée, Fayard, Paris, 1994
(7) Jean Marie Brohm, entretiens réalisé par G.Bui-Xuan, revue EPS (Éducation Physique et Sport, 1984
(8) George Leonard, The Ultimate Athlete, North Atlantic, 1990
(9) Erwin Geiger et Karl Heinz Grindler, Ébats Joyeux et jeux, Aubanel,1966

Les jeux du Monde, promesses d'avenir

«*Reconnaître que le sport international, avec sa grande variété d'activités et d'exercices porte sérieusement ombrage aux jeux et aux sports traditionnels est une évidence.*»

Voilà ce qu'affirmait Tatchai Sumitra, président de l'université de Chulalongkorn de Bangkok, lors du discours d'ouverture de *La Première conférence internationale sur les jeux et les sports traditionnels,* en 2004. La même année un collègue, rencontré à cette occasion, m'écrivait: «*Depuis quelques décennies et en particulier au cours des dernières années, la place qu'occupent les sports internationaux ne cesse d'augmenter, jusqu'à concentrer aujourd'hui presque toute l'attention sur eux. Ceci s'effectue bien sûr au détriment de pratiques sportives traditionnelles ou régionales qui ont un rôle significatif à jouer dans la préservation et le développement de l'héritage culturel des nations et qui en soi sont digne d'intérêt*». Seyed Amir Hosseini, auteur de ces lignes, sait de quoi il en retient: à titre de conseiller au sport pour le vice-président d'Iran, il agit tant au niveau du sport olympique qu'à celui des jeux et sports traditionnels iraniens.

Voilà deux sons de cloche très clairs en provenance de l'Orient. En réalité, ça résonne un peu partout. En Australie par exemple, Bob Stewart et Matthew Nicholson, du département d'études du Football de l'université de Victoria rappellent leur société à l'ordre: «*Il est clair que les athlètes d'élite reçoivent une part disproportionnée du financement sportif... Près de 80% des fonds gouvernementaux vont au sport d'élite (...) 10% de son budget opérationnel sur les programmes de sport communautaires. Nous devons nous assurer que notre infrastructure sportive rende possible à chaque groupe démographique, social et culturel la pratique de son activité favorite*»(1).

En France, 360 professeurs d'Éducation Physique et Sportive signent un texte fracassant, dont voici des extraits: « *La reconnaissance de l'Éducation Physique dans le système éducatif ne passe pas par sa dévotion au sport de compétition et l'oubli de tout ce que ce monde produit d'horreurs quotidiennes, avec au bout la marchandisation de nos vies. Nous ne voulons pas être les promoteurs du spectacle sportif dont les valeurs (culture du chef, de la violence, du chiffre, de la souffrance et du résultat à tout prix) sont à l'inverse de celles que nous défendons dans l'École Publique (laïcité, esprit critique, plaisir, émancipation, coopération). Parce que nous savons que les grandes compétitions sportives (coupe du monde, jeux olympiques) constituent les foires anabolisées du néolibéralisme qui se donne en spectacle, parce que nos élèves sont les cibles permanentes des marchands de «rêve sportif», nous refusons d'être les agents de la «sportivisation» du monde et de la jeunesse en particulier. Nous avons ainsi refusé d'être les relais de la candidature de Paris pour les Jeux Olympiques de 2012 auprès de la jeunesse scolarisée»*(2).

Le sport moderne, c'est comme la malbouffe: on baigne dedans jusqu'à en être malade, puis on s'en réchappe et on passe à une vie plus saine.

Pour ma part, je fais jouer les gens sans jamais aller du côté du sport moderne. Ainsi il n'y a aucune confusion possible et on ne traîne pas dans le jeu tout le bagage d'excès relié au sport. Les valeurs de fair-play, du plaisir de s'amuser et de s'activer en relevant des défis, pour moi ça relève de jouer. Pratiquer un sport, c'est autre chose. J'en suis rendu là. Sauf pour le sport traditionnel, aux portes duquel on retrouve encore pour la plupart les valeurs de plaisir et de partage propres au jeu et au sport original. Comme le soulignait haut et fort Susan Greene, organisatrice du treizième Championnats européens de *road bowling* de 2008, dans un discours adressé aux représentants des six nations participantes: *«Nous ne sommes pas ici par hasard ce soir (...) Si le sport doit avoir un sens quelconque en ce vingt-et-unième siècle, je recommanderais aux politiciens de ne pas se concentrer sur ce qu'ils voient sur la télévision satellite. Ce genre de sport a sa place aussi, mais notre sport et les sports comme le nôtre font partie du sang qui coule dans les veines des communautés, familles et générations et qui nous lient à l'Europe ancienne et plus avant vers une Europe diversifiée et en changement (...) Il n'y aura pas de meilleur endroit pour constater cela qu'ici dans Cork au cours des Championnats européens de 2008. Je veux que vous veniez voir des athlètes au top de leur forme se mesurer avec une honnêteté depuis longtemps oubliée dans de nombreux sports. Voir des sports qui puisent leurs origines dans la brume du temps mais qui vibrent d'une énergie telle que leur avenir est assuré pour longtemps dans le canevas européen».*

Voilà le genre de discours qui redonne espoir en la pratique sportive. C'est en jetant un éclairage nouveau sur les sports traditionnels encore pratiqués avec plaisir par tous les peuples du monde que l'on pourra offrir une alternative solide au sport-spectacle.

Je vois l'avenir dans la foulée des mouvements de *slow-food* et autres mouvements d'alter-mondialisation, où priment la volonté de reprise de pouvoir de soi et de son environnement de vie. J'y vois plein de gens ouverts et avertis, intéressés par les valeurs de fairplay et d'esprit sportif originels, qui en ont soupé d'un modèle basé sur la pression de l'avidité et de la compétition écrasante, qui ne veulent pas mieux que de découvrir et redécouvrir toutes les pratiques positives des peuples du monde afin de recréer un présent à la hauteur de notre potentiel divin.

(1) Bob Stewart, Matthew Nicholson, Worldwide Experiences and Trends in Sport For All, Meyer and Meyer Sport, 2002
(2) Une liste de profs d'EPS contre la «sportivisation», L'émancipation syndicale et pédago-gique, juillet 2006

Contribuer à édifier une culture de la paix

Que le plaisir de la pratique sportive pénètre l'existence de tous, que le sport soit l'apanage de tous. 'Tous les sports pour tous', voilà ce que le fondateur des jeux olympiques modernes proposait en 1919 dans ses *Lettres Olympiques*. Les Jeux Olympiques imaginés par Pierre de Coubertin sont avant tout un effort conscient pour insuffler une éthique positive, une idéologie fondatrice du sport basée sur un idéal moral de pureté, de moralité, de fraternité, et de santé.

Mais l'homme n'était pas naïf, loin de là! Voyez comment il complète sa proposition : «Tous les sports pour tous – voilà sans doute une formule qu'on va taxer de follement utopique»(1). De même Lord Killanin, sixième président du Comité international olympique, cite un de Coubertin très lucide: «L'athlétisme peut être la source des plus nobles passions comme des plus viles; il peut développer l'impartialité et le sens de l'honneur tout aussi bien que le goût de la victoire; il peut être chevaleresque ou corrompu, vil, bestial; il peut tout autant servir à consolider la paix qu'à préparer la guerre»(2).

Car le sport reflète tout-à-fait la dualité qui compose l'être humain, celle de l'homme qui cherche à s'affranchir de la bête, pendant même que la bête tente de maintenir l'homme à son niveau le plus bas. Cette dualité pousse aux aspirations les plus nobles comme aux pires excès. Comme pour l'atome, qui dans les mains de l'un servira l'humanité et dans les mains de l'autre provoquera sa destruction, le sport est un instrument dont l'usage dépend de qui s'en sert, et de comment.

Comme le dit si bien Lao-Tseu, «Celui qui a inventé le bateau a aussi inventé le naufrage». En effet, d'un côté il faut bien reconnaître l'aspect éminemment civilisateur du sport, qui loge au niveau des grandes inventions sociales. Il offre en effet aux gens « l'excitation libératrice d'une lutte physique comprenant l'effort physique et l'habileté tout en limitant au minimum la possibilité de blessures sérieuses»(3). De l'autre, on ne peut passer sous silence ses aspects tyranniques: «le sport est non seulement une politique de diversion sociale, de canalisation émotionnelle des masses, mais plus fondamentalement encore une coercition anthropologique majeure qui renforce et légitime l'idéologie productiviste et le principe de rendement de la société capitaliste. Le sport est ainsi une injonction autoritaire au dépassement de soi et des autres, la mise en œuvre institutionnelle de cette contrainte sans cesse énoncée au surpassement… C'est pourquoi la critique du sport est la condition préliminaire de toute critique sociale»(4).

Les Jeux Olympiques tels qu'imaginés et lancés par Pierre de Coubertin sont avant tout un effort conscient pour insuffler une éthique positive, une idéologie fondatrice du sport basée sur un idéal moral de pureté, de moralité, de fraternité, et de santé. Aujourd'hui ces Jeux sont sans contredit l'Événement sportif mondial par excellence, un happening planétaire qui met en exergue une panacée de valeurs positives derrière lesquelles grouille toutefois une confusion d'intérêts politiques et économiques. L'idéal olympique ainsi récupéré fait trop souvent place à idéologie, au profit à tout prix et au rendement à n'importe quel prix avec son lot de souffrances, de tricheries, de doping, d'injustices et autres corruptions.

Que faire? Le sociologue Eitzen constate et suggère: «Alors même que le sport excite et inspire, il est source de problèmes. Ne nous débarrassons pas du sport, améliorons-le. Pour moi, ceci implique que le sport devrait être plus amusant, plus inclusif, plus humanisé et plus éthique»(5). C'est dans cet esprit que la *Trim and Fitness International Sport for All Association* voit le jour en 1990. Partenaire du CIO et de l'UNESCO, TAFISA regroupe plus de 150 organisations-membres dans une centaine de pays qui se dévouent à la mise en valeur de la notion de 'Sports pour tous' si chère à Pierre de Coubertin. Pour ce faire, l'organisme fondé en 1990 organise en 1992 à Bonn le premier festival mondial des jeux et sports traditionnels.

Comme l'explique le Dr. Jurgen Palm, président honoraire de TAFISA, dans un article du Bulletin du *International Council of Sport Science and Physical Education*: «Ainsi en juin 1992, 32 nations ont présenté 90 sports, jeux et danses différentes sur scène dans un parc en plein air, et dans plusieurs parties de la ville et ont attiré 150 000 participants, qui n'ont pas seulement regardé les activités, mais qui ont eu la chance de prendre part à certaines d'entre d'elles (…) Nous trouvons plusieurs raisons pour l'acceptation et la promotion du Festival et pour la redécouverte des sports traditionnels. L'une est la signification culturelle des jeux et sports dans leur région natale qui contraste avec la globalisation du sport dans une uniformité universelle. Une autre raison est de comprendre que plusieurs de ces activités sont d'excellentes ressources pour le développement du 'Sport pour tous'».

Cet évènement festif est depuis célébré tous les quatre ans: Bangkok recevait les Jeux en 1996, puis Hanovre en 2000. Montréal reprend le flambeau pour 2004, mais doit abruptement abandonner ses efforts à seulement un mois de la tenue de l'événement. Néanmoins, le festival revoit le jour à Busan, Corée du Sud, en 2008.

L'annulation à la dernière minute du festival des Jeux du monde de Montréal se produit suite au refus du gouvernement canadien d'avancer la seconde moitié de sa contribution promise. Cette mauvaise surprise servie au millier de délégués s'apprêtant à débarquer des quatre coins du monde aura porté un dur coup pour la cause du sport pour tous en Amérique du Nord, de même qu'à TAFISA et aux organisateurs canadiens du festival, dont je faisais partie. La mission et les objectifs de cet événement, que j'ai été appelé à définir en 2001, sont une magnifique illustration de ce que pourraient être les Jeux Olympiques aujourd'hui si l'esprit de Pierre De Coubertin était respecté: «D'organiser un événement de niveau international mettant en valeur par le biais de démonstrations, d'enseignement, de participation et d'animation, les jeux et sports traditionnels des peuples du monde et ainsi susciter l'intérêt du public et lui faire redécouvrir le plaisir de la pratique de l'activité physique sous toutes ses formes».

Comme tant d'autres passionnés de la pratique ludique sportive par et pour tous, j'ai supporté à fond l'équipe du festival des Jeux du monde de Montréal. En cours de route, j'ai été appelé à rédiger le *Répertoire des jeux et sport traditionnels*, puis les fondements du livre des *Jeux du Monde*, ouvrage-guide destiné à tous les visiteurs-participants au festival. Le livre que vous tenez entre les mains est d'ailleurs la seule trace qui reste de cette tentative prodigieuse de célébration planétaire du 'Sport pour tous' en sol canadien. Je lève donc mon chapeau à tous ces organisateurs, bénévoles et intervenants qui se sont dévoués corps et âme à la cause et les salue tous affectueusement. De même, bravo à TAFISA pour avoir maintenu le cap contre vents et marées et à la Corée du Sud pour avoir repris le flambeau!

Dans ses efforts d'actualiser la vision 'Tous les sports pour tous' de Pierre de Coubertin, TAFISA est soutenue par UNESCO, qui œuvre depuis 1999 dans le sens de la préservation, la promotion, et le développement des jeux et sports traditionnels, afin qu'ils fassent partie intégrante des stratégies nationales de développement. À cet égard l'organisme onusien, lors de sa Troisième conférence internationale des ministres et hauts fonctionnaires responsables de l'éducation physique et du sport (MINEPS III) s'est engagé à établir une liste du patrimoine mondial des jeux et sports traditionnels ainsi qu'à mettre en place un cadre incitatif à leur promotion et leur préservation, ce qui devrait aboutir à l'élaboration d'une Charte internationale des Jeux et Sports traditionnels.

C'est dans cet esprit qu'UNESCO s'est associée de près à l'élaboration du *World Sports Encyclopedia*. Cet ouvrage colossal, publié en 2003 sous ses auspices, décrit en détail plus de 3000 jeux et sports traditionnels parmi près de 8000 répertoriés par le professeur Wojciech Liponski et son équipe diligente de contributeurs du monde entier. Comme l'affirme le professeur dans son introduction: «Cette encyclopédie déborde d'histoires à couper le souffle qui présentent la richesse sans limites des cultures humaines et des activités sportives depuis les temps préhistoriques jusqu'à nos jours»(6). Je recommande fortement cette bible des jeux et sports traditionnels à tous ceux d'entre vous qui, comme moi, nourrissent une curiosité insatiable quand il s'agit des jeux.

Pour terminer en beauté, reprenons ces mots tirés du site web d'UNESCO: «Il faut continuer à préserver et encourager les jeux et sports traditionnels, patrimoine culturel de l'humanité, gage d'enrichissement pour les sociétés humaines, mémoire des civilisations. Car les jeux et sports traditionnels peuvent être extrêmement profitables en terme de compréhension interculturelle et de tolérance mutuelle tant au sein des communautés de nations qu'entre elles, et contribuer ainsi à l'édification d'une culture de la paix».

(1) Pierre de Coubertin, Lettres Olympiques, Gazette de Lauzanne, 1919
(2) Lord Killanin and John Rodda, The Olympic Games, Barrie & Jenkins, 1976
(3) Norbert Élias & E. Dunning, Quest for excitement : sport and leisure in the civilizing process, Oxford, 1986
(4) Jean-Marie BROHM, La Tyrannie sportive. Théorie critique d'un opium du peuple, Paris,Beauchesne éditeur, 2006
(5) D.Stanley Eitzen. Fair and Foul: Beyond the Myths and Paradoxes of Sport, Rowman and Littlefield, 2003
(6)Wojciech Liponski, World Sports Encyclopedia, MBI Publishing Company, 2003

Jeux du monde:

perspective canadienne et québécoise

Ce texte reprend l'essentiel d'une conférence que j'ai prononcée à Bangkok dans le cadre du *'First International Conference and Festival on Traditional Plays, Games and Sports'* en février 2004, intitulée: *'Significance, value and development of traditional plays, games and sports from a Canadian and Quebecois perspective.'*

Une courtepointe de peuples

Le Canada est une nation jeune, une véritable courtepointe de plusieurs peuples. D'un côté il y a les peuples indigènes, et de l'autre le reste de nous canadiens, la grande majorité: immigrants de partout dans le monde.

Les premiers habitants de cette contrée forment trois groupes majeurs: les Premières nations, les Inuit et les Métis. On retrouve des Premières nations dans tous les coins du pays, de l'Atlantique au Pacifique. Les Inuit, dont le nom signifie *'les gens'*, étaient autrefois appelés eskimos, surnom péjoratif qui signifie *'mangeurs de viande crue du nord'*. Ils se déploient sur une mince bande dans le Nord, tout en haut près du pôle Nord. Finalement on retrouve les Métis, un peuple de sangs-croisés indigènes et européens, dans les provinces du centre-ouest du pays.

Les Canadiens de descendance française comme moi habitent majoritairement le Québec et peuvent retracer leurs origines à près de 500 ans. Pas tellement loin en arrière, n'est-ce pas? Les Canadiens de descendance britannique retracent leurs origines à plus ou moins 250 ans, lorsqu'ils ont conquis les colonisateurs français. On pensa alors que c'en serait fini de la présence française en Amérique. Mais nous étions catholiques, et mes ancêtres se mirent au travail et firent beaucoup beaucoup d'enfants. Et c'est grâce à eux si je suis avec vous aujourd'hui.

Mais je dois vous dire que, bien que mon père soit canadien français d'origine et québécois *'pure laine'*, ma mère est mexicaine. Je me présente à vous donc comme un véritable représentant de la réalité canadienne du vingt-et-unième siècle, d'un pays composé de nombreuses et diverses cultures, une courtepointe.

On retrouve aujourd'hui plus de 80 communautés culturelles actives à Montréal, la première ville française des Amériques. Et bien entendu, tous ces immigrants sont arrivés au Québec et au Canada avec leur culture et leurs traditions dans leurs bagages. Et en ont conservé l'essentiel tout en s'intégrant graduellement à la culture locale.

Voilà le Québec d'aujourd'hui, un grand bain de cultures regroupé autour de la culture québécoise, le tout enveloppé d'une politique canadienne de multiculturalisme. Cette politique, qui est un trait marquant du Canada, encourage chaque communauté immigrante à préserver et à entretenir sa culture. D'avoir toutes les cultures du monde en interaction et se métissant dans le même espace est une expérience très intéressante, je dirais même très canadienne. Ça ouvre un monde de possibilités.

Daniel Igali: diversité et intégration des jeux du monde en sol canadien.

Laissez-moi vous donner rapidement un exemple de ce que ça signifie d'être Canadien aujourd'hui dans le contexte des jeux et des sports.

Daniel Igali, alias 'dynamite', est un lutteur olympique canadien. Il est aussi Nigérien de l'ethnie Ijaw. À Eniwari, son lieu d'origine, la lutte a toujours fait partie de la culture: en fait, la lutte est aux Ijaws ce que le hockey est aux canadiens: presque une religion! Daniel devient rapidement champion de lutte traditionnelle nigérienne. Puis il participe aux Jeux du Commonwealth au Canada en 1994 et décide d'y rester, en raison de la situation politique extrêmement instable au Nigeria et du peu de chances de pouvoir y poursuivre des études et une carrière sportive.

Daniel Kigali est maintenant un héros olympique canadien. Et à quoi pensez-vous que Daniel s'occupe quand il n'est pas en train de s'entraîner ou de lutter? Il joue au kabaddi! Vous connaissez le kabaddi, sport national de l'Inde et un des plus anciens jeux du monde. Ce jeu que je qualifierais de jeu de 'tag' en équipe, Daniel le décrit lui comme un jeu de rugby sans ballon. Eh oui, le kabaddi marche fort au Canada: le premier championnat international de kabaddi s'est d'ailleurs tenu à Hamilton, en Ontario.

Nous sommes donc ici en présence d'un jeune homme d'origine Ijaw qui commence sa carrière comme champion de lutte traditionnelle nigérienne, qui poursuit sa carrière comme lutteur olympique canadien et qui est maintenant une étoile du kabaddi.

Dans le mileu kabaddien, on le surnomme d'ailleurs 'Kabaddi kid'.

Quel exemple de la diversité et de la capacité d'intégration des jeux du monde en sol canadien.

Richesse de l'offre et de la pratique des jeux du monde au Canada

Les canadiens sont à l'avant-plan des pratiques de jeux et de sports traditionnels contemporains. Des mordus de vélo de montagne remportent presque à tout coup les championnats internationaux de cycle polo; les maîtres canadiens du Kendo n'ont rien à envier aux maîtres japonais et ne cessent de le prouver sur la scène mondiale… Et la liste s'allonge.

Les Premières nations du Canada ont donné au monde le sport international de la crosse, dont trois versions co-existent maintenant sur la planète: la crosse canadienne, aussi appelé 'field lacrosse', box lacrosse et intercrosse.

La crosse canadienne est la version classique du jeu, la seule reconnue par les traditionalistes. Ne mentionnez pas les autres versions du sport à nos amis Mohawks: vos oreilles vont bourdonner! Phénomène unique sur le circuit international, la confédération iroquoise des Premières nations participe au Championnat mondial de la crosse sous son propre drapeau. Voilà qui rend bien justice à leur contribution à ce sport.

Box lacrosse est une version révisée de la crosse canadienne, créée dans les années 1930 pour pouvoir se pratiquer dans l'espace plus petit d'une patinoire de hockey (sans la glace, bien entendu). Grâce à son format, il connaît une popularité croissante en tant que version commerciale ou professionnelle du sport en arénas.

Finalement, mon concitoyen québécois Pierre Fillion a créé Intercrosse en 1979 comme une version moderne de la crosse. On se retrouve ici avec une version moins agressive du jeu, plus dans l'esprit du sport pour tous chère à Pierre de Coubertin et mise de l'avant par l'organisme para-olympique TAFISA. Pour vous donner un exemple, durant les championnats du monde d'intercrosse, les joueurs venus du monde entier se sont retrouvés dans des équipes mixtes et de toutes nationalités, choisies au hasard par un ordinateur. C'est tellement canadien!

Les Inuits quant à eux ont mis et donné le kayak au monde. Le kayaking connaît aujourd'hui une croissance phénoménale au Canada et on voit maintenant plus de kayaks que de canots dans nos lacs et rivières. Les Inuits tiennent aussi leurs propres jeux de style olympique en association avec leurs voisins de la Première nation déné des Territoires du Nord-Ouest. Il s'agit des Jeux arctiques.

Les jeux arctiques ont vu le jour au Canada dans les années 1970 et regroupent maintenant tous les peuples inuits de la Conférence circonpolaire, qui comprend les territoires polaires du Canada, de l'Alaska, du Groenland et de la Russie.

Les jeux traditionnels contemporains des Inuits et Dénés se présentent sous la forme de défis toujours simples et amusants à jouer et à regarder. Ceci les rend particulièrement intéressants pour les éducateurs physiques et les animateurs de jeux. C'est ainsi que ces jeux pénètrent graduellement les milieux scolaires et de camps d'été.

Nous arrivons finalement au peuple métis du centre ouest canadien. Ils nous proposent les Jeux des Voyageurs, qui font honneur à leurs ancêtres européens et indigènes qui parcouraient l'Amérique en tout sens à bord de leurs grands canots, transportant leurs marchandises et faisant le commerce des fourrures et d'autres biens.

Leurs jeux, qui font appel à la force, l'endurance et l'habileté, se pratiquent dans des contextes festifs. Vous pouvez d'ailleurs imaginer les Voyageurs du bon vieux temps se lançant des défis et se mettant à l'épreuve au cours de leurs rencontres saisonnières.

Aujourd'hui, comme de nombreux peuples indigènes autour du monde, les Métis s'activent à un processus de réaffirmation identitaire. Leurs Jeux des Voyageurs représentent ainsi pour eux un outil majeur pour se redonner de la vigueur et pour familiariser les autres canadiens à la réalité métis. Comme quoi le jeu est un instrument formidable pour rapprocher et raffermir les gens et les peuples.

L'hiver: lieu commun et lien commun des canadiens

J'ai une question pour vous: dans une contrée aussi grande et diversifiée que le Canada, qu'est-ce qui peut bien nous unir dans une même réalité partagée, qu'est-ce qu'on peut bien avoir en commun? L'hiver.

L'hiver canadien. Le froid glacial qui dure et dure encore… un bon cinq mois de l'année, et parfois plus. Combien fait-il en ce moment à Bangkok en février? +25 degrés centigrades et ça monte! C'est bien simple, si vous remplacez ce signe plus par le signe moins, qu'allez-vous obtenir? Le Canada!

Le véritable lien commun qui nous unit Canadiens est notre façon d'affronter l'hiver. Plus que tout autre facteur qui fait de nous des Canadiens. Nous partageons tous le rude hiver canadien et l'endurons tous au mieux de notre capacité. Surtout en se plaignant et en se réconfortant mutuellement, vous pouvez imaginer. Ayez pitié de nous!

Nous survivons à cet hiver long et pénible en le bravant et en s'en jouant, ou plutôt en jouant avec. Car tous les Canadiens jouent dans la neige, se lancent des balles de neige et construisent des bonhommes de neige, des tunnels et des igloos. On patine et on joue au hockey. On fait du toboggan, du ski, de la planche à neige, de la raquette et on marche dans ce merveilleux univers tout de blanc.

Par un beau dimanche au parc à Montréal

Comme vous verrez, ce texte met en valeur le potentiel multi-culturel canado-québécois via la pratique des jeux du monde dans un parc de Montréal. Réalité, fantaisie? Possible, en tous cas, pour qui fréquente le parc Jeanne-Mance de Montréal.

Si vous passez par le parc Jeanne-Mance au cœur de Montréal n'importe quel dimanche après-midi entre mai et octobre, vous êtes témoin d'un mini-festival de jeux du monde. Totalement impromptu. Ça fait partie du plaisir de vivre à Montréal, ville d'Amérique au tempérament latin et à saveur cosmopolite. Au Québec, on prend ça pour acquis, alors que nos visiteurs tombent sous le charme de cette ambiance tribale universelle.

Pendant que des milliers de personnes dansent, jouent au hacky et se lancent des *frisbees* et des balles au son des tambours du Tam-jam, des dizaines d'autres filent à toute allure sur les pistes cyclables, en vélo, en patins ou en planche à roulette. Un petit groupe pratique des numéros de jonglerie à côté de circassiens qui répètent leurs numéros acrobatiques.

Pendant que des groupes d'hommes d'âge mûr frappent les tables à pique-nique de leurs dominos, d'autres se concentrent sur leur échèquiers.

Dans le coin des enfants, les plus jeunes font des châteaux et autres ouvrages gigantesques dans le carré de sable alors que d'autres, sous l'œil attentif de leurs parents, grimpent les structures acrobatiques. Des enfants un peu plus vieux jouent à la marelle pendant que d'autres chantonnent en sautant à la corde.

Le long des sentiers montagneux, des marcheurs regroupés ou solitaires se partagent les sentiers avec les coureurs et vélocistes de montagne, pendant que d'autres s'essaient aux plus extrêmes techniques du parkour. Sur les terrains de jeux on s'active qui au foot, qui au soft, pendant qu'un autre gang se défonce au cycle-polo. Les courts de tennis sont pleins, de même que ceux de volley et de beach-volley. Des joueurs d'un âge vénérable pratiquent la pétanque ou le bocce et tirent ou pointent, c'est selon.

À l'ombre des grands érables un groupe enfile une harmonieuse séquence de tai-chi sous la gouverne d'un vieux chinois en grande forme – ou est-ce une vieille chinoise? Dur à dire… Dans un autre coin, attirés par les chants, tappements et le son malingre du berimbau, on peut observer un groupe de danseurs-acrobates tous de blanc vêtus se lancer des défis autour d'un cercle de capoeira. Et plus loin, un autre groupe se perd et se retrouve dans une méditation active de Falun dafa, imperturbable et indifférent aux punjabis pieds-nus qui rigolent et se confrontent au kabaddi.

Par un beau dimanche à Montréal…

JEUX du MONDE

Jeux de Combat
et Arts Martiaux

Arnis
Les Philippins

Arnis est une des clés de la recherche identitaires des philippins. C'est un art martial autochtone, né des styles de combats connus sous les noms de *kali* et d'*eskrima.*

Ce système de combat au bâton intègre l'expression culturelle et artistique, les angles d'attaque, les gardes et les positions, les déplacements, les façons de frapper, les contre faces, les désarmements, les exercices et jeux, le combat, la stratégie et les tactiques.

Rajah Lapulapu, roi guerrier du XVIe siècle et premier héros national des Philippines, fut l'un des premiers maîtres de l'*arnis*. Il maîtrisait l'art du *pangamut,* soit les six manœuvres de taillade à l'épée, ainsi que la science de la lutte *dumog.* En compagnie de ses disciples, il parvint en 1521 à repousser les conquistadors lors de la bataille de Mactan. Les espagnols s'enfuirent, abandonnant à la mort leur chef blessé. Ce chef, c'était nul autre que Magellan, l'explorateur de grand renom.

À la suite de la conquête espagnole, la pratique de l'*arnis* fut interdite. Les conquérants justifièrent cette décision en expliquant que les disciples de l'*arnis* avaient tendance à délaisser leurs travaux aux champs. Il faut dire que cette explication avait cours partout dans le monde à cette époque. En effet, on utilisa la même raison pour bannir les jeux et sports hawaiiens tel que le *Moa Pahe'e (voir Moa Pahe'e p. 196)* ainsi que la *Capoeira (voir capoeria p. 6)* au Brésil.

Évidemment, ce que les conquérants craignaient, c'était la rébellion. Grâce à l'*arnis,* les philippins avaient les moyens de se battre. Pour imposer leur loi, les espagnols exigèrent des hommes qu'ils portent des vêtements transparents afin de s'assurer qu'aucune arme ne soit portée sous les habits. Cette loi eut pour effet indirect d'instaurer le port du *barong tagalong,* vêtement traditionnel des philippins.

Mais l'*arnis* ne pouvait se mesurer avec succès aux mousquets et aux canons. C'est ainsi qu'il se retira derrière les portes closes des maisons où il fut préservé comme tradition. Il se cacha aussi au grand jour, dans les théâtres, où il fut incorporé aux spectacles. Parlez-moi de cet art de passer inaperçu en se donnant en spectacle: les brésiliens firent de même avec la *capoeira,* transformant leur art martial en danse!

Le nom *arnis* est également apparu à cette époque, dérivé du terme espagnol *arnes de mano.* Les espagnols utilisaient en effet cette expression pour décrire les ornements de chaînes métalliques dont se paraient les comédiens des spectacles. Soit dit en passant, ce mot espagnol *arnes* est relié étymologiquement au mot français harnais. Le mot espagnol en vint bientôt à désigner les scènes de combat des spectacles, avant de devenir *arnis,* le nom de l'art martial faisant appel aux bâtons de rotin.

Arnis est maintenant une école d'auto-défense complète, qui fait appel aux armes aussi bien qu'à la main nue. Outre les bâtons de rotin, les armes peuvent comprendre les lames et les épées, mais aussi toutes sortes d'objets de tous les jours tels le stylo, la pièce de monnaie, l'éventail pliant, le calepin, la salière... et quoi encore?

Au niveau mondial, l'arnis a la cote. Aux Philippines mêmes toutefois, c'est plutôt un héros oublié, un art négligé, une science en voie de perdre ses racines. Des ONG telles que PIGSSAI, la *Philippine Indigenous Games and Sports Savers Association Inc.,* travaillent actuellement main dans la main avec des organismes gouvernementaux afin d'assurer la survie et la renaissance de l'*arnis* ainsi que de tous les autres jeux et sports traditionnels philippins. Levons donc notre chapeau à ces braves gens, des Philippines et du monde entier, qui mènent le bon combat. Ils font œuvre noble de préserver l'essentiel du patrimoine culturel du monde.

Combat philippin au bâton

Art martial

Joueurs: individuel ou en duo.
Équipement: mains nues, bâtons de rotin, lames et épées, stylos, pièces de monnaie, éventails pliants, calepins, salières...
Contact: Jose Dion D. Diaz, PIGSSAI, Rm 508, Dept of Tourism Bldg., T.M Kalaw St, Ermita Malina 1000, Philippines; dgminfra@philtourism.com
Site Web: www.geocities.com/pigssai/games.html

Capoeira

Les Brésiliens

La *capoeira* est un art martial africain originaire du Brésil. Ce sont en effet des esclaves africains qui ont développé cet outil d'autodéfense en le camouflant comme une simple forme de divertissement.

Face à la déshumanisation et la torture quotidiennes, la pratique de la *capoeira* allait contribuer à unir les esclaves et à maintenir leur esprit vivant, créatif et fort. Les interdits posés par leurs propriétaires sur la *capoeira* rendaient l'activité encore plus intéressante pour les captifs. Ils allaient secrètement pratiquer dans les clairières des forêts, ce qui rendait l'activité encore plus enrichissante. Le *capoeirista* possédait et développait continuellement son sentiment d'appartenance, son individualité et sa confiance en soi. Précisément ce que l'esclavagiste tentait d'enrayer chez les êtres humains qu'ils possédaient.

Au fil des siècles, les autorités successives eurent beau bannir la *capoeira* tant comme autant, cela n'empêcha pas les *capoeiristas* de pratiquer leur art dans la rue dans un geste d'affirmation et de défi. Un système d'alarme se développa pour soutenir ceux-ci: pour signaler l'arrivée des autorités, les spectateurs tapaient des mains et jouaient de la musique. Le son du *berimbau,* un instrument à une corde fait-maison, finit par s'imbriquer dans la pratique de la *capoeira,* de même que le tapage des mains et le son des tambours pour marquer le rythme.

Ainsi, l'art martial illégal prit graduellement la forme d'une danse acrobatique improvisée. Toutefois, même au début des années 1900, les *capoeiristas* étaient toujours considérés comme de dangereux marginaux délinquants et fauteurs de trouble.

Le gouvernement changea subitement d'attitude il y a environ 70 ans. Sommé de se présenter au Palais du Gouverneur à Bahia, le maître de *capoeira* Bimba s'attendait au pire. Mais à sa grande surprise, le gouverneur l'invita à faire une démonstration de «notre héritage culturel» pour ses invités. À Partir de ce moment, la *capoeira* fut reconnue comme une forme d'art autochtone du Brésil. En 1937, *Mestre* Bimba ouvrit la première académie de *capoeira* officiellement reconnue. En 1941, *Mestre Pasthina* ouvrit son propre Centro Esportivo de Capoeira Angola.

De là émergèrent les deux écoles principales de capoeira: capoeira angola du maître Pasthina et capoeira regional du maître Bimba. La capoeira angola donne à la capoeira une origine africaine; elle aurait traversé l'océan avec les esclaves. Cette forme de capoeria n'encourage pas le contact entre capoeiristas, mais plutôt les coups bien placés mais retenus. La capoeira regional, qui elle encourage le contact entre capoeiristas, ramène plutôt les origines de la capoeira aux plantations du Brésil. Le plus important à retenir est que l'école regional enseigne une forme de capoeira plus agressive, et l'école angola, plus artistique.

Aujourd'hui, la capoeira est devenue une institution culturelle de Bahia. Le combat de résistance des temps passés a fait place à un sport et une forme d'expression artistique solidement soutenus par la communauté. Selon les écoles, les occasions et les participants, on considère la capoeira comme un art martial, une danse, un sport ou un jeu. On trouve ici des similarités entre la capoeira et le wushu, le vénérable art martial chinois (voir wushu, p. 31). En effet, le wushu est considéré par les traditionalistes comme l'art de combat originel. Mais ça n'a pas empêché sa transformation en sport olympique gracieux et stylisé pour l'élite et en activité sportive sanitaire pour les masses.

Tout de même, grâce à son style unique, la capoeira sous quelque forme qu'elle se présente demeure toujours éminemment reconnaissable. L'enchaînement de mouvements acrobatiques rythmés, roulades, sauts, coups, relève autant du combat que de la danse. Celui-ci s'effectue à l'intérieur d'une roda, un demi-cercle de participants qui chantent, tapent des mains et jouent de la musique. Tels des compétiteurs de break dance, les capoeiristas sautent joyeusement dans la roda pour improviser quelques mouvements de combat et pirouettes de fausses-esquives. Suivant le rythme hyper-syncopé de la musique, les capoeiristas exécutent leurs mouvements et s'échangent des coups de manière fluide et gracieuse.

Ce que l'on retient de la capoeira, c'est un profond sentiment de respect et de rituel. Voir photoreportage p. 140.

Danse, combat, jeu!

Art martial/danse/jeu

Joueurs: nombre indéfini; appelés capoeiristas; en demi-cercle appelé roda; chantent, tapent des mains, jouent des instruments de musique et de percussion; tour à tour entrent et sortent du roda afin de s'exécuter.

Roda: demi-cercle formé par capoeiristas au centre duquel le combat / danse s'effectue.

Uniformes: pantalons larges et chemise en T blancs.

Musique: berimbau, instrument de musique à une corde; tambours; percussions et cloches.

Déroulement: solo de berimbau et performances des combattants; puis s'ajoutent autres instruments, tapage des mains et chants; après un signe de la croix, les combattants s'approchent rythmiquement dans un mouvement circulaire dansant; coups donnés avec les mains et les pieds au son de la musique.

Site Web: www.aobrasil.com/capoeira/

Combat viking

Les Danois

Les Vikings des temps anciens étaient réputés valeureux combattants. Aujourd'hui, descendants comme admirateurs pratiquent toujours l'art viking de la guerre, quoique de manière beaucoup plus amicale!

On dirait que les terribles Vikings ont laissé derrière eux un héritage passablement… pacifique après tout. En effet, les descendants des Vikings en Islande pratiquent un sport de catch dérivé des techniques de combat à main nue de leurs ancêtres. Ce sport national s'appelle *glíma (voir glima p. 10)*. Le mot veut dire *jeu de joie.* La joie semble tout autant être au menu principal du groupe de combattants danois *Ulfhednir.* Ceux-ci pratiquent joyeusement le combat armé viking traditionnel pour le pur plaisir de la chose.

Les membres du groupe *Ulfhednir* partagent avec leurs ancêtres un autre trait de caractère bien connu: l'amour du voyage. C'est ainsi qu'ils multiplient les visites et

les démonstrations de leur sport dans de nombreux pays européens. La populace d'aujourd'hui semble beaucoup mieux apprécier la présence viking que leurs ancêtres qui y ont goûté il y a mille ans.

Le groupe *Ulfhednir* est parvenu, après maintes recherches, à reconstituer la façon de vivre du Viking voyageur. Ses membres tentent de la répliquer le plus fidèlement possible. Il en va de même pour l'armement: épée, hache, hache de guerre, lance, couteaux et boucliers sont tous des répliques de modèles originaux. Quoique non affilées, les lames présentent néanmoins des rebords tranchants de trois millimètres. Alors, nos joueurs vikings portent des vêtements de protection de cuir: armure, gants et protège-bras par-dessus lesquels viennent casque et cote de maille. Tous faits à partir de pièces d'origine.

La première règle de combat est absolue: c'est la notion du combat juste, du fair-play. Sans celle-ci, pas de jeu possible. Avec celle-ci, même des personnes ne partageant pas la même langue peuvent s'entendre et se combattre sans danger.

À cette règle primordiale se greffent deux autres, toutes simples. En toute circonstance et quel que soit le type de combat, on ne peut frapper que les parties du corps qui peuvent valoir un point. Un joueur frappé dans une partie défendue se mérite automatiquement le point. Et chaque combat cesse immédiatement après un premier contact ou encore, dès l'instant où un coup défendu a été donné. Les combattants attribuent alors le point au gagnant avant de reprendre le combat. Si les combattants réussissent un coup en même temps, chacun s'attribue alors un point. Cette situation porte le nom de *dubbelkill*.

Le groupe *Ulfhednir* organise deux types de combats: en cercle et en ligne. Au cours d'un combat en cercle, chacun se bat en combat singulier jusqu'à ce qu'il ne reste plus qu'un seul joueur debout. Quant au combat en ligne, il peut, selon les circonstances, comprendre entre quinze et mille cinq cents participants. C'est qu'on tente de répliquer le choc de deux armées qui s'affrontent. Ainsi, au delà de toute aptitude individuelle au combat, l'issue de la bataille sera déterminée par le recours aux tactiques les plus efficaces, aux groupes de chasse ou encore à la force écrasante.

Arrrrgh!

Art martial / combat pour jouer

Objectif: répliquer le mieux possible les styles de combat des Vikings ainsi que leur style de vie lors des voyages.

Zones de coups pour épées, haches, haches de combat et couteaux: torse et hanches, devant et derrière.

Zones de coups pour lances: torse, devant et derrière.

Fautes: porter un coup ou poignarder dans zone triangulaire au haut du bouclier, à la tête ou au cou; le point va à celui qui a reçu le coup.

Combat en cercle: combat singulier entre tous jusqu'à ce qu'il ne reste qu'un joueur debout.

Combat en ligne: 2 armées qui s'affrontent; la victoire dépend des tactiques, coureurs, groupes de chasse et force écrasante.

Groupe de chasse: 3 joueurs entraînés à combattre en équipe; permet aux combattants de développer les stratégies et tactiques de combat en groupe.

Source: Groupe de combat *Ulfhednir,* www.ulfhedhnir.dk

Site Web: www.ulfhednir.dk

Glíma

Les Islandais

Voici une forme de catch qui remonte à l'âge des Vikings!

En Islande, le *glíma* est un sport national. Il est pratiqué par les descendants des Vikings depuis plus de onze siècles. C'est une forme de lutte appelée *fang* par les Islandais. En islandais, *fang* identifie aussi la partie du corps située entre les bras. On dit d'un homme, coincé par une prise entre les bras, qu'il est dans le *fang* d'un autre.

Dans un match de *glíma*, deux combattants s'affrontent sans armes. Ils portent parfois des ceintures ou pantalons spécialement conçus pour être agrippés. Chacun s'efforce de saisir son adversaire par le corps ou les vêtements et de le renverser sur le dos. Ceci par une série de crocs-en-jambe et autres trucs de lutte ou encore de *chips,* comme on appelle les prises de dos.

Quatre éléments différencient le *glíma* d'autres formes de lutte: la position quasi-debout; les prises à partir de la ceinture et de l'extérieur du pantalon; les trucs de lutte distinctifs avec pieds, jambes et hanches; et finalement les *stígandi* ou jeux de pieds de *glíma.* Ce sont ces derniers qui entraînent les combattants dans un mouvement circulaire entre deux tentatives de chips ou d'autres prises de lutte.

La lutte *fang* s'est développée en Islande pour des raisons reliées tant à la guerre qu'à la température et au sport. Lorsqu'un combattant perdait son arme au combat, il pouvait compter sur ses talents de lutteur à mains nues, tant pour attaquer que pour défendre sa vie. Pour contrer la température souvent inclémente du pays, l'Islandais pratiquait aussi le *glíma* pour se réchauffer après un long séjour à l'extérieur et après une longue période d'inactivité. Et finalement, les matchs de lutte islandaise étaient de toutes les rencontres et fêtes sociales.

Depuis, on a codifié la version amicale, sportive et de réchauffement du *glíma* sous l'appellation de *leikfang,* qui signifie «lutter pour s'amuser». Ceci afin de la différentier de la version combat mortel. En fait, on retrouve souvent les mêmes formes ou des prises similaires dans les deux types de lutte. Comme l'intention diffère, les résultants sont aussi bien différents. Il en va de même pour tous les arts martiaux. Même l'art traditionnel du combat chinois appelé *wushu (voir wushu, p. 31)* vise maintenant tant la compétition olympique que le sport pour tous.

La plus prestigieuse récompense du sport est la Ceinture de Grettir du Championnat islandais de *glíma.* Nommée en l'honneur de Grettir, grand héros de l'époque ancienne, la ceinture revient au vainqueur depuis 1906.

Depuis le XIIe siècle, le glíma en tant que tel est totalement identifié à sa version amicale. Son nom même le consacre comme sport joyeux.

Glíma en islandais signifie «jeu de joie».

Leikfang glíma!

Match de lutte

2 lutteurs

Objectif: renverser l'adversaire, par un croc-en-jambe ou en le levant dans les airs et en l'empêchant de tomber sur ses pieds.

Position: presque droit; chacun un peu à gauche de l'autre; pied droit avancé; regard au-dessus de l'épaule droite de l'autre, jamais sur les pieds (lutte par toucher et senti plutôt que par vue).

Costume optionnel: souliers, combo chemise et pantalons avec protège-aine; 3 ceintures de cuir, une autour de la taille, les deux autres autour de chaque hanche et attachées à la ceinture de taille.

8 Prises majeures: conçues pour renverser l'autre; autour de 50 manières de les exécuter.

Début: on se sert les mains; main droite prend la ceinture de taille de l'autre; main gauche prend la ceinture de hanche de l'autre; au signal on commence.

Source: Glíma the Icelandic Wrestling, T. Einarsson, Glímusamband Íslands, Icelandic Glíma Association

Site Web: www.glima.is

Iintonga
Jeu aux bâtons

Les Sud-Africains

Les Sud-Africains sont passés maîtres du combat au bâton depuis des générations. Pour eux, cette forme d'escrime est ni plus ni moins qu'un jeu amical.

Dans toutes les traditions du monde, le combat au bâton permet aux hommes de prouver leur force bien sûr, mais aussi de se fortifier, de se distinguer et de gagner le respect de la communauté. Il en est ainsi du *jogo do pau* portugais *(voir jogo do pau, p. 14)*, pour ne nommer que celui-là. Historiquement, le combat au bâton servait en Afrique du Sud de technique d'entraînement pour la guerre. Mais avec le temps, on a fini par le considérer comme un instrument de résolution de conflits à l'aspect plus symbolique que militaire. On retrouve d'ailleurs encore ce genre de symbolisme dans certaines compétitions tenues dans des régions rurales.

Les techniques et manœuvres employées dans le combat aux bâtons en tant que jeu sont identiques à celles développées pour la guerre. Les seules différences résident dans le choix des armes et, bien sûr, dans l'intention. On remarque d'ailleurs la

même scission entre versions guerrières et pacifiques, somme toute identiques, dans d'autres sports de combat tels que la lutte viking *glíma (voir glíma, p. 10)* et le *wushu* chinois *(voir wushu, p. 31).*

Traditionnellement, les hommes sud-africains possédaient plusieurs bâtons de combat. Ils les rangeaient dans le toit de leur maison, les transportaient pour se défendre et s'en servaient lorsque défiés.

Le bâton principal est offensif. Fait d'un bois dur sans nœud, il est sculpté de manière à obtenir une surface lisse et sert exclusivement au combat. Ce bâton d'attaque est tenu dans la main droite et sert à frapper le corps et la tête de l'adversaire.

Le bâton de blocage est long et régulier. Il s'agit d'une arme défensive tenue dans la main gauche. Il sert à parer les coups de l'adversaire. Destiné à protéger le corps de la tête aux pieds, il est plus long que le bâton offensif.

Un troisième bâton est aussi tenu de la main gauche. Il sert à supporter un petit bouclier qui protège cette main.

Chaque langue autochtone sud-africaine a son propre nom pour décrire le sport. En zulu, c'est *izinduku,* en isiXhosa c'est *iintonga* et en sethoso, *melamu*. Mais la Commission sud-africaine des sports a récemment adopté le mot *iintonga* pour identifier tous les jeux de combats au bâton du pays. La Commission est en effet dans un processus de standardisation des jeux d'Afrique du Sud. L'objectif est de préserver et de promouvoir le patrimoine culturel de la nation.

Cette standardisation des jeux ouvre la voie à la pratique et aux compétitions de masse, et contribue ainsi à la nécessaire unification des peuples et des cultures variées du pays. Ce qui arrive maintenant en Afrique du Sud est un bon exemple du processus de « sportification » des jeux, c'est-à-dire de la transformation des jeux en sports. Dans ce processus, on en perd un peu et on en gagne un peu. Ainsi va la vie!

Un p'tit combat entre amis?

Jeu de combat au bâton

Arène: 7 m de diamètre.

Bâtons: 2; appelés set d'iintonga; un bâton d'attaque, un bâton de défense.

Bâton d'attaque: autour de 88 cm de long; sa taille varie selon la grandeur du joueur; la circonférence s'élargit un peu du bas vers le haut; le poids additionnel en haut donne plus de mobilité durant les manœuvres offensives; tenu dans la main droite.

Bâton de blocage: autour de 165 cm de long; sa circonférence s'élargit vers le haut à partir de la prise; tenu dans la main gauche.

Bouclier: entre 55 et 63 cm de long et 31 à 33 cm de large; poignée au dos du bouclier, assez grande pour deux ou trois doigts (index, majeur et petit doigt); les combattants saisissent la poignée en premier avec deux ou trois doigts avant de saisir le bâton de blocage; le coussin à l'intérieur du bouclier protège la main des coups; le bâton de support court verticalement au centre du bouclier, tenu par quatre nœuds triangulaires.

Durée: 1 partie ou plus.

Partie: 3 rondes d'une minute chaque.

Pénalités: points enlevés pour transgressions, c'est-à-dire frapper l'adversaire pendant une interruption, quand il se trouve au sol; le frapper avec le bâton de défense ou sur les parties du corps défendues; pousser, accrocher, saisir ou utiliser des bâtons affilés.

Pointage: 1 point pour chaque coup porté; déterminé par 3 juges; les points sont inscrits sur une feuille de pointage.

Arbitre: se sert d'un bâton blanc pour séparer les adversaires si des coups illégaux sont portés; porte des gants de plastique.

Sécurité: trousse de premiers soins.

Source: South African Indigenous games, South African Sports Commission, 2001, PO Box 11239 Centurion 0046.

Site Web: www.ejmas.com/jalt/jaltart_Coetzee_0902.htmc

Jogo do Pau
Jeu du bâton
Les Portugais

Ce combat portugais d'escrime au bâton est pratiqué depuis les temps les plus reculés. Pour cette raison, on considère *Jogo do Pau* comme le plus typique des sports traditionnels portugais.

Pour attaquer et se défendre de ses adversaires, on utilise un bâton nommé *iodao* dont la longueur varie selon la taille du joueur. À l'époque, ceux-ci servaient tant de bâtons de bergers que de bâtons de marche pour les voyageurs. Les uns comme les autres s'en servaient tant pour se défendre des animaux que des hommes malveillants. Plus tard, les jeunes hommes des différents villages se mesuraient lors des *pauladas,* des matches d'escrime au bâton. Combattre au bâton pour protéger les siens était aussi bien considéré que d'être chevalier.

Le bâton de combat fait partie de l'histoire de l'indépendance du Portugal. On dit en effet que le bâton était l'arme de choix de Dom Nuno Alvares Pereira, le jeune général portugais qui remporta la bataille décisive d'Aljubarrota en 1385, combat qui servit toute une raclée aux Castillans, mettant fin une fois pour toutes aux desseins de la Castille d'annexer le Portugal.

Plus tard les Portugais, eux-mêmes conquérants, dispersèrent le jeu du bâton dans leurs propres colonies des Îles Canaries et des Açores, ce qui donna naissance à d'autres pratiques d'arts martiaux en ces lieux.

Puis, au fil du temps et des besoins changeant, les techniques de combat firent de plus en plus place à des chorégraphies spectaculaires.

Plus récemment, durant la période fasciste de 1926 à 1974, la pratique de cet art martial fut interdite et *Jogo do Pau* faillit bien disparaître. Mais maintenant le jeu du bâton est enseigné par des associations qui encouragent sa pratique. L'apprentissage des différentes techniques de combat peut s'échelonner sur plusieurs années.

Jogo do Pau comprend trois grandes écoles ou styles de pratiques. *Escola Galega* ou l'école galicienne enseigne une technique de coups où le combattant tient son bâton d'une seule main. Avant de porter le coup, celui-ci le fait tournoyer au-dessus de sa tête.

Escola Ribatejana ou l'école *Ribatejo* est aussi connue sous le nom de *Escola de Pateleira*. Celle-ci favorise le combat rapproché avec des coups courts et précis et des positions pour parer ceux de l'adversaire. Finalement, *Escola de Lisboa*, l'école de Lisbonne, encourage l'autodéfense. Le combattant pare alors les coups de son adversaire en lui renvoyant des coups similaires dans la direction opposée.

Afin que la pratique du combat reste un jeu sans risque, les portugais se protègent avec des gants de hockey, un casque d'escrime modifié-rembourré et des protège-corps très légers.

Concluons avec ce vieux dicton qui nous provient de la tradition chinoise du *wushu (voir wushu, p. 31),* et qui va comme un gant à *Jogo do Pau:* Le bâton est le grand-père des armes.

Le Grand-père des armes!

Combat au bâton

Bâton de bois: appelé *iodao;* environ 1,50 m de long; pour attaquer et se défendre.
3 écoles ou styles: *Escola Galega; Escola Ribatejana; Escola de Lisboa*
Escola Galeja: bâton tenu d'une seule main et tournoyé au-dessus de la tête avant de porter le coup.
Escola Ribatejana: combat rapproché avec coups courts et précis et positions pour parer les coups.
Escola de Lisboa: combat d'autodéfense où l'on pare les coups tout en renvoyant des coups similaires dans la direction opposée.
Protection: gants de hockey, casque d'escrime rembourré et protège-corps très léger.
Source: Associação de Jogos Tradicionais da Guarda, Lago de Torreão, 4, 6300-609 Guarda portugal.
Site Web: www.arscives.com/jogodopau/default.htm

Kourèche
Lutte tatare
Les Tatares - Russie

(Voir Sabantuy - P. 93)

Krabi-Krabong

Les Thaïlandais

Cet art martial traditionnel de la Thaïlande met en valeur les techniques de manipulation d'armes de main. Les combattants combinent celles-ci aux techniques de boxe thaïlandaise et à des prises de style judo pour le plus bel effet.

D'après les observateurs, le *krabi-krabong* proviendrait d'une tradition de combat plus pure que celle de la boxe thaïlandaise, le *muay thaï (voir muay thaï, p. 25)*. Le *krabi-krabong* s'enseigne en effet selon une tradition solennelle vieille de quatre cent ans. Celle-ci fut transmise à l'origine par le Wat Phutthaisawan, un monastère situé sur l'île-cité d'Ayuthaya. Ayuthaya est l'ancienne capitale royale de la Thaïlande, du temps où le pays s'appelait Siam.

Le *krabi-krabong* est l'art du combat armé. Il se pratique ainsi au *krabii*, à l'épée, au *plong*, au bâton, au *ngao*, à la hallebarde,

aux *daap sawng meu*, à la paire d'épées et aux *mai sun-sawk*, à la paire de gourdins.

Tout comme pour la boxe thaïlandaise, le *krabi-krabong* moderne se déroule à l'intérieur d'un cercle; le match est précédé d'une cérémonie de *wai khru*, rituel de respect et de gratitude où chaque combattant rend hommage à son maître et à ses esprits protecteurs. Un ensemble musical accompagne l'ensemble de l'événement.

Lors du combat, les armes utilisées sont bien affilées; les combattants retiennent donc leurs coups. Lorsqu'un combattant est blessé, il peut se rendre, mais le fait d'être blessé n'arrête pas le combat pour autant. On attribue la victoire en fonction de l'endurance comme des prouesses techniques.

Curieusement, la plupart des Thaïlandais considèrent le *krabi-krabong* comme un divertissement pour les touristes ou encore un artefact rituel que l'on sort lors des festivals. En effet, si vous allez à Bangkok, vous pourrez admirer les prouesses des combattants qui se donnent en spectacle régulièrement au carré Sanam Luang. Mais en fait, l'art martial est encore bien vivant : les gardes du corps d'élite du roi y sont tous entraînés, aujourd'hui tout comme aux jours glorieux des rois de Siam.

Thaïlande et armes de main!

Krabi-Krabong

Art martial

Joueurs: combat singulier.
Description: art et techniques de combat avec des armes de main.
Armes: *krabii*, épée, *plong*, bâton, *ngao*, hallebarde, *daap sawng meu*, paire d'épées et *mai sun-sawk*, paire de gourdins.
Déroulement: se déroule à l'intérieur d'un cercle; le match est précédé d'une cérémonie de *wai khru*, rituel de respect et de gratitude où chaque combattant rend hommage à son maître et à ses esprits protecteurs, et un ensemble musical accompagne l'ensemble de l'événement.
Contact: Sport For All Federation Thailand, 2088 Ramkhamhaeng Rd. Bangkapi Bangkok, Thailand 10240.
Site Web: www.krabikrabong.co.uk

Lucha Leonesa

Les Espagnols

Saisissez votre adversaire par la ceinture et essayez de l'allonger sur le dos... sans lui asséner de coups!

La *lucha leonesa* est une forme traditionnelle de lutte qui provient du nord de l'Espagne. Les premières mentions du sport nous ramènent à plus de deux mille ans en arrière. Même alors il était décrit comme une activité typique de certains peuples habitant les territoires du nord de la péninsule ibérique. Ces peuples, les Astures et les Cantabres étaient des Celtibériens, c'est-à-dire de sang mêlé celte et ibérien. C'est pourquoi certains attribuent les origines de la *lucha leonesa* aux celtes.

Le sport est aussi connu sous le nom de *aluché*. Au Moyen-âge, *aluché* était un divertissement populaire des régions de Cantabria et León. Les matches d'*aluché* étaient de toutes les rencontres sociales

et occasions festives, exactement comme l'était en Islande la lutte *glíma (voir glíma, p. 10).* Les deux sports de combat étaient et sont toujours pratiqués pour le plaisir sportif de la chose. L'idée n'est pas de démolir son adversaire, mais simplement de le renverser sur le dos.

Facile à dire! La force brute n'est pas la clé, mais plutôt l'habileté, la capacité de déséquilibrer son adversaire et de se servir de sa propre force contre lui. Afin de renverser l'adversaire, le lutteur *aluché* se sert de techniques appelées *mañas.* Celles-ci se divisent en *piernas*, pieds, *caderas*, hanches et en contre-mouvements appelés *falseos* ou contras.

Étendre son adversaire sur le dos donne deux points, l'envoyer sur le ventre ou sur le côté donne un point. Un lutteur qui lâche la ceinture de l'autre se voit pénalisé d'un point. Un match se joue pour 4 points ou sinon dure 2 minutes.

Le sport s'est fédéré en 1931. Auparavant, les lutteurs ne combattaient pas pour des bourses mais par fierté personnelle et pour l'honneur de son patelin. Les combats de *lucha leonesa* canalisaient les rivalités séculaires entre villages voisins et entre habitants de la montagne et de la rive. Les spectateurs se rassemblaient autour d'un grand cercle, le *corro,* et un champion lançait un «*¿Hay quien luche* – qui veut lutter?*»* Alors les jeunes et les moins jeunes s'avançaient pour répondre au défi. Le champion prenait alors tous les prétendants au titre les uns après les autres, jusqu'à l'emporter ou être défait. Si battu, son vainqueur le remplaçait et ainsi de suite jusqu'à ce qu'un gagnant émerge à la fin des combats.

Notons ici la formule de transmission de la culture d'une génération à l'autre, qui est ici évidente. La génération plus âgée fait de la place à la génération montante en l'invitant à participer aux jeux des adultes. Les jeunes, qui assistent aux matches de lucha et jouent sans doute à la lutte depuis leur tendre enfance, peuvent, lorsqu'ils se sentent prêts, répondre au défi lancé dans le *corro.* Ces jeunes effectuent alors leurs premiers combats avec des adultes expérimentés devant toute la communauté, dans un véritable rite de passage à l'état adulte.

La *lucha leonesa* fait partie intégrale de la culture de la région de León. De nos jours, les habitants de la montagne et de la rive en sont toujours aussi passionnés. Le sport a même son hymne officiel, composé en 1999 à la demande de la *Delegación Provincial de Lucha Leonesa* par un groupe du nom de *La Braña.* Pour plusieurs, *aluché* est plus qu'un sport. Pour le peuple de León, *la lucha leonesa* est un symbole dont on est très fier.

¿Hay quien luche?

Lucha Leonesa

Lutte sans coups

Objectif: étendre son adversaire sur le dos en maintenant en tout temps ses mains sur sa ceinture.

Joueurs: 2 ou 2 équipes de 3 lutteurs, un de chaque catégorie de poids.

Vêtements: chemisette, pantalons courts et ceinture de cuir mesurant 3 cm de large.

Mañas: prises; divisées en *piernas,* pieds, *caderas,* hanches et en contre-mouvements appelés *falseos* ou *contras.*

Corro: arène en cercle mesurant autour de 10 m de diamètre; sur gazon; spectateurs se tiennent à 1 m du cercle.

Catégories de poids; léger, jusqu'à 67 kg, intermédiaire, jusqu'à 77 kg, et lourd, plus de 77 kg.

Pointage: étendre son adversaire sur le dos donne 2 points; l'envoyer sur le ventre ou sur le côté donne 1 point; lutteur qui lâche la ceinture de l'autre se voit pénalisé d'un point.

Match: se joue pour 4 points ou sinon dure 2 minutes.

Source: Asociación cultural y científica de Estudios de Turismo, Tiempo libre y Deporte (AccETTD), Bioy Casares 37, E-10005 Cáceres, España.

Sites Web: www.luchaleonesa.es
http//grupolabrana.com

Lutte mongole

Les Mongols - Russie

Voir Naadam p. 86

Lutte Sumo

Les Japonais

De toutes les traditions sportives japonaises, la lutte sumo est sans nul doute la plus reconnue dans le monde. Le sumo regroupe en effet, en une seule et même capsule, tous les éléments identificateurs du Japon: cérémonie, rituel, tradition, spectacle grandiose, code d'honneur et de rang, détermination féroce, ainsi qu'une force concentrée à la fois brute et raffinée.

Il semble qu'au départ le sumo ait été une forme de rituel servant à assurer l'abondance des récoltes. Beaucoup de Jeux du monde ont en commun d'avoir été brodés à des fins rituelles. Les semailles et les moissons ont de tout temps été des actes rituels essentiels. On est trop portés à l'oublier maintenant que l'industrie a presque complètement transformé l'agriculture en un business comme les autres, sans âme.

Ainsi, la même notion d'origines sacrées reliées aux récoltes se retrouve dans le jeu des *Castells* d'Espagne *(voir Castells, p. 72),* d'*Upih Nggusit* d'Indonésie *(voir Upih Nggusit, p. 96)* et dans le *Sabantuy* du Tatarstan *(voir Kuresh Sabantuy, p. 93),* pour ne nommer que ceux là… Et je ne

peux passer sous silence le *Dragon ivre* de Macao *(voir Dragon ivre, p. 80),* rituel d'ivresse qui, dit-on, sert à assurer des pêches abondantes.

Le sumo fait partie de la légende et de l'histoire depuis les tous débuts du peuple japonais. Le livre japonais le plus ancien encore en existence, le *Kojiki,* ne date que de l'an 712. Dans ce premier livre japonais, le Conte des temps anciens, le sumo joue par contre un rôle déterminant: on le dépeint comme rien de moins que la sage-femme de la nation japonaise! Dans cette légende vieille de 2500 ans, deux dieux s'affrontent en lutte sumo pour déterminer qui prendra possession des îles japonaises. Le dieu Takemikazuchi remporta ce combat sumo titanesque pour son Peuple choisi, les japonais. La famille impériale actuelle se réclame de la lignée du dieu triomphateur.

En 720 sont publiées les Chroniques du Japon, *Nihon Shoki.* Ces chroniques racontent entre autres le premier combat sumo entre simples mortels qui eût lieu en l'an 23 avant notre ère et identifient le père du sumo en la personne du potier Nomi no Sukune. Sukune se vit alors accorder par l'empereur Suini la permission spéciale de se battre en duel sumo avec une brute présomptueuse du nom de Taima no Kehaya. Le combat extrême dura un bon moment et se termina lorsqu'un des lutteurs infligea à l'autre une blessure mortelle. Devinez qui emporta le match?

Comme l'affirme le *Nihon Shoki*, le sumo fut enfanté dans la violence extrême, le combat à mort. Maintenant que les lutteurs sumo, les *rikishi*, se contentent de forcer leur adversaire au sol ou encore de le pousser hors de l'arène, nous pouvons prendre la mesure exacte de l'évolution humaine. Enfin, l'enfant, le *rikishi* qui le premier touche le sol avec n'importe quelle partie de son corps (sauf la plante des pieds), perd le combat.

Toujours est-il que lorsque l'on risque sa vie, comme les *rikishi* le faisaient à l'époque, on comprend mieux le besoin de prendre son temps ainsi que la mesure de son adversaire avant de l'attaquer. On appelle *tachi-ai* ce moment classique au début du combat où les *rikishi*, immobiles, s'observent et s'intimident tout en accumulant leur énergie.

Jusqu'en 1950, on ne faisait pas de cas du temps passé ainsi à s'observer. Ça pouvait durer parfois jusqu'à dix minutes. Mais la modernité sait comment imposer le changement même dans le cas des rituels les plus anciens. Dans ce cas-ci, c'est la couverture radio qui imposa sa loi. Il faut dire que des silences de dix minutes, ce n'est pas ce qu'il y a de plus sexy pour les ondes. Ainsi de nos jours, le temps d'intimidation et d'accumulation de l'énergie ne dépasse pas deux minutes dans les ligues mineures et quatre dans les ligues majeures. Une fois le temps limite dépassé, le *rikishi* qui quitte le *dohyo*, (le tapis) le premier déclare forfait.

Il parait que la plupart des combat se gagnent ou se perdent au cours du *tachi-ai*, qui se conclut d'ailleurs par un premier assaut qui n'est pas sans rappeler un face-à-face entre deux taureaux. Les *rikishi* indiquent qu'ils sont prêts à s'affronter en mettant leurs deux mains sur le tapis du *dohyo*. Les deux doivent se coordonner pour toucher ensemble le *dohyo* avant de s'élancer l'un sur l'autre. Si l'un deux s'élance avant que l'autre n'ait mis ses poings au sol, l'arbitre crie *matta*, attends! Et le lutteur qui a commis la faute en paie le prix en yens.

Le moment du *tachi-ai* est précédé du *shiko* et du *kiyome no shio*. Tous connaissent le *shiko*, ces exercices de réchauffement des jambes et du corps typique des lutteurs sumo. Ceci est suivi du *kiyome no shio*, le non moins connu rituel du lancer de l'eau ou du sel qui purifie le *dohyo*. Une fois que le combat commence, les *rikishi* font appel à une variété de prises et de techniques qui aujourd'hui sont au nombre de 87. Celles-ci sont codifiées dans le *Kimarite*. Le *Kimarite* comprend 82 prises ainsi que cinq «non-techniques», c'est-à-dire cinq situations qui peuvent mener à la victoire sans faire appel aux prises et aux techniques. Afin d'encourager les lutteurs durant le combat, l'arbitre, appelé *gyoji*, crie *Nokotta*, continuez! S'ils sont en panne, c'est *Hakke/ Hakki-yoi/yo*, allez-y, faites quelque chose, plus fort, lâchez pas!

Le premier *rikishi* à toucher le *dohyo* ou à en sortir perd le combat. Si par mégarde les deux *rikishi* vont au tapis au même moment, c'est à l'arbitre de nommer le vainqueur. Des juges peuvent alors conférer ensemble en mettant les pied sur le *dohyo*. Ils ont le choix d'accepter la décision, de la renverser ou encore d'appeler une reprise. Les *rikishi* se combattent à tour de rôle jusqu'à ce que l'un d'entre eux gagne deux combats d'affilée. Si le match met quatre lutteurs en présence, le premier à remporter trois combats d'affilée l'emporte.

Dans le monde du sumo, rien n'est plus important que le rang hiérarchique. C'est aussi un des aspects du sumo les plus difficiles à suivre. Les résultats de chaque combat d'un *rikishi* influencent son rang vers le haut ou vers le bas. À moins de faire partie de l'élite *Yokozuna*, chaque rikishi peut gravir les échelons dans la hiérarchie pour les redescendre au cours d'une seule mauvaise journée. Les *yokozuna* sont exception à la règle. Considérés comme de véritables dieux de l'arène, ils sont les grands champions du sumo. Ils gardent leur titre à vie et quittent le monde du sumo avec tous les honneurs lorsqu'ils se mettent à perdre un peu trop.

Toute l'organisation sumo repose sur ce principe du rang hiérarchique. La *Nihon Sumo Kyokai*, ou la Fédération japonaise de sumo, gouverne cette structure complexe et codifiée à l'extrême. Cette fédération est elle-même la créature des grandes écoles de sumo d'où proviennent et où sont formés les *rikishi.*

Pour un étranger qui veut se lancer dans la pratique sérieuse du sumo, le système Japonais n'est pas tendre… et les fans

non plus! Ceci en dit long sur l'insularité des Japonais. Mais maintenant que le sumo est reconnu à l'échelle mondiale, il se pratique de plus en plus en dehors du pays et les étrangers talentueux se font de plus en plus nombreux, imposants et insistants. Le *yokozuna* Musashimaru a su gagner la faveur des fans et se faire une réputation mondiale avant de quitter le ring en novembre 2003. Il est hawaïen. Le *Yokozuna* Asashoryu provient de Mongolie.

Et des *rikishi* de pays comme la Russie et la Géorgie sont aussi en train de faire une percée dans les échelons les plus élevés du sumo. En fait, près de dix pour cent des lutteurs sumo professionnels actifs aujourd'hui proviennent d'ailleurs que du Japon.

Ainsi, après plus de 2000 ans de soins à la Japonaise, le sumo est enfin en train de s'ouvrir sur le monde et de devenir un sport mondial. À ceci je lève mon chapeau. « Nokotta, sumo! »

Nokotta!

Lutte Sumo

Lutte japonaise
Joueurs: un contre un, avec des programmes de lutte permettant à plusieurs lutteurs de se rencontrer au cours d'un match.

Vocabulaire: *rikishi,* lutteur; *yokozuna,* grands maîtres; *dohyo,* ring de lutte, tapis; *gyoji,* arbitre; *Shiko,* série d'exercices de réchauffement des jambes et du corps; *kiyome no shio,* rituel d'aspersion d'eau ou de sel sur le *dohyo* afin de le purifier; *tachi-ai,* début du combat alors que les *rikishi* s'intimident du regard tout en accumulant leur énergie, qui se conclut par un premier assaut coordonné; *matta,* faute commise par un *rikishi* qui s'élance au combat avant l'autre; *Kimarite,* liste des prises et techniques.

Dohyo: 4.55m de diamètre.

Principes: le combat prend fin lorsqu'un *rikishi* propulse l'autre au tapis ou encore hors de l'arène; si les deux tombent au même moment, l'arbitre nomme un vainqueur et des juges confirment ou infirment la décision.

Techniques et prises: le *Kimarite* comprend 82 prises et 5 non-techniques, 5 situations qui peuvent mener à la victoire sans faire usage de prises.

Site web: www.sumofr.net

Muay Thaï
Boxe thaïlandaise

Les Thaïlandais

Ici les coups sont livrés avec les pieds, les tibias, les genoux et les coudes en plus des poings. Mais seuls les coups de pieds comptent pour des points!

Tout comme son présumé ancêtre chinois le *wushu (voir wushu, p. 31),* l'art traditionnel du combat thaïlandais s'est muté en populaire sport national.

Ainsi donc, la boxe thaïlandaise est maintenant civilisée. Mais quoique maintenant bien codifiée et standardisée, elle reste toujours aussi sauvage: l'animal en cage a encore toutes ses dents.

Bien entendu, les anciens qui ont connu la version du sport qui se jouait au cours du premier tiers du vingtième siècle aiment bien rechigner contre le *muay thaï* d'aujourd'hui. Ils s'ennuient des jours où les boxeurs combattaient bras et mains enroulés de cordes. Pas avec des gants ouatés! À l'époque, on répliquait à tous les défis. Pas de capricieux classements selon le poids! Et pas de sportives rondes

de trois minutes: on luttait jusqu'à la victoire ou jusqu'à tomber sous les coups ou encore jusqu'à l'épuisement. C'était le bon vieux temps, alors qu'on pouvait simplement y aller d'un bon coup de genou à l'aine sans pour autant encourir de pénalité!

Les soldats thaïlandais de la véritable vieille époque ricaneraient probablement d'entendre ces complaintes, parce qu'on pratiquait alors le *muay thaï* sur les champs de bataille, pour tuer et non pour le sport. En effet, les soldats thaïs s'entraînent au *muay thaï* et s'en servent pour le combat corps à corps depuis que la Thaïlande possède une armée. Aujourd'hui encore, le soldat thaï qui se retrouve sans arme se sert du *muay thaï.*

Mais la boxe thaïlandaise ne fut jamais l'apanage exclusif du monde militaire. Elle appartient depuis le début à tous les thaïlandais. Chaque homme, femme et enfant, depuis le roturier jusqu'au roi, s'entraînait et pratiquait la boxe thaï en tant qu'activité sportive et d'autodéfense. Les jeux d'enfants d'hier comme d'aujourd'hui comprennent une bonne part de simulacres de combats *muay thaï*.

Quelques rois thaïs, tel le fameux roi Tigre du début du XVIIe siècle, étaient eux-mêmes d'excellents boxeurs. Ils furent aussi d'excellents propagateurs de l'art martial auprès des militaires comme de la version sportive auprès de la population. Pendant le règne du roi Tigre, la nation connut la paix. Il transforma l'art martial en sport national et ordonna à son armée de s'entraîner au *muay thaï*. Pour ce faire, il favorisa la remise de bourses aux vainqueurs ainsi que la mise sur pied de camps d'entraînement. Il fit même le tour du pays sous des déguisements afin de prendre part aux combats de villages. Il triomphait alors à tout coup des champions du coin.

Le roi Tigre fit évoluer le sport tant au niveau des styles de combat qu'au niveau des équipements. Pendant son règne, on commença à bander les mains et avant-bras avec des languettes faites de crinières de cheval. Plus tard, ces languettes firent place à de la corde de chanvre ou encore à des languettes de coton empesé. Ceci pour à la fois protéger le boxeur et causer plus de dommages à l'adversaire. Pour certains combats extrêmes, les combattants, d'un commun accord, étendaient sur ces languettes un mélange de colle et de verre concassé. Arrrgh!

Il faut savoir que les Anciens grecs combat-taient aussi dans l'arène de façon similaire. En effet, le *pankration* combinait les arts de la boxe formelle aux tactiques de coup de pieds et aux techniques de lutte. Introduit en 648 avant notre ère, les combattants au *pankration* bandaient leurs mains de corde de chanvre et inséraient alors des objets coupants au-dessus des jointures.

Les gants de boxe firent finalement leur apparition dans le *muay thaï* autour de 1930, et avec eux les règlements toujours en vigueur aujourd'hui. Avec les gants apparurent le classement selon le poids, les rondes et les périodes de récupération, toutes des innovations reliées à la boxe internationale. Ces nouveautés opérèrent de profonds changements au *muay thaï* tel que pratiqué jusqu'alors. C'est ainsi que la boxe thaïlandaise se mua en un sport d'envergure internationale.

La transformation d'un jeu, aux règles par définition variées et en constante évolution, en un sport fédéré internationalement reconnu requiert justement ce genre de mise à niveau assez brutal.

L'Afrique du Sud, qui fait actuellement de gros efforts pour s'unifier, fait face à une situation similaire avec ses propres jeux traditionnels. Le combat au bâton est par exemple pratiqué sous autant de versions que le pays comprend de peuples. Eh bien, la South African Sports Commission est justement en train de fondre les différentes formes du jeu en un seul sport appelé *lintonga (voir lintonga, p. 12)*. Ce faisant, la Commission espère ainsi rapprocher tous les africains du sud autour du même sport fédéré. Dans un contexte de consolidation nationale comme dans celui de la globalisation, l'unité se fait toujours un peu sur le dos de la diversité.

Malgré ce processus de standardisation, le *muay thaï* a tout de même conservé tout son charme. Les boxeurs de tout le pays continuent de monter à Bangkok en quête de fortune et de gloire. Quatre soirs par semaine, les canaux de télévision thaïlandais diffusent des matches à des millions d'amateurs partout au pays. Et essayez pour voir de comparer le *muay thaï* à quelque autre art martial que ce soit: n'importe quel Thaïlandais qui se respecte vous dira que leurs boxeurs peuvent vaincre tous les concurrents, qu'ils soient maîtres de kung fu, de kickboxing, de karaté ou de taekwondo.

Et heureusement, la boxe thaïlandaise a aussi conservé son aura mystique. Les élèves potentiels d'un maître de muay thaï accomplissent toujours le rite du *yok kru,* la traditionnelle cérémonie d'offrande de soi au maître. Avant tout match, les boxeurs accomplissent toujours le *ram wai kru* en signe de respect et de gratitude de même que pour appeler la victoire.

Au cours de ce rituel splendide qui tient de la danse, chaque combattant rend hommage à son maître ainsi qu'à ses esprits gardiens. De la musique thaïlandaise traditionnelle accompagne nos combattants dans ce rituel ainsi que tout au long du combat. Les musiciens produisent alors de superbes trames sonores, tout comme le font leurs confrères indonésiens lors des combats de *perisean (voir perisean, p. 28).* Et lorsqu'ils accomplissent le rituel du *wai kru,* nos boxeurs portent toujours autour de la tête le bandeau magique de *mongkon,* un porte-bonheur béni par un maître.

Que *muay thaï* demeure toujours aussi magique et combatif, pour le plus grand plaisir des générations futures!

Voir photoreportage, P. 34.

Muay thaï, boxe thaï!

Art martial/boxe

Joueurs: 2 boxeurs; sans handicap physique; âgés d'au moins 15 ans; pesant au moins 45,36 kg.

Écoles: certaines écoles insistent sur l'apprentissage des techniques et usages des poings, pieds, genoux et coudes, suivi de beaucoup de pratique avant de monter sur le ring; d'autres encouragent le novice à embarquer sur le ring le plus vite possible afin d'acquérir de l'expérience, après avoir appris quelques techniques et s'être entraîné au sac de sable.

Styles: 2 formes majeures; *muay lak,* très rare, qui met l'emphase sur la prudence et la patience; *muay kiew,* plein de trucs et de feintes pour déséquilibrer l'adversaire.

Ring: carré; chaque côté faisant 6,10 m ou 7,30 m; plancher rembourré recouvert de canevas; 4 cordes de 3 cm à 5 cm de diamètre, tendues, attachées aux 4 poteaux de coin et attachées entre elles par 2 cordes solides de 3 cm à 4 cm de diamètre équidistantes entre elles.

Rituel: avant le début, les 2 boxeurs accomplissent la danse du *wai kru* accompagnés de musique traditionnelle.

Musique: cymbale appelée *ching,* tam-tam appelé *klong khaek* et flûte de pan thaï, le *pee java;* le timbre grimpe en intensité au rythme de l'action.

Rondes: 5 rondes de 3 min, 2 min de repos entre chaque ronde; chrono arrêté si interruption du match.

Contact: Sport Authority of Thailand, 2088 Ramkhamhaeng Rd., Bangkapi Bangkok, Thailand 10240.

Sites Web: www.muaythai.com

Perisean

Les Indonésiens

À l'origine, sur l'île de Lombok, on pratiquait ce rituel de combat au bâton afin d'attirer la pluie.

Au Sénégal, les jeunes filles pratiquaient elles aussi un rituel pour attirer la pluie. Leur rituel consistait en un jeu de ballon appelé *kupe (voir Kupe. p. 231)*. On dit que les filles jouaient jusqu'à la venue des pluies. De nos jours, la pratique du *kupe* comme du *perisean* ne tient plus des aléas de la température. Les amateurs y jouent toute l'année durant, pour le plaisir, le défi et la performance.

Et parlant de performance, il vaut la peine de mentionner que le *perisean* s'est mérité en 2002 le titre de meilleure performance lors du Festival des jeux et sports traditionnels d'Indonésie. Pour sa part, *upih nggisut (voir upih Nggisut, p. 96),* un amusant défi de course de Sumatra, s'est mérité le titre pour 2003. L'Indonésie est une terre fertile

pour les jeux et sports traditionnnels: elle en compte à elle seule plus de 700!

Pour la tribu sasak, un rituel *perisean* digne de ce nom devait faire couler le sang. Et pourquoi pas? Échanger son sang pour de la pluie, voilà qui me semble juste comme échange. L'homme ne pouvait en effet raisonnablement s'attendre à ce que ses dieux donnent de leur eau s'il n'était pas en retour prêt à donner de son propre sang. Le rituel ne s'accomplissait pas dans les temples, comme on aurait pu s'y attendre, mais plutôt dans les champs de riz, là où le besoin d'eau se faisait le plus criant. Le combat se déroulait près de *penamaq aiq,* la vanne de contrôle des écoulements des eaux. Plus longtemps durait la sécheresse, plus les gens s'y rassemblaient en une foule de plus en plus dense, dans l'anticipation d'un combat.

Comme les temps ont changé! Bien que nous ayons mis de côté la plupart des vieux rituels magiques, nous en pratiquons encore certains sous forme de jeux et de sports. Ainsi en est-il du *perisean,* que les Sasaks accomplissent toujours lors d'occasions festives tels les festivals, mariages, jours de fêtes et événements touristiques. Traditionnellement, le *perisean* se pratique exclusivement entre 15 et 18 heures, moment où les Sasaks profitent d'un peu de temps libre. L'arène de combat s'est déplacée des rizières vers n'importe quelle surface plate et non glissante. Si les combattants se blessent, ce ne sera pas en glissant!

Le *perisean* est un jeu très dur. Bien que les combattants suivent un code de franc-jeu, les coups portés visent toujours à faire gicler le sang, et les points sont attribués en fonction de ce sang qui coule. Pour cette raison, seuls les hommes adultes pratiquent ce sport.

Le jeu est dirigé par deux arbitres appelés *pekembar.* Les tricheurs et autres abuseurs sont dénoncés et ridiculisés par la foule et reçoivent des punitions appelées *celut.* Les combattants peuvent se frapper avec leurs bâtons n'importe où entre la taille et les épaules, incluant les bras et les mains. Il est interdit de boxer son adversaire, ou encore de l'attaquer avec les mains ou le bouclier.

Le jeu se déroule au son d'un orchestre traditionnel appelé *gamelan,* dont les sonorités ajoutent à la magie de la performance. Mais on retrouve la magie d'antan surtout dans les yeux des touristes ébahis. Les combattants sont équipés de canne et bouclier faits de rotin solide. Le long bâton, appelé *penjalin,* provient de rotin *penjalin* très âgé. Il est fumé et quelquefois même induit de miel pour accroître sa résistance. Le bouclier, appelé *ende,* est fait de peau de chèvre sur un cadre de bois et de rotin.

L'orchestre *gamelan* sonne l'appel au combat. Les combattants potentiels sont alors identifiés parmi la foule par les *pekembars.* Une fois qu'un combattant a relevé le défi, les *pekembars* commencent la cérémonie du challenge appelée *ngumbag.* Le champion lève alors son bouclier haut dans les airs et, tout en le frappant solidement de son bâton, saute de joie dans une série de mouvements de danse appelés *ngecok.* Bientôt un challenger se pointe.

Ce moment de l'action fait appel aux gestes spectaculaires. Les combattants ne s'affrontent pas encore, mais tentent plutôt de s'intimider. Ils font aussi appel à leurs supporteurs dans la foule en battant leur bouclier dans un grand élan de furie. Ceci a bien sûr pour objectif de rallier un maximum de spectateurs.

La prochaine étape du rituel consiste en l'acceptation ou au refus par le champion du défi lancé par le challenger. Il montre son choix en plaçant son bouclier au sol dans une position précise. Si le combat a lieu, les arbitres lancent alors les bâtons des combattants dans les airs, pour être aussitôt rattrapés par ces derniers. Les arbitres invitent ensuite les joueurs à combattre avec force et droiture et à maintenir en tout temps une bonne distance entre eux. Puis, les deux combattants soulèvent leur *penjalin* et *ende* et le combat commence.

L'orchestre *gamelan* tient le rythme à l'unisson avec les combattants et la foule surexcitée. Le combat se poursuit jusqu'à ce qu'un des deux adversaires tombe ou abandonne. Le gagnant reçoit alors des prix pouvant consister en une débarbouillette, du savon, des cigarettes ou encore des vêtements. Cette tradition de donner des prix date de l'époque de la colonisation de l'île par les Hollandais. Mais n'oublions jamais qu'à l'origine, le vrai grand prix, c'était… la pluie!

Rituel sanglant...

Perisean
Combat au bâton indonésien

Joueurs: 2
Objectif: dominer l'adversaire.
Arène: surface plate et non glissante; 10 à 15 m carrés; ligne marquante au sol de 5 cm de large.
Équipement: canne de rotin appelée *penjalin;* bouclier appelé *ende.*
Bâton de combat *penjalin:* 1,5 m de long; fait de rotin *penjalin* âgé, fumé et quelques fois enduit de miel pour accroître sa résistance.
Bouclier *ende:* peau de chèvre sur cadre de bois et rotin; 70 cm de long par 50 cm de large; pèse entre 750 g et 1 kg; tenu par une poignée au centre.
Zone d'attaque: coups portés de la taille aux épaules, incluant bras et mains.
Coups permis: partout dans la zone d'attaque.
Coups interdits: boxer et frapper avec main, bâton ou bouclier; attaquer sous la ceinture; attaquer avec bouclier; attaquer avant que l'adversaire ne soit prêt à commencer.
Arbitrage: 2 arbitres appelés *pekembars* accordent des points pour les coulées de sang et accordent des punitions appelées *celut* aux combattants tricheurs ou injustes; ceux-ci sont aussi ridiculisés et dénoncés par la foule; arbitres maintiennent le sens du décorum, le franc-jeu et l'équilibre; servent aussi d'hôtes avant le début du combat.
Orchestre *gamelan:* annonce et accompagne le combat.
Fin du combat: quand un joueur tombe ou abandonne.
Prix: débarbouillette (serviette de visage), savon, cigarettes, vêtements.
Source: Dwi Hatmisari Ambarukmi, Directeur Sport pour tous, Departemen Pendidikan Nasional, Jl Gerbang Pemuda, Senayan Jakarta.

Wushu

Les Chinois

Le mot *wushu* est composé des deux caractères chinois *wu* (guerre) et *shu* (art). Le *wushu* est donc l'art martial traditionnel des Chinois, ou plus précisément l'entraînement personnel du guerrier pour l'attaque et la défense.

L'art de la guerre a toujours fait partie de l'histoire de la Chine. Mais les écoles *(menpai)* enseignant des techniques de combats de poings à mains nues commencè-rent à apparaître sous les Dynasties Ming (1368-1644) et Qing (1644-1911). Les fondateurs d'écoles renommées se mirent alors à transmettre des styles qui sont encore pratiqués aujourd'hui. Le *wushu* s'est ainsi constitué à partir de plus de quatre-cent écoles et styles d'arts martiaux.

Les techniques du *wushu* traditionnel sont basées sur les enseignements du taoïsme et des bouddhistes du Shaolin-Si. Le niveau supérieur du *wushu* traditionnel s'apparente ainsi à la compréhension de l'univers. Cette

notion demande beaucoup d'années de pratique et d'études assidues, et requiert surtout un Maître qualifié. L'entraînement, souvent solitaire, s'effectue alors avec des mouvements décomposés et lents. En contraste, le combat *wushu* se décline en une succession d'actions très rapides qui comprennent mouvements du corps, arts martiaux, acrobaties et magie.

Ceux qui pratiquent le *wushu* traditionnel cherchent à conserver et à améliorer leur état de santé, à pratiquer une discipline artistique et à apprendre les techniques d'autodéfense ainsi que les vertus regroupées sous le nom de *wude,* vertu martiale proche de la voie des samouraïs japonais.

Au XXe siècle le *wushu* se développe aussi en tant que sport moderne et populaire. Il est d'ailleurs maintenant reconnu par le Comité international olympique. Sous cette forme, les formes traditionnelles du *wushu* se sont simplifiées et standardisées, et de nouvelles formes et techniques ont vu le jour. Celles-ci mettent l'accent sur des mouvements acrobatiques et gymnastiques reliés aux techniques d'attaque et de défense.

Cette forme de *wushu* comprend deux disciplines, soit des routines appelées *taolu* et le combat libre, appelé *sanshou*. Les routines de compétitions combinent différents styles, techniques et mouvements d'arts martiaux pour produire des chorégraphies spectaculaires. On retrouve d'ailleurs de nombreuses applications du sport au cinéma, par exemple dans les chorégraphies de combat des films de Ang Lee tel Tigre et dragon *(Crouching Tiger, Hidden Dragon),* ainsi que dans de nombreux films mettant en vedette Jet Li, superstar du *wushu.*

Le *wushu* moderne est destiné à prendre une belle place dans le monde en tant que sport de performance. Et en tant que sport olympique, il ne peut qu'élargir la diversité culturelle des Jeux et de ce fait enrichir le mouvement dans son ensemble.

Les yeux sont vifs comme l'éclair!

Wushu

Art martial

Constitution: à partir de plus de quatre-cent écoles et styles d'arts martiaux.
Description: acrobaties, arts martiaux, magie et mouvements du corps dans une succession d'actions très rapides.
Contacts: All-China Sports federation, 9 Tiyuguan Road, Beijing 100763, China. Sunny Tang Kung Fu East, Ving Tsun Montreal - Wushu Academy of Sports Institute, Montréal, Québec, Canada, tel : 514.924.6900.
Sites Web: www.beijingwushuteam.com/_#whatiswushu

La voie de la Muay thaï

Texte de Valérie Panel Watine
Photos d'Arnaud Drijard
www.unmondedesports.com

En Thaïlande, impossible de passer à côté de la Muai Thaï. Après avoir assisté au Tournoi du Roi et à l'entraînement d'un jeune thaï dans un camp de boxe de la capitale, nous prenons la direction du nord. Nous remontons la piste d'un moine qui aurait créé un monastère dont l'enseignement serait tourné autour de la muay thaï. Boxe et religion, un mariage à priori improbable, le détour s'imposait!

Au bout de quelques jours de recherches dans le triangle d'or: nous pénétrons enfin dans le Golden Horses Monastery. Nous y découvrons un monastère à ciel ouvert. Statues de bouddha et statues de boxeurs se côtoient. Au cœur du site : un ring de boxe, des écuries... Quel site étrange !

Le moine Phra Khu Ba nous accueille perché sur son cheval. Phra Khu Ba. Un personnage au destin hors du commun. À la sortie de l'adolescence, ce petit-fils et fils de boxeur part servir le pays pendant quatre ans. Il quitte l'armée et devient champion de muay thaï. A 29 ans, alors marié et père de deux enfants, Phra Khu Ba entre dans une grotte et se dit touché par l'appel divin. Il médite pendant trois longues années. Puis un jour, la vision d'un monastère bouddhiste à ciel ouvert le décide. Il s'ordonne moine, travaille pour les plus démunis et créé le Golden Horses Monastery.

Un monastère pas comme les autres. Ici les jeunes garçons des familles les plus pauvres sont accueillis comme jeunes moines. Ils reçoivent une éducation basée sur la prière, les chevaux et la boxe thaï.

C'est le cas d'Aasa. Ses parents issus d'un village voisin très pauvre l'ont confié à Phra Khu Ba il y a un tout juste un mois. Même s'il pense souvent à ses parents, il se sent heureux ici. Il s'est fait plein de copains et il apprend beaucoup. Désormais, Aasa vit au rythme des activités du monastère.La journée démarre à 5 heures du matin par la prière. Puis, les jeunes moines se chargent des travaux ménagers: ils vont chercher l'eau, font la vaisselle et cuisent le riz dans des grosses marmites.

Ce jour-là, après le repas, Pra Kru Ba offre un cheval à Aasa. Il apprendra à le monter, à le nourrir et à le soigner. Aasa verse une larme de joie, caresse son cheval et rejoint les autres aux écuries pour nourrir les bêtes.

La voie de la Muay thaï - suite...

La journée se termine par un entraînement de boxe thaï avec le maître et entraîneur Phra Khu Ba, accompagné de son fils Deshio.

Deschio a choisi de vivre avec son père pour l'aider à soutenir les populations des villages voisins. Depuis qu'il est tout petit, il apprend la Muay Thaï. Il a aujourd'hui 17 ans et s'entraîne dur. Son rêve: faire partie de l'équipe nationale pour devenir célèbre et surtout pour gagner de l'argent pour aider son père.

L'entraînement de Boxe Thaï commence. Comme le veut la tradition, Phra Khu Ba noue le mongkon et les pah pa jiat sur la tête et les bras de Deshio. Il pose la main sur son crâne et se met à chanter.

« Cette bénédiction protège le boxeur de tout danger, et l'aide à ne faire qu'un avec son corps et son cœur. Il trouve ainsi sérénité et concentration dans le combat» nous confiera le maître à l'issue de la séance. À son tour, l'élève entame un cérémonial, une danse aux mouvements très lents, servant à la fois d'étirements, d'échauffements, mais surtout d'hommage à l'entraîneur.

Les jeunes moines enchaînent les mouvements de boxe thaï. Les coups ne sont pas portés mais retenus. Chacun apprend à se maîtriser, à connaître son corps et à respecter son adversaire. Le «self-control» est très important dans cette région où les dangers sont omniprésents. Phra Khu Ba leur apprend à s'entraîner avec rigueur pour ne pas se blesser et pour pratiquer en s'amusant.

Texte de Valérie Panel Watine
Photos d'Arnaud Drijard

Nous quittons ce lieu unique sur les mots du maître: «Pour pratiquer la muay thaï, il faut être calme, comme l'eau d'un lac, silencieux comme un courant.»

Voir texte Muay Thaï - Boxe thaïlandaise, p. 25.

Jeux de Court

Croquet

Les Anglais et les Français

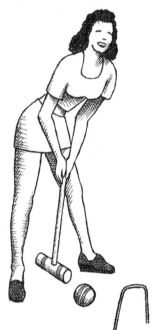

idéal pour jouer en famille et entre amis. Il se pratique avec de deux à six joueurs regroupés en deux équipes. Tous, chacun leur tour, visent le même arceau.

La version à six arceaux illustrée ci-bas montre un cheminement en douze étapes, selon que l'arceau visé soit traversé dans un sens ou dans l'autre. Le premier joueur à passer sa boule dans l'arceau visé donne un point à son équipe et tous les joueurs se tournent vers le prochain arceau selon l'ordre du plan. La première équipe à faire sept points gagne la partie.

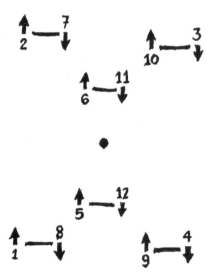

À la fois jeu convivial et sport sophistiqué, le croquet en a conquis plus d'un au cours des siècles, qu'il soit paysan ou roi!

La prémisse de base du croquet s'avère assez simple: armé d'un maillet, le joueur frappe une boule de bois à travers une série d'arceaux en suivant un ordre précis, pour conclure finalement en frappant un piquet. À partir de là, une série de règles complexes transforment cette simple prémisse en un sport hyper-sophistiqué aux nombreuses variantes, tels le croquet association (la version britannique à 9 arceaux), la variante américaine, le croquet golf, le roque (10 arceaux et 2 piquets) et bien d'autres encore.

Le croquet golf est la variante du jeu la plus récente. Loin des versions sportives, c'est plutôt un jeu rapide et pas compliqué,

Historiquement, on pratiquait des formes primitives du croquet au Moyen-Âge en France et en Irlande. Au XIIIe siècle par exemple, des paysans français s'amusaient à frapper des boules de bois à travers des arceaux de saule à l'aide de maillets rudimentaires. Au XVIIe siècle, le jeu de mail ou paille-maille, proche du croquet actuel, comptait parmi ses adeptes Henri IV et Madame de Sévigny. Et on dit que Louis XIV en raffolait tellement qu'il fit adapter le jeu pour l'intérieur. Noblesse oblige, il voulait jouer les jours de pluie sans que son peuple ne le voie tout ruisselant! Le jeu fut recréé en une version miniaturisée sur une table, et le billard était né!

À Londres à la même époque, le paille-maille était le jeu préféré du roi Charles II. L'allée près du palais St-James sur laquelle il était pratiqué prit bientôt le nom du jeu sous une forme anglicisée: Pall Mall. Puis, au XVIIIe siècle, le jeu apparut sous son appellation actuelle en France via l'Irlande. Le croquet devint alors la folie sportive de l'Angleterre victorienne. Les premiers championnats du *All England Croquet Club* se tenaient sur les pelouses de Wimbledon bien avant que celles-ci ne deviennent les vénérables courts de tennis si réputés d'aujourd'hui! Le jeu se répandit enfin de par le monde sur les ailes de l'Empire britannique.

Le croquet d'aujourd'hui affecte une double personnalité. D'une part, des millions de personnes jouent occasionnellement et de manière informelle à des versions récréatives entre amis dans la cour familiale. Ces jeux de type croquet golf sont alors surtout pratiqués pour le simple plaisir de jouer. Les règles varient alors selon la nature des joueurs. D'autre part, le croquet compétitif est disputé très sérieusement en tant que sport dans plus d'une vingtaine de pays. Et pour ces compétiteurs, croyez-moi, le croquet n'est pas simple: c'est un art!

Simple jeu ou sport complexe?

Jeu de boules et maillet

Versions principales: croquet association, version britannique à 9 arceaux; variante américaine; le roque, 10 arceaux et 2 piquets; le croquet golf et bien d'autres.
Croquet golf, version 6 arceaux: se pratique avec de deux à six joueurs regroupés en deux équipes; tous, chacun leur tour, visent le même arceau; cheminement en douze étapes, selon que l'arceau visé soit traversé dans un sens ou dans l'autre; le premier joueur à passer sa boule dans l'arceau visé donne un point à son équipe et tous les joueurs se tournent vers le prochain arceau selon l'ordre du plan; la première équipe à faire sept points gagne la partie.
Source: World Sports Encyclopedia, Wojciech Liponski, Oficyna Wydawnicza Atena, Wawrzyniaka 39, 60-502 Poznan, Poland, www.sportencyclopedia.com/
Site Web: www.mnlg.com/jcc/frames/start.html

Jeu de balle abula

Les Nigériens

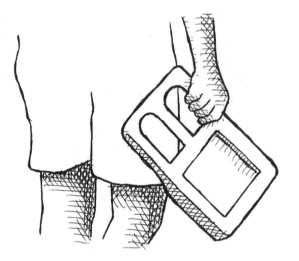

De l'Afrique nous arrive *Abula,* le sport en émergence du Nigeria.

Abula, c'est le nom donné à un plat Yoruba vieux de plus de six-cent ans réputé pour ses bienfaits sur la santé. Le jeu du même nom est pourtant loin d'être aussi vieux: il a vu le jour en 1984! Néanmoins, l'association *Sport For All Nigeria* considère *abula* comme un sport traditionnel nigérien. Mallam Élias Yusuf, qui fut président de cette association, créa le jeu et le nomma abula afin de rendre hommage au plat traditionnel équilibré du peuple yoruba. M. Yusuf a aussi inventé le billard africain à partir d'un jeu traditionnel de billes-graines pratiqué depuis des siècles par les peuples de l'Afrique de l'ouest.

Abula s'inspire en fait du volley-ball, dont il emprunte généralement les règles. Il est d'ailleurs joué sur un court et avec un filet similaire à ce sport. Sauf que dans *abula,* deux équipes composées de quatre joueurs se renvoient une petite balle au-dessus du filet. Pour ce faire, les joueurs se servent de raquettes rectangulaires vraiment particulières. Ces raquettes ne doivent pas se cogner entre elles. Les deux joueurs avants, les bloqueurs, jouent les rôles de *setter* et *spiker,* c'est-à-dire placeur et frappeur. Les deux arrières, ou receveurs, peuvent se déplacer à volonté vers l'avant pour placer, frapper ou bloquer.

Le sport a l'aval du Comité olympique nigérien et est fortement mis de l'avant par *Sport For All Nigeria.* Il est très populaire dans les écoles: *le Lagos State Sports Month,* festival annuel du sport scolaire qui rassemble plus de 400 écoles sur un total de 600 écoles publiques et privées, comprend d'ailleurs sept pratiques sportives pour 2007, dont *abula.* Les autres sports pratiqués lors de cet évènement sont: l'athlétisme, le basketball, le hockey, le tennis, le handball et le volleyball.

Des championnats nationaux d'*abula* se sont d'ailleurs déroulés sous le patronage du Comité international olympique, et le jeu fait partie des activités pratiquées dans le cadre du Nigeria Sports Festival. Cet événement semi-annuel qui se déroule sur deux semaines en avril, met en valeur 20,000 athlètes provenant des 36 états de cette nation de l'Afrique de l'ouest. Ceux-ci se confrontent tant dans des sports olympiques tels le soccer et la natation que dans des jeux traditionnels tels *abula* et *ayo*.

Longue vie au jeu de balle *abula!*

C'est Abula du Nigeria !

Jeu de court avec filet

Objectif: ne pas laisser la balle tomber au sol.
Joueurs: 2 équipes de 4; masculines, féminines ou moitié-moitié; 2 substituts par équipe.
Balle: format balle de tennis.
Court: 16 m par 8 m; filet au milieu.
Filet: 2,44 m du sol.
Raquette: spécialement conçue; la raquette pèse entre 0,5 kg et 0,7 kg et comprend un espace de 20 x 20 cm pour recevoir la balle, de même que trois poignées en une, dont 2 servent pour des prises à 2 mains.
Service: du côté droit de la ligne de fond; on sert 4 fois d'affilée avant de passer la balle à l'autre équipe; sauf quand le compte est 15-15, appelé *deuce*.
Deuce: quand le pointage est de 15-15, on fait 1 service au lieu de 4 avant de passer la balle à l'autre équipe.
Balle en jeu: 3 touches sur réception; le même joueur ne peut toucher la balle 2 fois d'affilée.
Mouvement de raquette: il est interdit de frapper 2 raquettes ensemble.
Substitution: 2 substitutions par rencontre.
Pointage: 1 point à la fois.
Arbitrage: 1 arbitre; I assistant; 2 marqueurs de points; 4 juges de ligne.
Temps mort: 2 par équipe, de 30 secondes chacune.
Set: 16 points sans *deuce* gagne; si *deuce*, 20 points gagne.
Match: 3 ou 5 sets.
Source: Sport for All Nigeria, National Stadium, P.O. Box 7583, Surulere, Lagos, Nigeria.

Kabaddi

Les Indiens

Les origines du *kabaddi* remontent à l'ère préhistorique. Il s'agit en effet d'un jeu indien très vénérable, d'un classique! Il est dit que même Krishna et le jeune Bouddha jouaient au *kabaddi* ou à un jeu similaire.

Depuis toujours, le *kabaddi* aide à développer les habiletés de survie inhérentes au groupe tribal. Le jeu agit sur la conscience individuelle et de groupe, les tactiques et techniques d'attaque et d'autodéfense, la réponse collective aux attaques et les réflexes stratégiques de contre-attaque. Du point de vue holiste, Il agit aussi au niveau de la respiration et des vibrations respiratoires. En plus, le jeu est passionnant. La première allusion historique au jeu remonte à quelque 4000 ans.

Dans ce jeu de survie darwinien, les joueurs qui disposent d'une bonne capacité pulmonaire sont favorisés. Car bien que le *kabaddi* fasse appel à l'habileté et à la force, les joueurs offensifs doivent pouvoir retenir

leur souffle le plus longtemps possible. Vous allez comprendre pourquoi à l'instant. Mais auparavant, mettons-nous au diapason du jeu. Prenez une grande respiration… et retenez votre souffle jusqu'à ce que je vous dise le contraire. Allez! Maintenant poursuivons notre lecture.

Dans son plus simple appareil, *kabaddi* est un jeu de poursuite joué en équipe. Deux équipes s'affrontent sur un court, coupé d'une ligne en son centre. Chaque équipe à son tour envoie un et un seul joueur effectuer un raid dans le territoire opposé. Ce joueur cherche alors à éliminer le plus d'adversaires possible en les touchant. Le seul problème, c'est que pour lui, quitter son territoire équivaut à changer de planète: l'air ambiant à l'extérieur de son territoire lui est fatal. Ainsi donc, si notre commando veut survivre, il devra retenir son souffle pendant toute la durée de son raid. Et pour prouver qu'il retient bien son souffle, il devra répéter, dans un flot incessant, *kabaddikabaddikaba ddikabaddikabaddikabaddi…*

Comme tout cri de guerre qui se respecte, celui-ci, inlassablement repris, servira aussi à fortifier notre attaquant et à effrayer ses adversaires. Bien entendu, à l'instant où il cesse son chant et/où reprend son souffle, il est mort, kaput, éliminé. DCD!

L'objectif du raid consiste donc pour l'attaquant de toucher un maximum de joueurs de l'équipe adverse et de revenir à son point de départ dans le même souffle. Chaque adversaire qu'il touche donne un point à son équipe en plus d'être temporairement mis hors-jeu ou éliminé, selon le type de jeu. Pour survivre, l'équipe adverse tentera alors de se saisir du commando menaçant sa survie afin de l'empêcher de retourner à sa base. Car en retenant l'attaquant en place suffisamment longtemps, il finira bien par prendre une respiration qui lui sera fatale.

Chaque joueur qui subit un raid doit ainsi en tout temps évaluer la situation et prendre des décisions extrêmement rapides, premièrement pour éviter d'être touché par l'assaillant, et deuxièmement pour décider d'un coup d'œil s'il vaut la peine ou non de le plaquer. Car si on touche l'adversaire sans parvenir à le retenir suffisamment longtemps, on est cuit. Les choix sont nombreux et souvent conflictuels. Sauver son groupe ou sauver sa peau? Se sauver ou tenter plutôt un geste risqué, héroïque mais calculé, quitte à se sacrifier pour le groupe? Voilà le type de choix auxquels les joueurs de *kabaddi* font face continuellement. Et ce faisant ils apprennent à vivre furieusement, quitte à mourir glorieusement.

Kabaddi est en Inde un sport national avec ses statistiques, ses équipes étoiles et ses héros. Simultanément, le jeu se pratique à la grandeur de l'Inde sous des noms et des formes nombreux et variés. Une version moderne, appelée *Beach Kabaddi*, est d'ailleurs en pleine ascension, avec matches télévisés et marketing à souhait. Son créateur, mon ami K.P. Rao, avec qui

j'ai pratiqué le *kabaddi* à Bangkok, souhaite d'ailleurs implanter le *Beach Kabaddi* en Amérique… Cette version *beach* deviendra-elle au *kabaddi* ce que le *beach* volley-ball est au volley-ball? C'est à suivre!

Le mot *Kabaddi* correspond ni plus ni moins au cri de guerre du joueur attaquant. Pour cette raison, le nom du jeu change selon les groupes qui le pratiquent. Au sud de l'Inde on crie *chadu gudu;* dans l'ouest, *hu tu tu,* dans l'est, *ha do do* et dans le nord ainsi qu'au Pakistan, c'est *kabaddi*. Au Bangladesh, c'est *hadudu, gudu* au Sri Lanka, *the chub* en Indonésie et *dodo* au Népal. Ailleurs on peut entendre *kapati, do-do-do, bhadi-bhadi, saunchi-pakki, zabar* et *ghidugudu*.

Dans une version cousine du jeu pratiquée en Iran, le raid s'effectue en criant incessamment Zooo… *(voir Zooo…, p. 160)* tout en sautant sur un pied! Aux États-Unis, le jeu s'est implanté comme le 'new game' dho-dho-dho à partir de la New Games Foundation de Californie, alors qu'au Québec le jeu s'appelle la Guerre des sons, tel que décrit dans mon livre Jouer pour Rire. Dans cette version du Canada français, chaque équipe est encouragée à créer son propre cri de guerre. Ceci donne au jeu une saveur tribale qui colore et rehausse toute l'expérience d'équipe.

Dans ces deux versions d'Amérique, l'objectif du raid n'est plus d'annihiler l'équipe adverse mais plutôt de renflouer sa propre équipe en kidnappant des adversaires. Voilà bien une autre vénérable tactique de survie. Ça donne un résultat intéressant: personne n'est éliminé et les joueurs se retrouvent à constamment changer d'équipe. Éventuellement, une équipe réussit à complètement assimiler l'autre et à remporte le match. Du coup tout le monde gagne, vu que tous font partie de l'équipe gagnante.

Vous retenez toujours votre souffle?
Voir photoreportage, p. 162.

Inspirez prooofondément!

Kabaddi

Jeu de poursuite en retenant son souffle

Objectif: accumuler des points en touchant ou en capturant les joueurs de l'équipe adverse.

Joueurs: 2 équipes; 10 à 12 joueurs chacune; 7 au jeu, les autres en réserve; joueurs regroupés et parties effectuées en catégories selon l'âge et le poids.

Court: 12,50 m x 10 m; divisé au centre par une ligne au sol.

Raid: tour à tour chaque équipe envoie un joueur offensif dans la zone adverse pour toucher des joueurs.

Commando offensif: un joueur par raid; retient son souffle et cri *kabaddi* pendant tout le raid; doit toucher les adversaires pendant une période délimitée; traditionnellement la durée de son souffle, maintenant 20 secondes.

Adversaires défensifs: tentent d'éviter d'être touchés par le commando; puis tentent de l'empêcher de retourner dans sa zone; le retiennent alors pendant plus de 20 secondes ou la durée de rétention de son souffle.

Durée: 2 x 20 minutes; 5 minutes entre les confrontations pour changer de côté.

Pointage: 2 points bonus si toute l'équipe adverse est éliminée d'un coup.

Officiels: 7 officiels dont 3 arbitres, 2 juges de ligne, 1 gardien du temps, 1 marqueur de points.

Versions en Inde: *surjeevani, gaminee, amar, beach kabaddi* ainsi que d'autres.

Surjeevani: fédéré, *Kabaddi Federation of India;* 1 joueur ressuscité lorsqu'un adversaire meurt, c'est-à-dire une vie pour une mort.

Gaminee: pas de ressuscitations; une fois tous les joueurs éliminés le jeu se termine; pas de temps limite.

Amar: un joueur touché reste en jeu; points alloués à l'équipe opposée.

Circle kabaddi: en cercle; aussi appelé *amar kabaddi.*

Goongi kabaddi: *kabaddi* sous forme de combat singulier; pas de court.

Versions d'Amérique: Dho-dho-dho et Guerre des sons, versions sans élimination; l'objectif du raid est de renflouer sa tribu de nouveaux membres; les joueurs touchés ne meurent pas, il rejoignent l'autre équipe; le jeu se termine lorsqu'une équipe a tout avalé l'autre; dans la version Guerre des sons, chaque équipe choisit son son.

Beach Kabaddi: version modernisée et médiatisée en ascension en Inde.

Contacts: Asian Amateur Kabaddi Federation: A.K. Saha, 119/1A Harish Mukherjee Road, Kolkata-700 026 India. Kesavadas. K, Department of physical Education, Calicut University (P.O), Kerala, India, 673 635.

Indian Beach Kabaddi Association: K.P. Rao, 15-163 Poranki – 521137, Vijayawada, Andhra Pradesh, India.

Sources: New Games Book, Doubleday& Company, Inc., Garden City, New York, 1976.

Jouer pour rire, R. Blais & P. Chartier, Louise Courteau Éditrice, Montréal 1989, www.paulchartier.com

Kho kho

Les Indiens

Ce complexe jeu de poursuite a vu le jour dans la région indienne de Maharashtra. On dit qu'il proviendrait du *rathera,* une course de chariots, et qu'il se répandit ensuite partout en Inde sous la forme d'un jeu de poursuite de style *tag.*

Tout comme le *kabaddi (voir Kabaddi, p. 44),* un autre jeu de type *tag* pratiqué en équipes, le *kho kho* est sans contredit l'un des plus populaires sports traditionnels de l'Inde. Comme tous les jeux indiens, il est simple, amusant et ne requiert presque aucun équipement spécial. Du coup, il exige beaucoup de force, d'endurance, de vitesse, de même que la coopération de groupe.

Avec tout ce qu'il a à offrir, il n'est pas surprenant que le *kho kho* ait su faire son chemin jusqu'en Afrique du Sud. Le jeu a simplement suivi les immigrants indiens qui s'installèrent au KwaZulu Natal. De là, l'excitant jeu de poursuite s'est ensuite répandu partout en Afrique du Sud et fait maintenant partie intégrante de la culture locale. À tel point que la *South African Sports Commission* l'a repris à son compte comme jeu traditionnel d'Afrique du Sud et, à ce titre, en fait la promotion active partout au pays. Parlez-moi d'un bel exemple de globalisation!

Kho kho est aussi un des sports traditionnels parmi les plus populaires du Pakistan. Comme en Inde, on le pratique là-bas avec le plus grand sérieux. Par contre, en Amérique du Nord, des versions simplement amusantes et purement ludiques du *kho kho* ont vu le jour sous les noms de *Go-tag* et *Attaque, go.*

Ces différentes façons de pratiquer le jeu s'inscrivent dans la tradition du *kho kho.* Bien que le jeu ait pris des couleurs et des plis différents selon l'endroit où il s'est pratiqué, trois règles de base ont cependant toujours été suivies en toutes circonstances: le *kho,* c'est-à-dire l'action de passer la *tag* à un autre joueur pour se faire remplacer, doit se faire d'une tape sur le dos; les joueurs voisins alignés sur la ligne centrale doivent faire face à des directions différentes (voir illustration); et le chasseur ne peut traverser la ligne formée par les joueurs accroupis.

Les règles de ce sport se sont passablement cristallisées au vingtième siècle avec l'apparition de la *Kho Kho Federation of India,* en 1959 et de la *Asian Kho Kho Federation* en 1987. Mais que l'on adhère aux règles strictes du sport ou que l'on préfère jouer tout simplement à l'une des nombreuses variantes du jeu, le *kho kho* demeure un excitant défi de poursuite qui comporte son lot de courses, de feintes et d'esquives rapides et qui requiert conscience du jeu et coopération d'équipe ainsi qu'un esprit décisif.

Dans la version sportive ou officielle du *kho kho,* deux équipes de douze (neuf joueurs et trois substituts) s'affrontent en tant que *chasers,* chasseurs et *runners,* coureurs. Huit des neuf chasseurs en jeu s'alignent entre deux poteaux et s'accroupissent en position de départ de course. Tel que mentionné plus haut, les joueurs voisins sur cette ligne font face à des directions différentes. Le neuvième joueur de l'équipe des chasseurs se tient debout, prêt à engager la poursuite tout autour de la ligne formée par ses coéquipiers accroupis. Ceux-ci forment en effet l'équivalent d'un mur central autour duquel se déploie la piste de course.

L'équipe de coureurs est divisée en trois bandes de trois. Les joueurs de la première bande se dispersent autour de la piste de course en fonction de la position du chasseur. Ces coureurs peuvent lui échapper en changeant de direction à volonté ou encore en traversant la ligne de joueurs accroupis.

Le chasseur, quant à lui, fait face à de sévères restrictions dans ses mouvements. Une fois qu'il a commencé à courir dans un sens, il ne peut changer de direction. Et il n'a pas le droit de traverser la ligne formée par ses coéquipiers accroupis. D'un autre côté, l'équipe des chasseurs détient un avantage incommensurable: le chasseur peut à tout moment choisir de se faire remplacer par un de ses coéquipiers accroupis le long de la ligne centrale, un joueur qu'il aura jugé mieux placé que lui pour toucher un coureur de l'équipe adverse.

Pour ce faire, le chasseur arrive tout simplement derrière le coéquipier choisi et prend sa place en lui passant le *kho:* c'est-à-dire qu'il lui passe la *tag* en le poussant gentiment vers l'avant tout en disant: «*kho*». Le nouveau chasseur prend la décision

rapide de se diriger vers la droite ou la gauche selon l'emplacement de ses proies; il les poursuivra jusqu'à ce qu'il décide à son tour de passer le *kho* à un autre coéquipier bien placé sur la ligne centrale.

On capture les coureurs en les touchant de la main; une fois capturés, ils se retirent du jeu. Une fois la première bande de coureurs éliminée, elle est remplacée par la seconde bande. Une fois la seconde bande éliminée, la troisième prend sa place. Puis la première bande revient faire un tour de piste, et ainsi de suite, le tout à l'intérieur de neuf minutes. Puis les équipes changent de rôle, les chasseurs devenant les coureurs.

Un match est constitué de deux *innings,* soit deux manches, et au cours de chaque manche chaque équipe chasse et court à son tour. On accorde un point à l'équipe des chasseurs pour chaque coureur éliminé. Ainsi l'équipe qui élimine le plus d'adversaires en deux manches remporte le match. Et voilà pour les règles de base du *kho kho* tel que pratiqué en Inde et en Asie.

En Afrique du Sud, si l'on se fie au manuel des *South African Indigenous Games,* le *kho kho* se joue un peu différemment. Il semble en effet qu'ici ce soit les joueurs de l'équipe des coureurs qui s'accroupissent pour former la ligne centrale plutôt que l'équipe des chasseurs.

Dans les versions nord-américaines du jeu, on ne retrouve même pas la notion d'équipes. Tous les joueurs sont simplement accroupis sur la ligne, les voisins se faisant face dans des directions différentes. Il y a un coureur et un chasseur, et chacun d'eux peut changer de place en tout temps avec n'importe quel joueur lui faisant dos sur la ligne. Comme dans un jeu de *tag* normal, chaque fois qu'un chasseur touche un coureur, ils échangent immédiatement de rôle et reprennent aussitôt le jeu.

Le jeu commence lorsque les deux joueurs situés à chaque extrémité de la ligne commencent à courir l'un après l'autre. Pendant la course, les joueurs peuvent tous deux changer de direction à volonté et aussi passer le *kho* à n'importe quel joueur accroupi lui faisant dos. Le chasseur qui passe le *kho* crie: «Tag» ou «Attaque!» au joueur choisi pour lui signifier qu'il devient chasseur. Pour sa part, le coureur criera: «Go!» pour signifier au joueur choisi qu'il devient coureur. Le jeu se réchauffe rapidement et fait bientôt place à la confusion et la rigolade alors que chasseurs et coureurs se mettent à changer continuellement de place avec les joueurs accroupis.

Alors voilà côte à côte étalées une version sport bien structurée et une version jeu toute en rires et en joyeuse confusion. Laquelle préférez-vous? Avez-vous l'esprit sportif ou l'esprit enjoué? Entre les deux mon cœur balance, ça peut dépendre des circonstances!

Voir photoreportage, P. 162

Go go, kho kho!

Jeu/sport de poursuite

Joueurs: 2 équipes de 12, dont 9 joueurs et 3 substituts.

Court: 8 carreaux tracés au sol entre deux poteaux, pour former une ligne centrale autour de laquelle les joueurs se poursuivent.

Disposition: 1 joueur de l'équipe des attaquants se tient debout près de l'un ou l'autre des poteaux; les 8 autres joueurs de son équipe occupent les 8 carreaux, accroupis, les voisins faisant face à des directions opposés; l'équipe des défenseurs, en groupes de 3, se tient hors de la zone de jeu.

Durée: 2 manches composées chacune de 2 périodes de 7 minutes.

Déroulement d'une période: un groupe de 3 défenseurs pénètre la zone, pour être pourchassés tout autour de la ligne centrale par l'attaquant debout. Les défenseurs peuvent courir dans toutes les directions, alors que l'attaquant doit maintenir sa direction de départ. Les défenseurs touchés sont éliminés. Une fois un groupe de 3 éliminé, il est remplacé par un autre, puis le troisième. L'attaquant debout peut se faire remplacer par un co-équipier accroupi en prenant sa place – il le pousse alors dans le dos en criant «KHO!». Les attaquants ont 7 minutes pour éliminer les 9 joueurs de l'équipe adverse, puis les rôles sont inversés.

Sources:

South African Indigenous Games, South African Sports Commission, 2001, PO Box 11239 Centurion 0046.

Kesavadas. K, Department of physical Education, Calicut University (P.O), Kerala India, 673 635.

Go Tag: New Games Book, Doubleday & Company, Inc., Garden City, New York, 1976.

Attaque, Go: Jouer pour rire, R. Blais & P. Chartier, Louise Courteau Éditrice, Montréal 1989, www.paulfrommontreal.com

Site Web: http://library.thinkquest.org/11372/data/kho-kho1.htm

Pelota mano canario
Jeu de la paume des Canaries

Les Canariens - Espagne

***La pelota mano canario* descend du prolifique jeu de la paume français, qui est aussi à l'origine du tennis.**

C'est peut-être le conquérant Gadifer de la Salle en personne qui a introduit le jeu dans les îles Canaries lors de la conquête espagnole de 1402. On peut le supposer car Gadifer était un excellent joueur de la paume, notamment reconnu pour avoir battu le duc de Bourgogne au cours d'un match en 1372... match qui lui permit de soulager le duc de la somme de 31 francs.

Le premier document traitant du jeu de la paume sur les îles date de 1616. Ce document traite de la vente d'une maison sur l'île de Lanzarote, maison que l'on situe à côté d'un jeu de la paume. 400 ans plus tard, c'est toujours sur Lanzarote que la version canarienne du jeu est le plus pratiquée, quoiqu'on la retrouve aussi sur Grande Canarie, Fuerteventura, La Palma

et Tenerife. Sur Lanzarote, où il profite d'une bonne promotion, il reste néanmoins pratiqué de manière informelle plutôt que comme un sport de compétition organisé.

Le jeu se pratique sur un court rectangulaire sans filet, tout comme pour le *tamburello (voir tamburello, p. 60)* italien, cet autre rejeton du jeu de la paume. Deux équipes de quatre à six joueurs se font face, séparées simplement par la *raya de faltas,* la ligne de fautes tracée au sol. Comme le nom du jeu le suggère, la pelote est frappée de la paume de la main. Cette pelote, petite et légère, est faite de gomme de caoutchouc recouverte de coton et de cuir de chèvre.

La particularité de la version canarienne du jeu tient au *bote,* une espèce de lutrin contre lequel on fait rebondir la pelote pour la mettre en jeu (voir illustration). On retrouve le même genre d'accessoire inusité à Valence en Espagne, dans un jeu de *pelota valenciana* appelé *pertxa*. Dans ce cas, la pertxa joue le même rôle de rebondissement que le *bote*. Lors du service, le serveur peut ajuster la hauteur et l'angle d'inclinaison du siège du *bote* en sa faveur. Puis il lance la pelote sur le *bote* et la frappe vers l'équipe opposée sur le rebond.

Pour renvoyer la pelote à l'équipe adverse, on peut soit la frapper en vol ou après un seul rebond. Des points sont adjugés à l'équipe adverse si le serveur rate son service ou si l'on manque le rebond. Le compte se fait un peu comme au tennis. Cinquante fait la partie!

¡Canario!

Jeu de court sans raquette et sans filet

Objectif: empêcher que la balle ne touche le sol du côté de son équipe.
Joueurs: 2 équipes de 4 ou 6 joueurs.
Court: 60-70 pas de long par 8-9 pas de large; ligne séparant le court au milieu appelée *raya de faltas*.
Pelote: 50 gr de poids, 46 mm de diamètre; gomme de caoutchouc recouvert de coton et de cuir de chèvre.
Bote: lutrin sur lequel le serveur fait rebondir la pelote afin de la frapper vers l'équipe opposée.
Pointage: 15, 30, 40, 50, similaire au tennis.
Source: Asociación cultural y científica de Estudios de Turismo, Tiempo libre y Deporte (AccETTD), Bioy Casares 37, E-10005 Cáceres, España.
Site web: www.accettd.com

Pelote basque

Les Basques - France, Espagne

Ah, ces Basques, tout un peuple! Leurs origines sont obscures. Leur langue est unique. Et on leur doit la pelote basque.

Les Basques ont un territoire, une culture, des coutumes, des lois, tous les attributs d'une nation. Mais ils vivent une situation politique très particulière, qui peut se résumer ainsi: 4 + 3 = 1, c'est-à-dire: quatre provinces en Espagne plus trois en France égalent pays basque. D'un côté de la frontière, on pratique la *pelota vasca,* alors que de l'autre on joue à la pelote basque.

Au Moyen-Âge, les Français pratiquaient des jeux de balle connus sous le nom de jeu de paume et de jeu de longue paume. Dans le jeu de paume, deux équipes s'affrontaient de part et d'autre d'un filet, alors que dans le jeu de longue paume, on se faisait face sans filet. Dans un cas comme dans l'autre, on se relançait la balle en la frappant de la paume de la main. À un certain moment on se mit aussi à utiliser des raquettes. Ces jeux médiévaux qui, soit dit en passant, existent encore de nos jours en versions modernisées et fédérées, furent le point de départ de nombreux autres jeux et sports pratiqués aujourd'hui.

Pendant que les français développaient le tennis à partir du jeu de paume, les Basques, eux, prirent comme d'habitude une autre direction. Ils incorporèrent certains éléments des jeux de paume et de longue paume à leur propre tradition du *jai alai*. Le *jai alai* qui, en Euskéra (la langue basque) signifie « joyeux festin », était à l'origine un festival médiéval populaire chez les Basques. Le jeu de balle pratiqué durant cette fête prit bientôt le nom de *jai alai,* et c'est ainsi que *jai alai* en vînt à signifier le jeu joyeux.

En ces jours de jeu de paume et de festival de *jai alai,* les balles étaient faites de pelotes de laine ou de coton recouvertes de cuir. D'où le mot pelote identifié aux jeux basques. Puis, vint la découverte des Amériques, au cours de laquelle les Basques, grands navigateurs et pêcheurs, furent bien entendu mis à contribution.

À l'époque, les peuples des Amériques étaient aussi très friands des jeux de balle… et, de plus, leurs balles de caoutchouc rebondissaient vraiment! On croit que les soldats de Cortez ramenèrent le concept de la balle qui rebondit en Espagne, ouvrant ainsi les portes à toute une révolution dans le monde du sport. Grâce au caoutchouc, on pouvait maintenant faire rebondir les balles contre des murs.

Les Basques s'approprièrent l'idée très rapidement. Dans un relativement court laps de temps, les joueurs basques expérimentèrent différentes sortes de balles, des configurations murales et des instruments de frappe. C'est ainsi que la pelote basque prit son envol. De nos jours, des frontons à aire ouverte couvrent le paysage, près des églises et des hôtels de ville. Ils sont les terrains de jeu et de rassemblement basques.

La seconde révolution de la pelote basque débuta en 1857. C'est alors qu'un jeune fermier du nom de Gantxiki Harotcha aurait inventé la *chistera,* l'instrument de frappe maintenant si profondément associé au concept de la pelote basque. On raconte que c'est en ramassant des pommes de terre à l'aide d'un panier que lui vint le concept de la palette-panier comme moyen efficace de lancer et d'attraper des balles.

Depuis ce temps, la pelote basque se joue à l'aide de *chisteras* de différents formats et formes (1, 2) – voir illustration –, de même qu'avec la paume de la main, la *pasaka* (8) et différentes formes de palettes, telles la *pala* (4), la *paleta pelota cuero* (5) et la *paleta goma* (6). Les jeux de raquettes, elles, viennent sous deux formes: le *xare* (3) et le *frontenis* (7).

Selon le type de jeu, les joueurs feront rebondir les balles sur des frontons à ciel ouvert ou encore recouverts qui pourront prendre toutes sortes de formes. On retrouve plusieurs frontons: le fronton de base, avec son simple mur frontal; le fronton mur à gauche avec son mur frontal doublé d'un mur à gauche; le fronton trois murs, c'est-à-dire les murs frontaux, à gauche et de fond; ainsi que le trinquet qui est en fait un fronton recouvert à quatre murs, qui comprend toutes sortes de particularités telles le trou dans le mur appelé *xilo,* une section de mur en bas du côté droit qui vient se joindre au reste du mur en formant un angle de 45° degrés et une galerie comprenant un toit en pente et un filet tout le long du mur de gauche.

Combinez les différents types de balles, d'instruments de frappe et de frontons et vous obtiendrez toute la gamme des jeux de pelote basque!

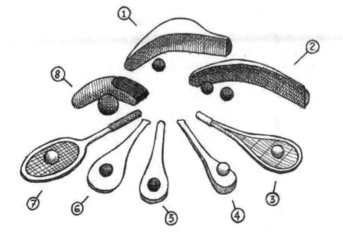

Jeux de balle des Basques

Grande variété de jeux de balle des Basques

Pelota-Mano: joué avec la paume de la main; 3 types de balle, molle (gotxua), moyenne et dure; joué en simple ou en double.

Pala Corta (4): palette de 50 cm de long, 10 cm de large et pesant 700g; balle très rapide pesant 90 g; joué sur un fronton mur à gauche de 36 m de long.

Paleta Goma (6): palette de 50 cm de long, 20 cm de large et pesant 450 g; balle de caoutchouc pesant 40 g; joué en trinquet ou en fronton ouvert de 30 m de long; 2 types de pelotes, la pelote creuse appelée balin ou la pelote argentine et la pelote espagnole dure; version espagnole plus agressive.

Paleta pelota cuero (5): pelote de cuir légère pesant 52 g; palette facile à manipuler; 50 cm de long et pesant autour de 550 g; jouée sur fronton mesurant 36 m de long, ou en fronton mur-à-gauche ou encore en trinquet.

Xare (3): raquette aussi appelée raquette argentine; consiste en un anneau de marronnier de 55 cm de long sur 16 de large; la balle pèse 80 g; jeu très rapide joué en trinquet.

Frontenis (7): raquette de tennis avec cordage renforcé; balle creuse pesant 45 g; joué sur fronton ouvert mesurant 30 m de long.

Chistera (1): joué en France sur fronton ouvert mesurant 80 m de long; la chistera a une courbe et poche accentuée qui permet de retenir la balle pour mieux maîtriser le rythme du jeu.

Joko garbi (2): se joue sur fronton ouvert d'au moins 50 m de long; jeu rapide avec chistera conçue pour ne pas retenir la pelote; aussi appelé limpio, jeu pur.

Remonte: *joko garbi* joué en version mur à gauche.

Zesta Punta: joué avec *chistera* don le panier mesure de 63 à 70 cm de long; pelote très rapide pesant environ 125 g; on appelle son fronton le *jai alai*.

Rebot: ancien et vénérable jeu de *chistera;* fronton ouvert avec des terrains inégaux délimités par des lignes au sol; trajectoire de la pelote atteignant les 100 m; système de pointage similaire au tennis (15, 30, 40, match); partie de 13 matches.

Contacts: Aquitaine Sports pour Tous, Complexe de la Piscine - Route de Léognan - F -33140 Villenave D`Ornon, France.

AccETTD: Asociación cultural y científica de Estudios de Turismo, Tiempo libre y Deporte, Bioy Casares 37, E-10005 Cáceres, España.

Site Web : http://perso.club-internet.fr/peloteba/cadreligne2.htm

Pierscieniówka
Ballon anneau

Les Polonais

On peut compter sur les Polonais pour nous inventer un jeu où le ballon doit passer à travers le filet plutôt qu'au dessus!

On me dit que ce jeu fait partie des traditions de pêcheurs. Je vois bien en effet des jeunes sur la plage qui jouent au ballon parmi les filets de pêche étendus en train de sécher... qui s'amusent à se passer le ballon par-dessus les filets, en dessous des filets, éventuellement à travers les trous dans les filets...

Le jeu fut codifié, sinon complètement réinventé, en 1935 par un certain W. Robakowski. On le jouait dans les écoles avant la Seconde Guerre mondiale. Mais comme bien des choses, après la guerre on tourna la page. Dommage, car le jeu, bien que similaire au volley-ball, possède une

particularité intéressante qui le rend plus accessible à la moyenne des joueurs.

Le court est divisé en deux par un filet de type volley-ball dans lequel trois cercles sont découpés. Les deux cercles sur les côtés sont plus petits que le cercle au centre. Ces cercles sont encadrés par des anneaux. Comme anneau se dit piersciens en Polonais, ça explique en partie le nom donné au jeu: pierscieniówka.

Le ballon, de taille moyenne, n'est frappé au-dessus du filet qu'au moment du service. Ensuite, il doit être retourné à travers les anneaux du filet après un maximum de quatre échanges. Le ballon ne doit pas toucher le sol. Les points sont attribués en fonction du trou par lequel le ballon est passé avant que l'autre équipe ne le laisse tomber au sol.

Filet avec des anneaux

Pierscieniówka

Jeu de court avec filet

Objectif: passer la balle à travers les trous dans le filet; faire que l'autre équipe ne puisse le retourner.

Joueurs: version intérieure, 2 équipes de 5; version extérieure, 2 équipes de 8.

Court: mesure 16 m à 20 m de long par 10 m de large; divisé en 2 par un filet; le court extérieur est plus long.

Filet: de type volley-ball avec 3 trous dedans.

Anneaux: d'aluminium ou de bois; encadrent les trous.

Trous: celui du centre mesure 70 cm de diamètre; ceux des côtés, 50 cm.

Ballon: 50 cm de circonférence.

Service: ballon passé par dessus le filet.

Ballon en jeu: excepté au service, le ballon est toujours passé par les anneaux; il ne doit pas toucher le sol; maximum de 4 échanges d'un côté avant de le renvoyer du côté opposé.

Durée: 2 X 25 min.

Points: en fonction du trou par lequel il est passé.

Sources:
Ministère de l'Éducation nationale et du sport, 25 Szucha Str, Pologne
World Sports Encyclopedia, Wojciech Liponski, Oficyna Wydawnicza Atena,
Wawrzyniaka 39, 60-502 Poznan, Poland,
Site web: www.sportencyclopedia.com/

Sepak Takraw
Kick Volleyball

Les Malais, les Thaïlandais

Voici un sport acrobatique qui tient autant du foot bag que du volley-ball!

Il fait fureur partout en Asie du Sud-Est et gagne de nouveaux adeptes partout dans le monde. Aussi appelée *kick volley-ball,* *sepak takraw* est une version sportive du jeu traditionnel *takraw.*

Dans cette version-filet et équipes du *takraw,* les règles ressemblent à celles du volley-ball, à quelques exceptions près. Les joueurs de chaque côté ont trois chances de s'envoyer la balle en utilisant pieds, tête, épaules et genoux, tout sauf mains et bras, avant de la renvoyer à l'équipe adverse. L'objectif est de garder le ballon en vol le plus longtemps possible dans une succession spectaculaire de vrilles, torsades et culbutes. On a évalué la vitesse du ballon à 140 km/h.

En Malaisie, en Thaïlande, en Birmanie et aux Philippines, on joue depuis tant d'années à toutes sortes de variantes de *takraw* que chacune de ces nations s'en réclame la paternité. Le jeu retint sa forme traditionnelle jusqu'en 1935 lorsqu'il se transforma radicalement par l'ajout d'un filet de badminton. Ceci entraîna le jeu dans une nouvelle dynamique, plus compétitive. En 1965, le sport prit sa forme actuelle lors des Jeux d'Asie avec l'adoption de son nom et de règles internationales. Le nom provient d'ailleurs de deux langues: *sepak,* qui veut dire botter en malais et *takraw,* qui veut dire balle en thaïlandais.

Aujourd'hui, le rotin a fait place au plastique plus résistant et le *sepak takraw* est devenu un sport compétitif de haut niveau. Voyez-le conquérir le monde!
Voir photoreportage p. 66.

Kick Volleyball!

Sport de court avec ballon et filet
Voir Takraw, fiche technique, P. 59

Takraw

Les Thaïlandais

Takraw, c'est le nom donné à la balle de rotin dont les Thaïlandais se servent depuis des centaines d'années pour jouer toute une série de jeux coopératifs et compétitifs.

Takraw se joue aussi bien individuellement qu'en groupe. Dans sa forme la plus simple, le ou les joueurs tentent de maintenir la balle en vol le plus longtemps possible en la frappant de toutes les parties du corps sauf les mains et les bras. Ceci donne aux jeux une touche acrobatique très spectaculaire. Le jeu ressemble beaucoup au populaire jeu de *hacky sack* ou encore à celui du jeu traditionnel japonais *kemari* dans lequel les joueurs forment aussi un cercle et comptent le nombre de frappes avant que la balle ne touche le sol.

Lorsqu'un groupe de joueurs se rassemblent pour jouer, ils forment un cercle et se passent la balle de l'un à l'autre de manière très créative. On appelle cette forme du jeu *Takraw Wong,* ou *Circle Takraw, takraw* en cercle. Cette forme du jeu est pratiquée couramment dans tout le pays.

On pratique aussi des variantes appelés *Big Ring Takraw et Small Ring Takraw,* soit *takraw* gros anneau et *takraw* petit anneau. Cinq ou sept joueurs forment un cercle comme dans *Circle takraw,* mais là on accorde des points aux joueurs pour le style, l'esprit de suite et le sauvetage des coups difficiles. On pratique une version encore plus sportive de *takraw* en cercle appelée *In-scoring takraw.* Ici, la balle se promène en rotation d'un joueur à l'autre, et chacun reçoit des points selon son degré d'habileté. Le jeu dure 30 minutes ou 10 lancers de départs, et celui qui obtient le plus haut pointage gagne le match.

Puis, on arrive au *Takraw Lot Huang,* aussi connu sous le nom de *Hoop Takraw.* Ce jeu de *takraw* au panier est sans contredit la version de *takraw* la plus populaire au pays. Une équipe se compose d'au moins six joueurs, et la plupart du temps de sept. Ils forment encore un cercle, mais maintenant un filet avec des anneaux est suspendu très haut au-dessus du centre, et les joueurs coopèrent ensemble afin de faire passer la balle un maximum de fois à travers ces anneaux en trente minutes. Les uns après les autres, d'autres groupes prennent la place du premier et tentent de faire mieux. Pendant une joute de *hoop takraw,* on peut d'ailleurs être témoin d'un des mouvements acrobatiques les plus spectaculaires du sport: un joueur lie soudainement ses mains derrière le dos pour former un anneau; il botte ensuite la balle avec ses talons pour la faire passer à travers cet anneau puis à travers l'anneau suspendu haut dans les airs!

Ces diverses formes de *takraw* sont jouées depuis si longtemps en Thaïlande, en Malaisie, aux Philippines et en Birmanie que toutes ces nations en revendiquent la paternité. C'était alors un jeu du peuple et un jeu de rois: il y a 500 ans, ce sont les mères qui tissaient des balles pour leurs enfants à partir de fibres et de feuilles de rotin; pendant ce temps, on jouait au *takraw* dans la cour de la famille royale de Malaisie. Toutes les nations de l'Asie du Sud-Est raffolent d'ailleurs du *Sepak Takraw, (voir Sepak Takraw, p. 57)* une version moderne du jeu datant du XXe siècle dans laquelle deux équipes de trois joueurs s'affrontent face à un filet. L'Europe et les Amériques emboîtent le pas avec équipes et tournois nationaux, et un engouement qui ne se dément pas.

Aujourd'hui, la balle de rotin a fait largement place à une réplique plus résistante en plastique. Mais en cherchant un peu on peut encore trouver les balles originales en rotin. J'en ai d'ailleurs rempli une valise pour mes amis lors de mon dernier séjour à Bangkok. Je ne pouvais pas simplement en ramener une: ça aurait fait trop d'envieux!

Jeu de ballon acrobatique!

Jeux et sport de ballon

Balle: 40 cm de circonférence; en rotin ou en plastique tressé.

Objectif: garder le ballon en vol sans se servir de ses mains ni de ses bras.

Formes variées de *takraw*: *Circle, Big Ring, Small Ring, In-Scoring, Hoop* et *Sepak.*

Sepak Takraw: version sport de court avec ballon, filet et 2 équipes de 3 joueurs.

Court de sepak: mesure 13,4 m X 6,1 m.

Filet de sepak: placé à 1,55 m de haut.

Match de sepak: 15 points; durée: jusqu'à trois heures.

Contact: Sport Authority of Thailand, 2088 Ramkhamhaeng Rd., Bangkapi Bangkok, Thailand 10240.

Site Web: www.takrawcanada.com/?q=about/overview

Tamburello

Les Italiens

Le *tamburello* est un sport très dynamique qui tire son nom ainsi que son originalité du tambourin qui sert de palette pour tabasser la balle.

Il est d'ailleurs connu en France sous le nom de jeu du tambourin et aussi en Italie sous les noms de *tamburino* et de *tabasso*. Le sport descend du jeu de longue paume du Moyen-Âge, tout comme le tennis et le jeu de pelote des îles Canaries *pelota mano canario (voir Pelota mano canario p. 50).* Il a traversé les siècles sous des formes variées pour arriver en 1870 à sa forme moderne, prenant alors le nom de l'instrument utilisé pour frapper la balle.

Cette balle de caoutchouc dur est petite et relativement légère. Bien tambourinée, elle peut filer jusqu'à 250 KMH, ce qui explique le format géant du court, qui fait dans les 80 m de long. Lorsqu'on le joue à l'intérieur on se sert d'une balle moins dure. Ceci permet de jouer sur un court de basketball standard. Le tambourin originel, quant à lui, est fait d'une peau de cheval tendue sur un cadre de bois rond. On le fabrique aussi aujourd'hui avec des matériaux synthétiques.

Le *tamburello* est un sport d'équipe rapide, enlevant et exigeant. Deux équipes de cinq joueurs s'affrontent de part et d'autre du *cordino,* la ligne qui sépare le court en deux. Il n'y a pas de filet. Les règles ressemblent un peu à celles du tennis. Dans les ligues majeures, treize parties constituent un match.

Parait que les paris vont bon train lors de matches de *tamburello.* Ah, ces Italiens!

Colpisca quel tambourine!

Jeu de balle et raquette, sans filet

Joueurs: 2 équipes de 5 joueurs.

Balle: à l'extérieur, balle de caoutchouc dur qui mesure 61 mm de diamètre et pèse 78 g; à l'intérieur, balle moins dure.

Court: 80 m par 20 m à l'extérieur; à l'intérieur, court de basket-ball standard de 26 m par 14 m; les joueurs s'affrontent de part et d'autre d'une ligne qui sépare le court en deux, le *cordino*.

Tambourin: modèle classique fait d'une peau de cheval tendue sur un cadre de bois rond; aussi fabriqué de matériaux modernes.

Règles: ressemblent un peu à celles du tennis; la balle doit traverser la ligne de centre; au retour on peut la frapper dans les airs ou encore après un rebond.

Pointage: parties comptées 15, 30, 40, 50; la première équipe à atteindre 50 gagne la partie; à 40:40, la partie revient à l'équipe qui compte deux fois d'affilée.

Fin: dans ligues majeures, treize parties constituent un match.

Source: Federazione Italiana Palla Tamburelo, Coni Piscine, Piazza L. de Bosis 3, Roma, Italia

Site web: www.federtamburello.it/lo_sport/cos%27e.htm

Tombichi

Les Huitchols et les Mestizos - Mexique

Au Mexique, on pratique un jeu de balle qui se joue sur un court avec un volant et filet, comme au badminton, sauf qu'on frappe la balle avec la paume de la main.

Tombichi se joue dans l'état du Nayarit par les Huitchols et les *mestizos,* les sangs-mêlés espagnol/indigène. À des milliers de kilomètres de là, dans les montagnes du Chiapas, les Mayas utilisent le même type de balle-volant qu'ils appellent aussi *tombichi.* En fait, les deux jeux portent pratiquement le même nom. Les Mayas nomment le leur: *pash-pash tombichi (voir Pash-pash tombichi, p. 238).* Dans les deux jeux de *tombichi,* on frappe la balle avec la paume de la main afin d'éviter qu'elle ne touche le sol. Mais là s'arrêtent les ressemblances: le *pash-pash* maya se joue sans filet et en cercle avec 25 à 30 joueurs.

La balle du *tombichi* est petite, dure et ovale. Elle se prolonge d'une queue qui lui sert de gouvernail. La balle est composée d'un tas de petites pierres ou de tuiles que l'on enveloppe de couches successives de feuilles de maïs séchées. Un nœud solide vient amarrer le tout à une extrémité, de manière à laisser dépasser des bouts des feuilles pour former la queue.

Deux équipes de quatre joueurs occupent un court et se renvoient la balle au-dessus d'un filet tendu à 1,5m de haut. Imaginez un court et des règles similaires au badminton en équipes.

Je connais quelques autres jeux d'Amérique latine qui font appel à un filet et à une balle-volant frappée de la main. Ceux-ci ont tous la même origine sud-américaine: *pétéca* ou *peteka.* C'était un jeu pratiqué à l'origine par les autochtones de Bolivie et du Brésil. Pour confectionner la balle, certains enveloppaient des grains de feuilles de maïs, tout comme pour le *tombichi.* D'autres, les Tupis par exemple, se servaient de feuilles de caoutchouc dans lesquelles ils plantaient des plumes.

Ce jeu fut repris par les Portugais et devint un favori des mineurs brésiliens. De nos jours il est pratiqué avec un filet de volley-ball par plus de dix mille clubs. En 1936, des Allemands découvrirent le jeu sur la plage de Copacabana et le ramenèrent en Allemagne.

Transformé en sport moderne, le jeu fait maintenant son chemin en Europe et au Japon sous le nom européanisé d'indiaca, mot qui provient en fait de la conjonction des deux mots indigène et *peteca*. De même, on retrouve maintenant *peteca* sur les plages de la Californie pratiqué sous les noms de *pateka* et *volley-bird!*

On retrouve aussi chez les Ashantis du Ghana un jeu de volant fait d'épi de maïs et de feuilles. Il se joue d'ailleurs en équipe avec des règles qui ressemblent à celles du volley-ball. Petite différence de taille, cependant: les perdants reçoivent la bastonnade!

Volant de maïs

Jeu de volant sans raquette

Joueurs: 2 équipes de 4.

Balle: dure et ovale; frappée avec la paume de la main; mesure entre 10 cm et 12 cm de long; se prolonge d'une queue qui lui sert de gouvernail; composée d'un tas de petites pierres ou tuiles que l'on enveloppe de couches successives de feuilles de maïs séchées; un nœud solide vient amarrer le tout à une extrémité, de manière à laisser dépasser des bouts des feuilles pour former la queue.

Court: rectangulaire divisé en deux par un filet.

Filet: tendu à 1,5 m de hauteur.

Source: Federación Mexicana de Juegos y Desportes Autóctonos y Tradicionales de México, A.C., Av. Rio Chrubusco Pta.9, Ciudad Deportiva, Magdalena Mixhuca, C.P. 08010 México, D.F.

Sites Web: www.codeme.org.mx/autoctonoytradicional/juegos/Tombichi.html
http://perso.wanadoo.fr/fererationdepeteca/

Ulama de cadera
Jeu de ballon hanches

Les Mexicains

Imaginez ce survivant des glorieux jeux de ballon méso-américains, du temps où jouer était sacré, où les courts s'alignaient sur les étoiles et où les joueurs étaient comme des dieux.

Ulama provient du mot nahuatl *ullamaliztli,* qui signifie grosso-modo jeu de ballon en caoutchouc. C'était le nom donné à bien des jeux de balle pré-hispaniques. Hélas, la plupart d'entre eux ont maintenant disparu. On ne retient de leur existence et de leur passé grandiose que les descriptions des chroniqueurs et historiens de la Nouvelle-Espagne, les oeuvres d'art et poteries découvertes par les archéologues et les vestiges de magnifiques terrains de jeu.

Quelques jeux ont par contre traversé le temps et sont toujours pratiqués de nos jours. C'est le cas d'*ulama de cadera,* qui se joue encore à Mazatlan et à Escuinapa au Mexique.

Le jeu s'appelle *ulama de cadera* parce que *cadera* veut dire hanche en espagnol. En effet, dans ce cas-ci, le lourd ballon de caoutchouc ne doit être frappé que de la hanche. À cet effet, les joueurs portent un équipement de protection pour les hanches appelé *fajado,* lequel se présente en quatre morceaux.

Ulama de cadera est un jeu d'équipe. Le terrain, appelé *taste,* est long et très mince. Orienté sur un axe nord-sud, il est divisé en son centre par une ligne, l'*analco.* De part et d'autre, deux équipes de six joueurs se font face. Le ballon peut aussi bien être envoyé haut dans les airs qu'à ras le sol. Chaque équipe tente de maintenir le ballon en mouvement.

Un arbitre et juge de lignes, le *veedor,* dirige le match à partir de la ligne de centre et attribue les points selon un système assez complexe. En effet, à certains moments du jeu, on peut perdre des points accumulés. Ceci fait que la partie peut se prolonger longtemps, parfois même sur plusieurs jours! L'équipe qui se rend à huit points la première gagne le match.

On dit que le jeu recrée le mouvement harmonieux des astres dans la voûte céleste. C'est le domaine du divin où la volonté humaine n'intervient pas. C'est pour refléter cette réalité que les joueurs se gardent de manipuler le ballon avec leurs mains et leurs pieds.

On joue des hanches, on se déhanche!

Jeu de ballon

But du jeu: maintenir le ballon en l'air, c'est-à-dire maintenir le contrôle du ballon lorsque son équipe l'a en sa possession, en ne le frappant qu'avec la hanche.

Joueurs: 2 équipes de 6 joueurs; 5 sur le terrain plus un frappeur qui reste hors du court à une extrémité.

Ballon: caoutchouc naturel; pèse environ 4 à 4,5 kg; 26 cm de diamètre; lourd et dur; peut être envoyé haut dans les airs comme au niveau du sol.

Court: appelé *taste;* mesure entre 50 m et 65 m de long par 4 m de large; orienté sur un axe nord-sud; divisé en son centre par une ligne, l'*analco* qui forme deux espaces, les *chichis.*

Équipement de protection: pour les hanches, appelé fajado, en quatre morceaux; un caleçon de cuir, une bande de cuir de chevreuil (ou de chèvre) portée par-dessus ce caleçon, un tissu de coton fixé sur cette bande et une grosse ceinture de cuir cintrant le fessier.

Arbitre: appelé *veedor;* un ou deux; aussi juge de ligne qui dirige le match à partir de la ligne de centre et attribue les points.

Pointage: attribué selon un système complexe; à certains moments du jeu, on peut perdre des points accumulés.

Durée: peut se prolonger longtemps en raison du système complexe de pointage; parfois plusieurs jours.

Fin: la première équipe qui se rend à 8 points l'emporte.

Sources: Federación Mexicana de Juegos y Desportes Autóctonos y Tradicionales de México, A.C., Av. Rio Chrubusco Pta.9, Ciudad Deportiva, Magdalena Mixhuca, C.P. 08010 México, D.F.

Mixtin Associación Civil, Versalles 112 B-202 Col. Juarez CP. 06600 México D. F.

Site web: www.codeme.org.mx/autoctonoytradicional/Deportes/Ulama.html

Thaïlande et Sepak Takraw

Texte de Valérie Panel Watine et Arnaud Drijard
Photos d'Arnaud Drijard
www.unomdedesports.com

Arrivés à Bangkok, nous passons quelques jours avec notre hôte Presert Chamkrachang. Il nous guide pendant quelques jours dans l'univers sportif de la capitale et de la région centre du pays. Nous découvrons les sites sportifs et certaines activités spécifiques à la Thaïlande.

L'activité physique occupe une place importante dans la vie des thaïlandais. Elle représente une véritable source de bien-être qu'ils savent cultiver au quotidien. L'association «Sport For All» présidée par Presert y participe. Sa vocation est de rendre le sport accessible au plus grand nombre en favorisant sa pratique dans les lieux publics.

Tous les jours, dès 6h du matin, dans de nombreuses villes du pays, des milliers d'hommes et de femmes se donnent rendez-vous pour faire de l'exercice: aérobic, Taï chi... Chacun exerce l'activité qui lui apporte plaisir et épanouissement. Il en est une que nous avons découverte: la Sepak Takraw. Ce sport très populaire en Thaïlande se pratique partout dans le pays.

Dans les écoles, dans les villages de pêcheurs, dans l'enceinte des temples bouddhistes, ou encore dans les villages des minorités ethniques aux frontières avec le Myamar et le Laos, partout les filets de Takraw sont solidement plantés. Ce sport très spectaculaire tire son nom de la balle de bambou tressée que les joueurs s'envoient de part et d'autre du filet, avec les pieds ou la tête, mais toujours sans les bras et les mains.

Pour atteindre la balle au dessus du filet, les joueurs doivent faire preuve d'une grande souplesse et oser parfois des acrobaties incroyables. Au cours d'une ballade dans les quartiers de Bangkok, nous tombons sur une partie de Sepak Takraw dans un parc de la ville. La hauteur atteinte par ces jeunes joueurs est vertigineuse. Ils se lancent jambes en l'air pour atteindre la balle.

Thaïlande et Sepak Takraw - suite...

Des smashs au pied sont parfois tentés à près de deux mètres du sol. Comment ne pas chuter quand le corps est ainsi suspendu dans les airs? Et pourtant, la réception est à chaque fois maîtrisée. Sur les jambes. Si si, c'est possible! Il faut le voir pour le croire.

À l'issue de la partie, nous apprenons que ces joueurs sont de jeunes cuisiniers. A l'heure de la pause, ils se retrouvent ici sur ce terrain de Sepak Takraw avec des amis pour y jouer leur salaire.

Nous tentons bien quelques échanges mais l'exigence de ce sport nous relègue très vite au rang de spectateurs. La Sepak Takraw, un sport à voir absolument!

Texte de Valérie Panel Watine et Arnaud Drijard
Photos d'Arnaud Drijard

Voir textes Sepak Takraw et Takraw pp. 57-58

Jeux de Festivités

Castells

Les Catalans - Espagne

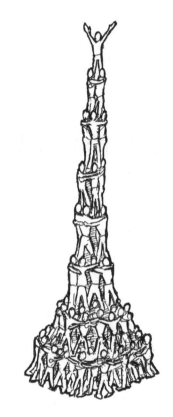

Les Catalans sont réputés de par le monde pour leurs pyramides humaines, qu'ils appellent *castells.* **Défi collectif, sculpture éphémère et possiblement, à l'origine, rituel collectif païen.**

Selon certains historiens, la tradition des *castells* remonterait à quelques siècles, alors que d'autres la font remonter jusqu'avant la chrétienté. On parle alors de rite religieux destiné à assurer une bonne récolte. Aujourd'hui, les *castells* représentent pour les Catalans un sport acrobatique populaire et une source de fierté nationale, voire même un icône de la culture catalane.

Mais les catalans n'en ont quand même pas le monopole: la culture des *castells* est aussi bien vivante dans d'autres parties de l'Espagne et même dans certains coins de l'Amérique latine.

Les *castells* sont construits selon trois modèles de base, le *pilarso,* la *torre* et le *castillo.* Aussi appelé *espadate,* le *pilarso* est une formation à une personne par étage. *Pilarso* provient du mot pilier, et *espadate* du mot épée. L'image du *pilarso* qui ondule doucement nous rappelle celle de la tige balancée par le vent… et par là du rituel des moissons à l'origine des *castells.*

La *torre,* ou tour, est une formation de deux personnes par étage, alors que le *castillo,* le château, est la formation la plus complexe et spectaculaire (voir illustration). Le *castillo* prend la forme d'une pyramide, large à la base et mince en haut. On commence par former un large et solide piédestal appelé *casuela* ou *cassola,* la casserole. On finit avec un seul acrobate – le plus léger tout en haut. On appelle cet acrobate au sommet *enxaneta,* et les derniers étages *pomp de dalt.*

Les groupes de *castellers* sont appelés *collas.* Le cap ou *jefe de la colla,* le chef du groupe est choisi par ses membres. C'est lui qui décide alors de la position que prendra chaque *casteller* dans la structure.

Lors des compétitions de *castells,* chaque figure est cataloguée selon le nombre de *castellers* sur chaque étage ainsi que sur le nombre d'étages. Par exemple, un trois de neuf décrira un *castell* de neuf étages composé de trois *castellers* par étage et un *casteller* sur chacun des deux derniers étages.

Rien ne vaut un *castell* en Catalogne, pas même un château en Espagne!

Castells catalans

Pyramides humaines

Joueurs: illimités.
Objectif: monter une tour en se tenant un par-dessus l'autre.
Pilarso ou *expadate:* un acrobate par étage.
Torre: 2 par étage.
Castillo: pyramide humaine; piédestal large et solide appelé *casuela* ou *cassola;* le plus léger en haut.
Source: Asociación cultural y científica de Estudios de Turismo, Tiempo libre y Deporte (AccETTD), Bioy Casares 37, E-10005 Cáceres, España.
Sites Web: AccETTD www.accettd.com
www.castellersdebarcelona.org/fra/index.htm

Combat de cerfs volants

Les Thaïlandais

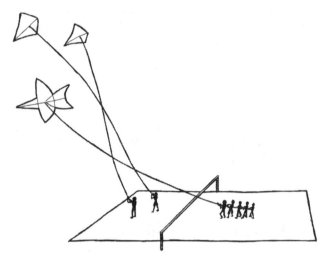

En Thaïlande, la guerre des sexes fait rage dans le ciel!

Il existe deux variétés de cerfs-volants de combat thaï: le mâle *chula* et la femelle *pakpao*. Tous deux se rencontrent et s'entrelacent dans le ciel dans un scénario vieux comme le monde. Qui, du puissant et de l'agile, l'emportera?

Le mâle *chula* est évidemment le plus gros des deux cerfs-volants. Il mesure autour de 180 centimètres et épouse la forme d'une étoile. Jusqu'à vingt personnes peuvent s'affairer à le manoeuvrer. Il est armé de *champahs,* des grappins de bambou stratégiquement placés le long de sa corde.

La femelle *pakpao,* quant à elle, n'a besoin que d'un manipulateur. Elle prend la forme d'un diamant et mesure environ 76 centimètres. Vitesse et aisance de manœuvre sont ses principaux atouts, de même qu'une longue queue empesée et une formidable boucle qui pend depuis sa corde.

Lors des tournois, le jeu se déroule sur un grand terrain avec un minimum de six cerfs-volants, deux *chulas* et quatre *pakpaos.* Ce terrain est coupé en son centre par une corde tendue sur des perches de bambou pour former deux territoires, celui des *chulas* et celui des *pakpaos.*

Typiquement, les *pakpaos* s'installent contre le vent et les *chulas* dans le vent. Puis les gros *chulas* s'aventurent dans le territoire des *pakpaos* papillonnants afin d'en capturer un ou deux. L'équipe *chula* se mérite 20 points chaque fois qu'elle réussit à faire tomber une *pakpao* dans le territoire *chula* et 20 points aussi chaque fois qu'un *chula* capturé par une *pakpao* réussit à atterrir sur territoire *chula.*

Les *pakpaos* remportent les 20 points si elles réussissent à enrouler leur queue autour d'un *chula* envahisseur et à le faire tomber sur le territoire *pakpao.*

Un combat de cerfs-volants est un événement à ne pas manquer. C'est un merveilleux combat aérien avec plongées et contre-plongées, attaques et esquives à couper le souffle. Des milliers de personnes se rassemblent chaque année pour assister à ces tournois. Mais il est de plus en plus difficile de nos jours de maintenir ces traditions séculaires. Par exemple, un artisan cordier peut prendre jusqu'à cinq mois pour confectionner à la main assez de corde pour faire voler un gros *chula.* Et cette corde spéciale est faite à partir de l'écorce d'un type d'arbre qui pousse seulement dans le nord de la Thaïlande.

Les Thaïlandais ont toujours été très attachés à leurs jeux et sports traditionnels. De tout temps, les rois thaïs ont partagé cet enthousiasme populaire. Au cours des siècles, les rois successifs ont pratiqué et parrainé le combat de cerf-volants de même que plusieurs autres jeux et sports traditionnels, tels l'art martial *muay thaï (voir Muay thaï, p. 25)* et le jeu de ballon *takraw (voir Takraw, p. 58).*

Ces derniers ont tous deux subi de grandes modifications au cours du siècle passé, tant au niveau des équipements que de la pratique. Mais ces profonds changements n'ont toutefois ni modifié leur caractère essentiel ni détruit leur esprit particulier. Ces mises à jour leur auront au contraire permis non seulement de survivre, mais encore de se transformer en sports mondialement connus et pratiqués. Nous parlons ici de la *boxe thaï* et du *sepak takraw,* aussi connu comme *kick volley-ball.*

Le combat de cerfs-volants suivra-t-il la voie tracée par ses cousins *muay thaï* et *sepak takraw?*

Chula! Pakpao!

Cerfs-volants/ combat

Objectif: combat aérien entre 2 types de cerfs-volants, *chula* et *pakpao;* celui qui fait tomber l'autre en respectant des conditions précises l'emporte.

Joueurs: un nombre différent de joueurs est requis pour faire voler chaque type de cerf-volant; une équipe *chula* comprend jusqu'à 20 membres, un capitaine, 1 ou 2 manipulateurs et un groupe de jeunes pour faire courir la corde; un seul manipulateur par *pakpao.*

Chula: gros cerf-volant mâle, 150 à 180 cm de long ou plus; forme d'étoile à 5 branches; se balance comme un pendule lorsqu'il se soulève massivement contre le vent; selon sa dimension un *chula* comprend 3 à 5 *champahs, des* grappins de bambou étalés le long de la corde à intervalles spécifiques.

Pakpao: délicat cerf-volant féminin d'à peu près 76 cm de long; forme de diamant; se sert de sa longue queue empesée comme collet de même qu'une formidable boucle semi-circulaire qui pend de sa corde; agilité et rapidité sont ses principales armes offensives et défensives.

Terrain: grand; divisé en 2 sections par une corde tendue au centre sur des perches de bambou; côté dans le vent pour les *chulas;* contre le vent pour les *pakpaos.*

Règles de tournois: plus de 50 règlements rigidement appliqués; minimum de 2 *chulas* et 4 *pakpaos* par compétition; en territoire *pakpao,* le *chula* doit se maintenir dans un corridor d'attaque spécifique

Source: Sport Authority of Thailand, 2088 Ramkhamhaeng Rd., Bangkapi Bangkok, Thailand 10240.

Site Web: www.thaikite.com/competition.html

Corrida Com tora
Course de rondins

Les peuples indigènes - Brésil

Voici une activité rituelle qui tient à la fois tant de la course à relais que du défi de force et d'endurance. De nombreuses peuplades indigènes du Brésil la pratiquent quotidiennement, chacune à sa manière, depuis toujours.

La *corrida com tora* consiste en une course de groupe où chaque coureur à son tour porte sur ses épaules un énorme rondin. Les coureurs se relaient la charge de l'un à l'autre sans la laisser toucher le sol. Rituel, entraînement physique, jeu de coopération? Pour les indigènes qui pratiquent cette activité peu commune depuis des générations, il n'y a pas de distinction à faire. Pour eux, la course de rondins fait partie d'une réalité quotidienne toute en rituels.

Les coureurs suivent à la lettre des règles hautement symboliques dont les modalités varient d'un peuple à l'autre. Le contexte rituel dans lequel la *corrida* s'intègre peut s'étendre sur plusieurs mois chaque année. La *corrida* sert aussi de rite de passage

vers l'âge adulte. Et tant les femmes que les hommes la pratiquent.

La course se joue habituellement entre deux équipes. Les équipes se forment à partir des divisions traditionnelles des tribus en moitiés. Chaque coureur est membre à vie de son équipe. L'objectif de la course n'est pas d'encourager la compétition mais plutôt l'esprit d'équipe. Pour les coureurs de rondins, il ne s'agit pas de gagner ou de perdre, mais bien de s'entraider pour réussir. En tentant de se dépasser, chaque équipe aide ainsi l'autre à se dépasser.

Comme je l'ai mentionné plus haut, chaque groupe tribal pratique l'activité selon ses propres traditions et rituels. Par exemple, les coureurs du peuple Krahô pratiquent la *corrida* deux fois par jour et transportent deux rondins de même taille. Les coureurs Xavante du Mato Grosso se peinturent le corps pour courir ensuite sur 5 km et plus. Les Gavião Kyikatêjê/Parakateyê du Pará coursent avec des rondins plus longs que la moyenne qui pèsent plus de 100 kg; deux athlètes peuvent se partager la charge. Dans tous les cas, la course est une démonstration collective de force et d'endurance.

Depuis 1996, l'aspect sportif de la *corrida* s'est radicalement développé. En effet, cette année là, les *Jogos dos Povos Indígenas,* Jeux des peuples indigènes, virent le jour. Ces Jeux encouragent la formation de liens entre les différents peuples du pays tout en mettant de l'avant leurs traditions culturelles ludiques et sportives. Plus de 1280 autochtones y ont pris part lors de la 6e édition qui s'est déroulée du 1er au 8 novembre 2003.

Au cours des cinq premières éditions des Jeux, les différentes pratiques traditionnelles de course de rondin furent présentées en démonstration seulement, dans le respect de la différence des traditions de chaque peuple. Puis, à sa 6e édition, les groupes indigènes eux-même réclamèrent la tenue d'une véritable corrida *com tora* ouverte à tous les peuples indigènes présents, même ceux qui ne le pratiquent traditionnellement pas.

C'est ainsi qu'en novembre 2003, des équipes de différentes tribus ont pratiqué ensemble une version commune. On retrouva alors des équipes masculines provenant des peuples Xavante, Apinajé, Xerente, Krahô, Kanela et Gavião Kyikatêjê/Parakateyê, et des équipes féminines des Xerente, Khraô and Apinajá.

Dans ce contexte de grande première sportive, les règles de jeu communes furent établies comme suit: deux équipes de peuples différents courent simultanément deux fois autour du stade. Chaque équipe se compose de 10 à 15 joueurs. Un membre de chaque équipe prend le départ, un rondin du palmier *buriti* sur ses épaules, et ses coéquipiers se le passent de l'un à l'autre tout au cours de la course. Les hommes portent des charges de 150 kg alors que les charges des femmes tournent autour de 60 kg à 70 kg.

Chez les hommes, l'équipe des Gaviãos l'a emporté haut la main. Contrairement à l'usage, qui veut que toute l'équipe courre en accompagnant le rondin, les coureurs gaviãos se sont déployés tout au long de la piste à des points stratégiques. Reste à voir comment leur stratégie gagnante va influencer le développement de la version sportive de la *corrida,* et, par là, les versions rituelles de chaque peuple. C'est à suivre.

En cette aube du troisième millénaire, il fait bon d'être témoins de ces rencontres sportives historiques entre peuples indigènes. En jouant une version commune de la *corrida com tora,* les peuples autochtones du Brésil peuvent en effet reconnaître, partager et renforcer ce lien sportif qui les unit. Ce faisant, ils s'ouvrent sur le monde tout en offrant aux Brésiliens et au reste du monde un nouveau jeu à l'image de leur démarche. *Corrida com tora* représente en effet un véritable symbole vibrant de la capacité d'endurance et d'accomplissement dans la coopération.

Rituel quotidien

Course à relais de transport de rondins

Objectif: transporter sur ses épaules un rondin sur de longues distances sans le laisser toucher le sol, en se le passant d'un co-équipier à l'autre.
Joueurs: 10 à 15 par équipe, 2 équipes.
Rondins: troncs de palmiers pouvant peser de 100 kg à 150 kg pour les équipes masculines et de 60 kg à 70 kg pour les équipes féminines.
Piste de course et distance: varie selon chaque peuple et rituel; dans un contexte sportif, 2 fois autour d'une piste de course de stade.
Source: *Fundacao Nacional do Indio* – FUNAI, http://www.funai.gov.br
Sites web: www.funai.gov.br/indios/jogos/foto_principal/corrida_tora.htm
www.socioambiental.org/website/pib/epi/gaviao_parkateje/gaviao.shtm
www.youtube,com/watch?v=UhraLX0c4X0

Danse du lion

Les Chinois

La Danse chinoise du lion combine à la fois culture, symbolisme et adresse. Pour les chinois, le lion est un porte-bonheur, un gage de prospérité. La danse du lion illustre leurs espoirs et leurs aspirations face à la vie et ce qu'elle a de mieux à offrir.

La danse du lion est certes l'un des symboles culturels chinois parmi les plus distinctifs. La tradition remonte à plusieurs milliers d'années. La danse agit sur toute la communauté comme un agent de dispersion des bienfaits du ciel. Le lion chinois est de toutes les occasions spéciales comme au nouvel an lunaire, à l'ouverture de commerces, aux mariages, aux anniversaires, dans les parades ainsi qu'au lancement de toute entreprise d'importance.

Pour les Chinois, le lion est un animal purement mythique. En effet, on retrouve en Chine des tigres féroces, mais pas de lions. Les chinois imaginent donc le lion comme un bête pacifique qui fait fuir les mauvais esprits et apporte la chance. Le lion représente aussi la force, l'énergie, le courage et la sagesse, propriétés mystiques

que l'on retrouve reflétées dans le costume du lion danseur.

Les deux principaux styles de danse du lion proviennent du nord et du sud de la Chine. Dans les deux cas, ça prend deux danseurs agissant à l'unisson pour jouer le rôle du lion. Le costume les recouvre complètement et les danseurs portent souvent des leggings pour ajouter au réalisme. Le style de costume de lion diffère beaucoup du nord au sud. Le lion du nord ressemble plus à un véritable lion. Il a de la fourrure sur tout le corps et une tête plus réaliste que celle du lion du sud, dont la tête est plus ornementée et fantaisiste. Le corps et la queue du lion du sud sont fait de soie et sont pratiquement exempts de fourrure.

Selon la tradition, on dit que le lion contrôle les cinq points cardinaux chinois lorsque ses couleurs comprennent le jaune, le noir, le vert, le rouge et le blanc,. Le costume comporte aussi beaucoup d'autres éléments symboliques. La corne en forme d'oiseau représente le phœnix. Les oreilles et la queue proviennent de la licorne. La longue barbe est typique des dragons asiatiques, de même que le front saillant adorné d'un miroir qui sert à détourner les forces du mal.

Le lion danse en style chorégraphique ou libre. Le style libre se pratique surtout dans un contexte de parade. Il laisse plus de place à l'improvisation. Les danses chorégraphiées sont des spectacles agencés au son des tambours, des gongs et des cymbales.

La danse débute habituellement avec un ou des lions qui sortent prudemment de leur antre, flairant le danger. Parmi les autres éléments de la danse, citons: les salutations en signe de respect, le combat avec les autres lions (si plus d'un lion) et les fonctions vitales telles dormir, se nettoyer et boire. Le lion se promène en zigzaguant pour confondre les esprits maléfiques qui, selon les Chinois, se meuvent en ligne droite. Une variante de la danse comprend un moine bouddhiste dansant. Appelé Petit Bouddha, celui-ci provoque le lion, joue avec lui et le nourrit. Quelquefois, le lion mord le moine. Ce Petit Bouddha provient de la tradition des moines bouddhistes Shao lin, qui soutient que ces moines aient été les entraîneurs des premiers lions danseurs.

Chaque danse comprend habituellement une scène où le lion mange de la laitue ou une autre verdure appelée *choi cheng*. Après son repas, le lion se tapit un instant puis asperge le public de *choi cheng*. Ce geste de manger puis disperser le *choi cheng* symbolise la répartition de la bonne chance et de la richesse parmi tous les spectateurs. La présence du lion et les gestes qu'il pose permettrait de guérir les maladies, de bénir les unions et de se préserver de la malchance.

Tels des marionnettistes d'expérience, un couple de danseurs peut faire exprimer à son lion toute une gamme d'émotions. Le lion qui danse peut ainsi être agressif, somnolent, curieux, excité, prudent, avoir faim et avoir peur. Les danseurs y vont aussi de trucs acrobatiques tel soulèvements sur pattes arrière, roulades et équilibre sur chaises. Quelquefois, on verra même le danseur qui soutient la tête sauter sur les épaules de son compagnon. Tous ces exploits exigent une grande coordination et complicité entre les danseurs.

Danser le lion développe la force, la flexibilité et l'endurance, de même que l'esprit d'équipe et la capacité de dépasser les obstacles dans un effort collectif. Les danseurs transmettent ainsi l'esprit des arts martiaux, soit le sens du décorum, la pureté d'esprit, l'honnêteté et le sens de l'honneur. Pour développer ces habiletés et apprendre les nombreux mouvements qui feront de leur lion un être bien vivant et fort, les danseurs doivent suivre un entraînement rigoureux. Car ils représentent après tout toute la vitalité et la soif de vivre des Chinois.

Danse de la bonne chance!

Danse acrobatique symbolique

Description: performance acrobatique dansante de lion(s) chinois.

Objectif: transmettre la chance et la prospérité au public.

Joueurs: habillés en costumes de lions chinois; un lion ou plus; 1 ou 2 danseurs par lion; parfois un personnage de moine bouddhiste joue avec le ou les lions.

Choi cheng: chaque danse comprend une scène avec lion mangeant laitue ou autre verdure et aspergeant le public avec pour apporter bonne fortune.

Styles: du nord, le lion qui paraît plus authentique; du sud, le lion qui paraît plus fantaisiste, plus symbolique.

Performances: style libre, improvisations dans un contexte de parade; style chorégraphié pour spectacles.

Entraînement: rigoureux; développe force, flexibilité, endurance, esprit d'équipe et capacité de dépasser obstacles grâce à effort d'équipe.

Sources: All-China Sports Federation, 9 Tiyuguan Road, Beijing 100763, China. Sunny Tang Kung Fu East, Ving Tsun Montreal - Wushu Academy of Sports Institute, Montréal, Québec, Canada, tel : 514.924.6900

Dragon Ivre

Les Chinois

Une fois l'an, au huitième jour du huitième mois du calendrier lunaire, des groupes d'hommes fortement intoxiqués font leur chemin à travers les rues de Macao, dansant et brandissant des têtes et des queues de dragons sculptées.

Voilà un événement pour le moins étrange, surtout en Asie. Connaissant la réserve coutumière des Chinois, il est en effet surprenant de voir chez eux de tels étalages publics d'ivresse. Et encore plus de les voir élevés au niveau de festival traditionnel.

Mais voilà la réalité de Macao, île au large des côtes chinoises qui, jusqu'à son récent retour dans le giron chinois, pouvait se vanter d'être l'enclave européenne la plus ancienne d'Asie. HongKong ne devint une telle enclave que 300 ans plus tard!

Les habitants de Macao arborent fièrement leur héritage portugais et leur mélange culturel euro-asiatique. Le festival du Dragon ivre est d'ailleurs un des symboles de leur différence. Cette tradition de procession-beuverie semble être unique à Macao, ou l'est tout au moins dans son entourage immédiat. On ne connaît en effet aucune fête de ce genre ni à Hong Kong ni en aucune ville de la côte chinoise.

Certains affirment que le festival sert à assurer des pêches abondantes. D'autres expliquent l'événement comme un rite de fertilité ou encore un exorcisme: toutes les pensées malveillantes quittant le corps alors que son propriétaire se trouve dans un état comateux. Les bien-pensant comme les cyniques vous diront à leur tour que la fête n'est qu'une excuse de plus pour prendre un bon coup et perdre la boule.

Finalement, il y a cette vieille histoire qui remonte au XVIIe siècle, à l'époque de l'empereur Kangxi de la dynastie Qing. On dit que des villageois en procession transportaient une statue de Bouddha en implorant son intercession contre un grave fléau. Soudainement un énorme python sauta de la rivière, leur bloquant le passage. Un moine bouddhiste s'élança alors sur le monstre, le tranchant en trois. Il lança aussitôt les morceaux frétillants dans l'eau, qui s'élevèrent alors au son du tonnerre et se dispersèrent dans un grand coup de vent. Et les villageois furent alors miraculeusement délivrés de leur fléau. Croyant qu'un dragon divin les avait sauvés, les villageois sculptèrent son effigie et prirent l'habitude de s'enivrer et de danser avec celle-ci lors d'un festival annuel où l'on baigne le Bouddha.

Dans le folklore chinois, les dragons sont des êtres surnaturels puissants mais bienveillants qui prodiguent des bienfaits de toutes sortes à ceux qui les respectent. Il apparaîtrait donc dans le cas qui nous concerne qu'une soûlerie collective soit une façon appropriée de montrer son respect à un dragon. Encore faut-il croire à cette histoire de python devenu dragon sans crier gare…

Ce sont des associations de pêcheurs qui organisent le festin du Dragon ivre.

Les hommes (jamais de femmes) se rassemblent le matin au temple de Kuan Tai près du carré Senado. Après des prières, de la nourriture et une grande quantité d'alcool, ils s'engagent dans une danse d'ivresse, brandissant des têtes et des queues de dragon en bois. Puis ils se dirigent vers le port, buvant continuellement en cours de route. Chemin faisant, ils visitent çà et là quelques boutiques et quais, chaque arrêt justifiant une autre rasade bien tassée. Les danseurs boivent littéralement jusqu'à tomber ivre-mort. Ils sont alors ramassés par des amis et ramenés chez eux. D'autres danseurs légèrement moins intoxiqués prennent alors leur place et poursuivent leur calvaire en titubant.

Le don que les pêcheurs font de leur sobriété n'est pas vain. Grâce à leur sacrifice, ils connaîtront paix et sécurité en haute mer.

Pêcheurs ivres à la dérive

Festival et rituel d'ivresse

Joueurs: buveurs sans limites; nombre illimité.
Équipement: des têtes et des queues de dragons en bois sculpté et beaucoup de boisson.
Consignes: Prier, manger, boire puis danser ivre avec l'équipement dans une procession jusqu'à tomber ivre-mort.
Source: Ma Kam Keong, Henry, Head of Department of Cultural Activities and Recreation, Av. da Praia Grande, no 517, Edf. Comercial Nam Tung,19- Macau
Site web: www.macautourism.gov.mo/index.html

Globos de papel de China
Aérostats en papier crêpe de Chine
Les Mexicains

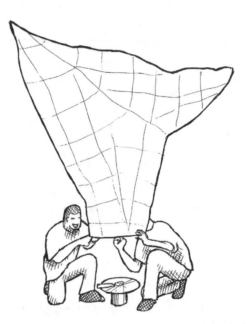

On dit que les âmes des défunts descendent sur terre visiter leurs êtres chers à la Toussaint. Quand le moment vient pour elles de retourner dans les cieux, les Mexicains leur indiquent le chemin du retour en faisant s'envoler des montgolfières de papier crêpé.

Ce sont les villageois de San Agustín Othenco de Milta Alpa, près de la ville de Mexico, qui ont intégré cette coutume particulière à leurs célébrations rituelles. De même, ils en ont fait un jeu, et le jeu est devenu un grand concours dont l'objectif est d'établir des records mondiaux. À cet effet, les habitants de San Agustín parviennent à faire s'élever des aérostats confectionnés à partir de plus de 2000 feuilles de papier crêpé.

Les premier et deux novembre de chaque année, au village de San Agustín comme dans l'ensemble du Mexique on célèbre la tradition de recevoir et honorer les défunts. Il s'agit là d'une tradition ancestrale indigène qui prédate en fait la toussaint chrétienne. Comme tous les peuples autochtones du Mexique, les Mexicas de la région de Milta Alpa croyaient en un monde des morts qu'ils appellent le *Mictlán.* De cette croyance provient la tradition d'offrir à ses défunts au moment de l'enterrement des offrandes de nourriture, de copal, de céramique et d'objets usuels.

Aujourd'hui les traditions païennes continuent de fleurir sous le couvert du calendrier et des rites chrétiens. C'est ainsi qu'on peut voir le jour de la Toussaint et des fidèles défunts tout un ensemble de rituels de réception et d'adieu des âmes, de collectes d'offrandes sur les autels des morts, d'aménagement des tombes, de cérémonies aux chandelles dans les cimetières et d'offices religieux de toutes sortes. Pour avoir assisté à ces cérémonies à quelques reprises à toutes sortes d'endroits au Mexique au cours des quarante dernières années, je peux témoigner de la ferveur qui habite les mexicains pendant toute cette période qui entoure *el Dia de los Muertos*.

Les âmes sont reçues à leurs tombes et autels à la lueur des torches et bougies allumées pour leur éclairer le chemin, au son des cloches des églises et dans la fumée d'encens et de copal, symbole du lien entre ciel et terre. Quand vient le temps de renvoyer les âmes dans les cieux, alors s'élèvent les aérostats de papier de chine pour les accompagner dans leur ascension vers l'au-delà.

De même, le concours annuel des aérostats a cours durant la même période sur la place publique de San Agustín Ohtenco. Supporté par les différents niveaux de gouvernement, le concours comprend différentes catégories selon la quantité de feuilles utilisées dans leur fabrication. Chaque participant crée son propre design et le jury fait ses choix à partir de critères d'originalité, du design, de la combinaison de couleurs et de son niveau d'ascension.

La confection de ces montgolfières miniatures exige, vous pouvez imaginer, un trésor de connaissances qui se transmettent oralement de génération en génération. Voilà une véritable célébration de l'ingéniosité, de la créativité et de l'habileté humaines mises au service du beau, du bon et du magique.

Les montgolfières firent leur apparition au Mexique en 1842, près de 60 ans après leur invention en France par les frères Montgolfier. Les aérostiers José Maria Alfaro et Don Joaquín de la Cantolla y Rico effectuèrent des randonnées célestes entre Puebla, Veracruz et la ville de Mexico. Don Joaquín inventa aussi l'aérostat jouet confectionné de crêpe de Chine. On appelle d'ailleurs le jouet *ballon de Cantolla* en son honneur.

Les ballons se prêtent à toutes sortes de formes, géométriques, animales et autres. Ils sont confectionnés à partir de papier-crêpe de Chine, de colle-maison, de fil de fer et d'une guirlande de laîche. Le tout s'envole grâce à une éponge imbibée de gazoline qui, une fois allumée, chauffe l'air à l'intérieur du ballon.

Voilà une autre riche tradition mexicaine qui mérite bien de faire le tour du monde.

Ballon volant céleste

Aérostat jouet

Objectif: construire et faire s'envoler un aérostat fait de papier crêpe.
Joueurs: nombre indéfini.
Matériaux: papier crêpe de Chine; fil de fer; colle-maison à base de farine et d'eau, de lime ou de jus du cactus nopal; guirlande de laîche; éponge imbibée de gazoline.
Source: Mixtin Associación Civil, Versalles 112 B-202 Col. Juarez CP. 06600 México D. F.
Site web: www.codeme.org.mx/autoctonoytradicional/Juegos/Globos.html

Jogo do Galo
Jeu du coq

Les Portugais

Autrefois, au Portugal, on enterrait un coq jusqu'au cou et un joueur, les yeux bandés et armé d'un gourdin partait à sa recherche...vous imaginez le reste.

Disons simplement que le vainqueur se méritait un bon repas. Les Anglais pratiquaient un jeu tout aussi barbare appelé *throwing at cocks,* le tir au coq, qui serait aujourd'hui devenu l'innocent jeu de pub anglais *Aunt Sally (voir Aunt Sally p. 168).* Dans un même esprit d'évolution empreint d'humanité, le jeu portugais sanguinaire fut frappé d'interdit pendant la première moitié du XXe siècle. Il est maintenant pratiqué avec des objets inanimés pour le plaisir des petits et des grands. Autres temps, autres mœurs!

Aujourd'hui, *malhão ao galo* est toujours aussi populaire auprès des foules, mais le coq n'est plus le dindon de la farce, si vous permettez l'expression. En effet, l'oiseau a fait place à différents objets qui lorsque frappés, laissent leurs traces. Ainsi, celui qui réussit à localiser l'objet et à le fracasser de son gourdin risque d'être aspergé...et la foule aussi!

Jogo do galo se joue au sol ou en l'air. Dans la version au sol, on délimite un cercle protecteur au centre duquel on dépose un objet approprié, tel une tomate, une orange ou un oeuf peint. Les concurrents observent la situation depuis la ligne de départ. Puis on remet un gourdin à l'un d'entre eux et on lui bande les yeux. On lui fait faire quelques tours sur lui-même, question de bien le désorienter, et on l'envoie chasser l'objet convoité.

Notre joueur aveuglé doit prendre la bonne direction, franchir la distance qui le sépare de l'objet et tenter de localiser celui-ci sans le toucher avant de finalement frapper un et un seul grand coup à l'endroit de son choix.

La foule le dirige de ses cris et tout autant le trompe: on ne peut plus faire confiance à quiconque de nos jours!

D'autant plus qu'il fut une époque où dans les fêtes de village on gageait sur le jeu. Alors les copains trichaient en guidant le frappeur avec des directives codées, tel un sifflement ou encore un toussotement au moment opportun. Mais le public, pas dupe, se met rapidement de la partie, à siffler et à tousser à qui mieux-mieux. Et ça fait maintenant partie du jeu.

Le chasseur est éliminé s'il touche à l'objet avec son corps ou avec son gourdin, ou encore s'il pénètre dans le cercle protecteur qui l'entoure. Le chasseur l'emporte s'il réussit à fracasser l'objet, et doublement si ce faisant il asperge la foule sans y goûter lui-même!

Dans la version en l'air, les objets à frapper sont trois pots suspendus. Dans un pot, on met des bonbons, dans le deuxième de la farine et dans le troisième de l'eau. Les mêmes règles valent pour les deux versions. Sauf qu'ici, avec trois pots dont deux contenant des surprises indésirables, le jeu risque d'avoir encore plus de piquant. Comme personne ne sait quel pot contient les bonbons, les spectateurs pressés de les récolter une fois un pot fracassé risquent de payer cher leur avidité!

Cette dernière version du jeu est similaire à celui de la *piñata* mexicaine, jeu maintenant presque universellement connu. Sauf que dans le cas de la *piñata,* on n'utilise qu'un seul pot qu'on aura préalablement décoré et rempli de bonbons et de belles surprises... Bien entendu, lorsque l'on organise une *piñata* pour une fête d'adultes, on ne se gêne pas pour remplacer les bonbons par du confetti et pire encore!

Ah, cet esprit humain tordu, source de tant de joie!

Coco rico oh oh!

Jeu de fête, jeu de foule

Craie: pour tracer la ligne de départ et le cercle de protection.
Ligne de départ: 20-25 m des objets.
Gourdin: bâton d'environ 1,30 m de long.
Version au sol:
Objet: tomate, oeuf, orange, pas un coq vivant.
Cercle de protection: dessiné autour de l'objet.
Version en l'air:
Objets: 3 pots; un contenant des bonbons et autres surprises; un contenant de l'eau; un contenant de la farine.
Source: Associação de jogos tradicionais da guarda, Lago de Torreão, 4, 6300-609 Guarda, Portugal.

Naadam
Festival des trois jeux virils

Les Mongols, Russie

Naadam, c'est le traditionnel festival d'été de Mongolie. Le nom complet du festival est Eriin Gurvan naadam, qui veut à peu près dire: les trois jeux virils. Les trois jeux en question sont la lutte, le tir à l'arc et la course de chevaux.

Le mot *Naadam* provient du mot *naadah,* qui veut dire jouer. Des festivals *Naadam* locaux et régionaux ont cours dans différentes localités tout l'été durant, mais le *Naadam* principal se déroule dans la capitale à *Ulan Bator* les 11 et 12 juillet de chaque année. À l'origine, on tenait des *Naadams* pour célébrer les évènements importants tels naissances, mariages ou encore pour souligner les victoires au combat. Depuis 1922 par contre, le *Naadam* célèbre l'indépendance de la Mongolie. Il est d'ailleurs intéressant de comparer cette fête nationale à la *Sabantuy (Voir Sabantuy, p. 93),* la fête nationale des Tatars. La ressemblance est frappante, surtout lorsqu'on compare l'importance accordée à la lutte et aux chevaux.

En effet, le *Naadam* est un festival de jeux traditionnels qui met en vedette trois activités viriles : la course de chevaux,

parce que sans son cheval, le Mongol n'est pas véritablement un homme; le tir à l'arc parce que, pour survivre et prospérer, on devait savoir viser et surtout atteindre ses proies comme ses ennemis; et finalement, la lutte parce qu'un homme véritable doit savoir comment se battre, et un homme désarçonné de son cheval encore plus.

En plus des jeux traditionnels ci-haut mentionnés, on assiste pendant le *Naadam* à des compétitions de *shagai,* ou tir d'osselets. Les tirs d'osselets servent aussi bien à amuser les enfants, à faire de la divination ou encore se prêtent à des jeux plus élaborés réservés aux joueurs qualifiés. On lance de petits os de jointures de chèvres et de moutons. Selon le côté que l'osselet se présente une fois tombé, nous obtenons la forme du mouton *khoni,* de la chèvre *yamaa,* du cheval *mori* ou du chameau *temee.* À partir de là, les osselets se prêtent à une panoplie de jeux de stratégie, de tir et de comptage de points.

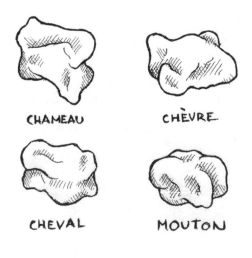

CHAMEAU

CHÈVRE

CHEVAL

MOUTON

La lutte reste, par ailleurs, l'attraction numéro un du *Naadam* et un sport national très populaire en Mongolie. Les Mongols adorent leur sport de combat, qui leur est d'ailleurs servi, au *Naadam,* avec tout l'éclat et le sens du rituel possibles. Les drapeaux et décorations abondent, de même que l'assortiment habituel de dignitaires. On peut retrouver jusqu'à mille concurrents en quête de gloire et les lutteurs vainqueurs aspergent la foule de lait fermenté de jument fermenté.

À leur entrée dans l'arène, les lutteurs retirent leur chapeau et bombent fièrement le torse avant de s'élancer dans une interprétation toute personnelle de la danse du faucon ou de l'aigle en vol. Le moment n'est pas dépourvu d'humour. En effet, ces hommes forts, costumés d'un brin de veste colorée ouverte à la poitrine et d'un slip soyeux et clouté, s'exhibent et se mettent en forme en dansant sur la pointe des pieds et en agitant les bras à qui mieux-mieux. La danse, lente et exagérée, incorpore aussi une série de coups aux cuisses, d'accroupissements et de pivots dans le sens des aiguilles d'une montre. Bien exécutée, une telle danse peut gagner l'admiration de la foule, énerver l'adversaire et rester plus longtemps dans la mémoire des gens qu'un simple échec au combat. Chaque lutteur se double d'un entraîneur-héraut qui s'affaire à chanter ses louanges et à défiler ses exploits héroïques.

Et maintenant pour la question du jour: pourquoi les lutteurs mongols portent-ils une veste ouverte à la poitrine? Pas seulement pour pouvoir exhiber leur torse, non. On dit qu'il y a de cela quelques temps, alors que les lutteurs portaient des vestes fermées, le gagnant du *Naadam* se trouva être une femme déguisée en homme. Vous imaginez la situation? Une femme battant les hommes à leur propre jeu: tout simplement inacceptable. Bien entendu, les hommes remédièrent rapidement à la situation en changeant leur code vestimentaire de manière à ce qu'aucune femme ne puisse désormais leur faire le coup.

Les lutteurs se confrontent tout au long de la journée au cours de combats rapides et plus lents, encouragés par la foule bigarrée. Seize combats peuvent se dérouler en même temps. Les combattants s'affrontent sans distinction de poids ni limite de temps, chacun essayant de faire toucher le sol à l'autre. Il est interdit de frapper, étrangler ou encore mettre l'autre en clé. Un concurrent perd le combat dès que son bras, son genou ou son dos touche le sol.

Les meilleurs combattants ont le privilège de choisir leurs opposants. On retrouve neuf niveaux de combats et les gagnants de cinq rondes sont appelés *nachin,* faucons ou oiseaux. Les gagnants du septième niveau sont appelés *zaan,* éléphants, et ceux du neuvième reçoivent le titre d'*arslan,* lion. Ceux qui remportent le *Naadam* à au moins deux reprises sont considérés comme *avarga,* géants ou encore titans, alors que ceux qui sont sortis vainqueurs dix fois deviennent des héros nationaux reconnus par l'État.

Si la lutte mongole est la réserve exclusive des mâles, les femmes et les filles peuvent par contre participer aux championnats de tir à l'arc. Les Mongols pratiquent le tir à l'arc comme leurs ancêtres sous Genghis Khan, pour la chasse et pour la guerre. Leur art en est un de vitesse, de force et de précision. Les archers utilisent un arc fait de corne et de bambou avec une corde faite de tendon de taureau. Les hommes s'affrontent en groupes de douze et décochent quarante flèches chacun sur une cible placée à une distance de 75 m. Les femmes décochent vingt flèches chacune sur une distance de 60 m. Leur cible est un mur composé de 360 petits anneaux de cuir. Suivant la tradition, un groupe d'hommes se tient près de la cible et chante *uukhai,* une vieille chanson folklorique, tout en gesticulant aux concurrents pour les aviser de leurs succès et échecs.

Si la lutte est du ressort des hommes et le tir à l'arc ouvert aux femmes, la course de chevaux est du ressort exclusif des enfants. Pas parce que c'est un jeu d'enfants, non! Simplement parce qu'un enfant pèse moins lourd qu'un adulte. Et je parle ici de jockeys qui ont 5 ans! On choisit habituellement des filles et des garçons âgés d'entre cinq à dix ans, quoi qu'il ne soit pas inusité de voir des enfants de trois ans concourir dans les petits concours.

Cinq courses sont annoncées en fonction des groupes d'âge. Pas l'âge des enfants, l'âge des chevaux! En effet, les Mongols célèbrent la performance du cheval, pas celle du cavalier… Cent à deux cent montures peuvent prendre part à chaque course, qui se déroule sur une distance pouvant aller jusqu'à 35 km. Il arrive souvent de voir des chevaux parvenir à la ligne d'arrivée sans cavalier, désarçonnés en cours de route. Dans l'étouffante chaleur de l'été, certains chevaux peuvent aussi cruellement souffrir de déshydratation à la fin de la course, et il arrive que certains en meurent d'épuisement.

Les chevaux gagnants sont louangés et l'on chante même les louanges du dernier arrivé dans la course des plus jeunes chevaux. La chanson blâme le jockey ainsi que le mauvais état de la piste, et prédit qu'au cours du prochain Naadam, la renommée du cheval montera haut comme le soleil et brillera comme de l'or.

Au-delà de toutes autres considérations, c'est la participation qui prime au cours du *Naadam*. Tout le monde ne peut évidemment sortir gagnant ou champion, mais juste le fait de prendre part aux compétitions est en soi un honneur, un acte de bravoure reconnu comme tel. Ceci vaut aussi bien pour la lutte que pour le tir à l'arc et les courses de chevaux. Et ceci assure que le *Naadam* reste toujours une célébration populaire de la culture mongole à travers ses jeux traditionnels plutôt qu'une célébration de son élite sportive.

Jeux mongols!

Festival de lutte, tir à l'arc et courses de chevaux

Joueurs: hommes et garçons pour la lutte; hommes, femmes et enfants pour le tir à l'arc et enfants pour les courses de chevaux.

Naadam: nom du festival de jeux traditionnels mettant en vedette la lutte, le tir à l'arc et les courses de chevaux.

Objectifs: célébrer la culture mongole à travers la pratique de ses sports traditionnels; célébrer l'indépendance de la Mongolie; fêter en participant.

Lutte: pas de limites techniques, pas de limite de temps, pas de classement selon le poids; l'objectif est de faire toucher l'adversaire au sol avec n'importe quelle partie du corps sauf les pieds; jusqu'à 1000 concurrents et 16 combats à la fois; 9 niveaux d'ascension.

Tir à l'arc: les hommes tirent 40 flèches sur 75 m, les femmes, 20 flèches sur 60 m; cible-mur comprenant 360 petits anneaux de cuir.

Courses de chevaux: 5 courses selon l'âge des chevaux; les jockeys sont des enfants de 3 à 10 ans; course longue distance, jusqu'à 35 Km.

Tir d'osselets: on lance des osselets de cheville de mouton.

Source: Ankle Bone Shooting Association, Mr. Yaichil Batsuuri, Ministry of Foreign Affairs, Ulaanbaatar, Mongolia.

Rodéo

Les Nord-Américains, les Latino-Américains et les Australiens

Les origines du rodéo sont liées aux activités quotidiennes des journaliers de ranchs. Les travailleurs de ferme s'amusaient durant leur temps libre à prouver leur habileté à mener les animaux dont ils avaient la charge. Le rodéo rend donc hommage au style de vie des vachers, appelés selon l'endroit *cowboy, vaquero, gaucho, vaqueiro, huaso et llanero.*

En tant qu'activité qui puise sa source dans le labeur quotidien, le rodéo se retrouve d'ailleurs en bonne compagnie. Mentionnons simplement les Jeux Voyageurs des Métis du Canada *(voir Jeux des Voyageurs, p.121)* et les jeux de force basques *(voir Jeux de force basque, p.119);* le Lancer de la barre des espagnols *(voir Lanzamiento de barra, p. 126)* et le Jukskei des sud-africains *(voir Jukskei, p.186),* sans oublier le *Qajaq (voir Qajaq, p.129)* des Inuit du Groenland. Mais le rodéo pourrait bien être la seule activité de ce type à avoir vu le jour durant la même période sur plusieurs continents et dans plusieurs pays différents, soit l'Amérique du Nord, l'Amérique centrale, l'Amérique du Sud ainsi que l'Australie.

Les amateurs de rodéo déclarent tous avoir le bien-être des animaux à cœur et que cette notion est à la base même de leur sport. On peut en effet constater à quel point les gens de rodéo respectent, admirent et aiment s'occuper des animaux qui représentent une si grande part de leur style de vie. Ils n'ont certes pas l'intention de leur faire du tort et encore moins de les détruire; ils veulent simplement montrer leur capacité à diriger les animaux sauvages et domestiques dont ils sont responsables. Le cheval sauvage ou le taureau passent en moyenne moins de cinq minutes par année dans l'arène de rodéo, sur une carrière pouvant s'échelonner sur 25 ans pour le cheval et 15 pour le taureau. Et, selon certaines sources documentées, les accidents chez les animaux de rodéo s'élèvent à moins de 1 % de l'ensemble du cheptel.

Comme le rodéo est directement lié à la gestion et à l'entraînement des animaux et que cette relation entre l'homme et l'animal n'est généralement pas tendre, certains en viennent à dépeindre l'activité comme étant inutilement cruelle envers les animaux. Mais condamner le rodéo revient en quelque sorte à condamner la manière de vivre du vacher. La quête de dominance de l'homme sur l'animal est aussi vieille que l'histoire de l'humanité, et celle de sa domestication n'est qu'un peu plus jeune. Malheureusement, le potentiel de cruauté de l'homme envers les animaux et envers sa propre espèce fait aussi partie de son bagage historique.

L'homme s'ouvre davantage maintenant qu'auparavant à des voies alternatives au domptage par la force du cheval sauvage. Ceci grâce aux enseignements des horse whisperers, ces gens qui murmurent à l'oreille des chevaux. Ceux-ci encouragent une meilleure compréhension de la nature du cheval, ainsi qu'une relation d'autorité fondée sur la patience, le respect et l'assurance. Il y en aura toujours pour tourner la manière douce en dérision. Mais la plupart des gens sont ouverts aux façons plus évoluées et efficaces de faire les choses.

Quelle que soit notre attitude face au rodéo, c'est et ça restera pour l'avenir prévisible une forme de divertissement très populaire fondée sur le domptage et la maîtrise des animaux par la force.

Sauf exception, partout où l'on retrouve des troupeaux de bovins et des ranchs, on retrouve des gens à cheval qui s'en occupent. Au canada, aux États-Unis et en Australie, on appelle ces gens des cowboys, quoiqu'en Australie, il portent aussi l'épithète de *rough riders;* au Mexique, ce sont des *vaqueros;* en Argentine, en Uruguay et dans le Sud du Brésil, ce sont des *gauchos;* au nord du Brésil, on a des *vaqueiros,* alors qu'au Chili on a des *huasos* et qu'en Colombie et au Vénézuela on a des *llaneros.* Uniquement au Brésil, on compte plus de 1200 rodéos répertoriés par la fédération nationale de Rodéo du pays.

À tous ces endroits, les cowboys et leurs homonymes font vraiment partie intégrante de la culture. Non seulement ils ont leur propre style de musique, chansons, danse, littérature et cinéma, mais ils en sont tous venus à représenter l'image d'un style de vie rude et indépendant. L'image du cowboy est un des icônes les plus populaires du monde. La marque du cow-boy fait vendre de tout, du tabac aux groupes musicaux et aux équipes de sports. En effet, l'esprit d'indépendance qui caractérise le cowboy solitaire et déterminé est devenu un des sujets de célébration et de plaisir non seulement dans ses propres cultures d'origines, mais bien partout sur la planète.

Chaque rodéo comprend différents événements, dont sept sont reconnus en Amérique du Nord et ailleurs comme événements standard. On parle ici de la monte de cheval sauvage sans selle, de la monte de cheval sauvage avec selle et de la monte de taureau sauvage, du terrassement du bouvillon, de la prise du bouvillon en équipe, de la prise du veau au lasso et de la course entre barils. Pour le cowboy, chevaucher un cheval sauvage, un *bronco,* fait partie de la description de tâches, de même que terrasser les bouvillons et les prendre au lasso. Tout ceci fait partie de l'emploi du temps traditionnel du cowboy.

Monter un cheval sauvage sans selle est bien le défi suprême, et certainement l'événement le plus physiquement exigeant du rodéo. Imaginez-vous seulement en train de chevaucher un cheval sauvage, sans selle ni longe ni rennes, avec pour tout appui une poignée de voltige fixée à une sangle de cuir passée autour de l'animal. Le cavalier, qui n'a aucune maîtrise sur le cheval qui se braque, tente de ne pas se faire désarçonner. Il utilise pour ce faire des techniques similaires à celles utilisées lors de la monte de cheval sauvage avec selle.

La monte de cheval sauvage avec selle est l'épreuve classique et la première de la plupart des rodéos. Plusieurs la considèrent comme l'événement le plus difficile du point de vue technique. L'équipement comprend une selle standard de conception uniforme, une rêne tressée que l'on tient d'une seule main, des éperons ni pointus ni coupants et des jambières de cuir. Le cavalier doit se synchroniser avec le braquage du cheval pour exécuter de grands arcs, les pieds généralement tournés vers l'extérieur.

La monte de taureau sauvage n'est à proprement parler aucunement reliée au travail de ranch. Il s'agit plus ici de prouver son machisme en accomplissant des exploits courageux et spectaculaires qu'autre chose. Vu à travers de la lorgnette des sports extrêmes, on peut comprendre pourquoi cette épreuve est devenue l'événement le plus couru des rodéos. Et vu de la lorgnette du taureau, j'imagine qu'il doit considérer ce chevauchement comme une simple nuisance, une situation inconfortable dont il peut bien rapidement se tirer. En effet, les puissants et agiles taureaux dont on se sert pour faire ressortir le macho en chacun de nous courent très peu de risques comparativement aux menus cowboys qui finissent par se faire brasser « tous bords tous côtés » quand ils n'aboutissent pas sous les pattes de plus d'une tonne de bétail en furie.

Le terrassement du bouvillon demande une excellente coordination entre deux cavaliers et entre chaque cavalier et son cheval. Le lutteur de bouvillon est accompagné d'un meneur, un autre cavalier à cheval chargé de garder le bouvillon en course sur un trajet aussi droit que possible, afin que le lutteur puisse sauter de son cheval pour littéralement prendre le taureau par les cornes. Le lutteur saute donc de son cheval et se sert de son corps et de ses pieds pour freiner l'élan de l'animal. Il appuie ensuite de tout son poids sur un côté afin de le déséquilibrer et de le renverser au sol. Tout ceci semble se dérouler dans l'espace d'un instant: une bonne performance se chronomètre sous la barre des cinq secondes.

La prise du bouvillon en équipe est la seule véritable épreuve d'équipe. Deux cavaliers, l'intercepteur et le talonneur travaillent ici en tandem pour attraper et maîtriser un bouvillon. À l'aide de son lasso, l'intercepteur prend le bouvillon par les cornes pour ensuite enrouler l'autre extrémité du lasso au pommeau de sa selle afin d'arrêter l'élan de la bête. Pendant ce temps, le talonneur lui attache les pattes arrière. Les compétiteurs

de haut niveau accomplissent tout ceci en huit secondes environ.

La prise du veau est une autre épreuve de lasso, en solo cette fois. Le cavalier doit attraper un veau au lasso, descendre de cheval et, comptant sur son cheval pour tenir la corde tendue pendant qu'il court vers le veau, lier trois pattes de l'animal ensemble à l'aide d'une corde qu'il tient entre les dents.

Dans la course entre les barils, des cowboys (souvent des femmes) chevauchant leur propre cheval font la course entre trois barils disposés en triangles à une certaine distance les uns des autres. Il s'agit de la seule épreuve standard où cavalier et monture ne sont pas choisis au hasard. Dans le cas de toutes les autres épreuves standard, la sélection des cowboys et des animaux est laissée au hasard. Cet élément de chance et d'imprévisibilité est l'un des aspects les plus dynamiques du rodéo.

Les épreuves de rodéo sont classées en deux groupes, soit les épreuves jugées et les épreuves chronométrées. Les épreuves jugées comprennent les montes de chevaux et de taureaux sauvages; les épreuves de temps consistent en le terrassement et les prises de bouvillon ainsi que les courses. Au cours des épreuves jugées, on accorde des points tant au cowboy qu'à l'animal. Et tous les cowboys qui prennent part à ces épreuves ne peuvent utiliser qu'une seule et même main pour chevaucher, se toucher ou toucher à l'animal, faute de quoi ils sont pénalisés. Pour marquer le temps au cours des épreuves basées sur celui-ci, on utilise des chronomètres.

Au Canada, deux rodéos se démarquent parmi les autres: dans l'ouest du Canada, le *Stampede* de Calgary est sans contredit le meilleur rodéo du pays; il se targue d'ailleurs d'être le plus grand rodéo au monde. Puis à l'autre bout du pays, le rodéo québécois du Festival western de St-Tite s'annonce comme la plus grande attraction western de l'est du Canada. Ce rodéo est sans doute aussi le plus grand rodéo du monde se déroulant en français. Le Festival Western de Saint-Tite est d'ailleurs reconnu comme le meilleur rodéo extérieur en Amérique du Nord par l'*International Professional Rodeo Association*. Au-delà des épreuves standard, on y tient des courses de sauvetage, d'échange de cavaliers et de Poney Express.

Le Festival Western de Saint-Tite est d'ailleurs un vibrant exemple de la transplantation à l'échelle mondiale de la culture du cowboy. Où ailleurs pourrait-on s'attendre à voir en action autant de cowboys au parler français?

Voir photoreportage p, 98.

Allez Hop!

Rodéo

Joueurs: illimités.

Description: série d'épreuves impliquant cowboys, chevaux, taureaux et bouvillons.

La chance au coureur: dans toutes les épreuves standard, c'est-à-dire le saut et la course de barils, c'est le hasard qui détermine le couplage entre cowboys et animaux.

Épreuves standard en Amérique du Nord: la monte de cheval sauvage sans selle, la monte de cheval sauvage avec selle, la monte de taureau sauvage, le terrassement du bouvillon, la prise du bouvillon en équipe, la prise du veau au lasso et la course entre les barils; les trois premières sont des épreuves jugées; les quatre dernières sont des épreuves de temps.

Pointage des épreuves jugées: cowboys et animaux combinés pour un score total possible de 100 points; deux ou quatre juges; avec deux juges, chacun accorde un score de 1 à 25 pour l'animal et de 1 à 25 pour le cavalier; avec quatre juges, même méthode, le score est divisé par deux.

Règle des épreuves jugées: tous les cowboys qui prennent part à ces épreuves ne peuvent utiliser qu'une seule et même main pour chevaucher, se toucher ou toucher à l'animal, sous peine de ne pas recevoir de points.

Épreuves de temps: on utilise des chronomètres pour marquer les temps.

Épreuves non standard du rodéo de St-Tite: courses de sauvetage, d'échange de cavaliers et de Poney Express.

Course de sauvetage: un cheval, deux cowboys; un cavalier monté doit embarquer son compagnon à toute vitesse à l'intérieur d'une zone délimitée.

Course d'échange de cavaliers: un cheval, deux cavaliers; un cavalier doit faire le tour de l'arène avec son cheval avant de descendre du cheval pour être remplacé par l'autre à toute vitesse.

Course Poney Express: les cavaliers montés coursent autour de l'arène et changent de cheval à toute vitesse.

Source: Festival western St-Tite, 454, boul. St-Joseph, C.P. 3084, Saint-Tite (Québec) Canada G0X 3H0.

Sites Web: www.festivalwestern.com/
www.calgarystampede.com/stampede/
www.friendsofrodeo.com/

Sabantuy
Fête de la charrue

Les Tatares - Russie

Sabantuy représente, pour le peuple tatar du Tatarstan russe, la traditionnelle fête nationale. Les événements marquants au niveau sportif sont les épreuves équestres et le *kourèche,* la lutte tatare.

La fête est d'origine pré-islamique (l'Islam sunnite est la religion dominante du Tatarstan depuis le Xe siècle). Le mot *sabantuy* provient d'une conjonction des mots *saban,* qui veut dire charrue et *tuy,* qui veut dire célébration. C'est en effet la fête des labours, une action de grâces en hommage à la fertilité de la Mère-terre qui se célèbre au printemps juste après les semailles. Tout le monde y participe, du plus jeune au plus âgé.

C'est aussi aujourd'hui un geste d'affirmation politique, un événement largement couru qui rassemble dans l'amitié les peuples du Tatarstan. Hormis les Tatares, on y retrouve donc Baskirs, Chuvashes, Udmurtes, Morduines et Russes. La fête, qui se déroule en pleine nature, est un vibrant exemple de la grande tolérance et coopération qui sont de mise au Tatarstan.

Mises à part la lutte et les performances équestres, on peut participer à toutes sortes de compétitions amusantes du genre combats de coussins sur barre horizontale, courses de sacs, défis d'ascension de poteaux et épreuves de souque à la corde. On y retrouve même un jeu de cassage de pots les yeux bandés qui fait penser au jeu traditionnel portugais *jogo do galo (voir jogo do galo, p. 84).*

C'est à se demander si Marco Polo, le célèbre explorateur vénitien du XIIIe siècle, n'aurait pas ramené ce jeu de cassage de pots en Europe avec ses souvenirs de voyage, ou si au contraire il ne l'aurait pas montré aux Tatares. En effet, la branche nordique du grand Chemin de la Soie, qui passait par la région, fut peut-être le conduit du jeu dans un sens ou dans l'autre.

Cette route commerciale et culturelle est-ouest devint le passage obligé pour les européens de l'Ouest à partir du XIIIe siècle. En effet, les croisés perdirent à cette époque le contrôle des lieux saints, ce qui ferma aux européens la traditionnelle route de la Mer Rouge.

Mais revenons à nos moutons. L'événement clé de la fête reste le *kourèche,* la lutte nationale tatare, alors que chacun en profite pour prouver sa puissance et son habileté. Et le champion gagne un mouton.

Selon la tradition, ce sont les enfants qui amorcent la compétition (voir illustration). Puis suivent les *aksakals* ou barbes blanches, les lutteurs vétérans. Enfin apparaissent les *bathyrs,* les héros du *sabantuy,* aussi appelés *pehlevans.*

Pehlevan, alors voilà qui sonne exactement comme le mot héros en perse: *pahlevân.* Ainsi les héros d'Iran comme du Tatarstan portent le même nom... Soit dit en passant, ce furent deux chevaliers perses, des *pahlevâns,* qui codifièrent les disciplines du

93

jeu de force iranien *varzesh-e-bastani*). *(Voir Varzesh-e-bastani zoorkhane, page. 133)*

De retour à notre célébration: chaque village guette l'arrivée de son champion *pehlevan*, son *bathyr*. À leur vue, les cris se mettent à fuser de toutes parts : «Lâche pas ton dos! Lâche pa-a-s! »

Les lutteurs prennent alors position au hasard le long d'un câble, et c'est ainsi qu'ils en viennent à connaître qui sera leur opposant. Tour à tour, les joueurs à chaque extrémité du câble quittent la ligne pour se rejoindre et former la paire. L'ordre des combats est ensuite déterminé par les organisateurs appuyés en cela par les barbes blanches.

Pour les Tatars, les *bathyrs* ont vraiment la cote. Ils sont respectés, honorés et leurs noms sont fièrement proclamés. Les jeunes filles rêvent toutes de charmer un *bathyr* vainqueur du *sabantuy*. Rien n'est en effet plus souhaitable que de marier un *bathyr*. C'est le gros lot! En effet, ceux qui remportent la victoire sont aussi souvent les Tatars les plus performants au dur labeur quotidien des travaux des champs.

Le *kourèche* diffère des autres pratiques de lutte par le fait que les adversaires ne peuvent se saisir l'un l'autre qu'au moyen d'une serviette (voir illustration). Chacun cherchera donc à entourer l'autre d'une serviette autour de la taille pour ensuite lui faire perdre l'équilibre. À force égale, les lutteurs *kourèches* peuvent s'affronter pendant des heures. L'endurance triomphera alors de la force brute.

Le premier à étaler l'autre complètement sur le dos l'emporte. Puis notre *bathyr* reçoit son mouton bien vivant. Il se l'enlace aussitôt autour du cou pour faire un tour d'honneur autour de l'arène. C'est le triomphe, alors que les jeunes femmes nouvellement mariées depuis le dernier *sabantuy* lui offrent des serviettes. En plus du traditionnel bélier ou mouton, notre homme peut aussi se mériter une télévision, un frigo, voire même une automobile!

Rénat, un Montréalais d'origine tatare, en a beaucoup à dire sur la lutte *kourèche* et sur les prouesses de son arrière-arrière-grand-père, un véritable *bathyr*. Selon ses dires, Akhmetgareï-Haji, fils de Mouzaffar Goumerov, aurait été champion incontesté de lutte tatare dans son village natal d'Oly Imen. L'histoire se passe donc au XIXe siècle. L'aïeul était un lutteur tellement redoutable et redouté qu'à un certain point nul n'osa plus se mesurer à lui. Si bien que cela finit par nuire à la pratique du *kourèche* dans la région. En effet, les lutteurs se passaient le mot: «Oly Imen? Ah! Inutile d'y aller, c'est Akhmetgareï-Haji qui est là.» Quelle réputation!

Fidèle à lui-même, quand vint le temps pour notre homme d'accomplir son pèlerinage à La Mecque, il s'y rend à pied, au cours d'un voyage qui lui prit plusieurs années.

Lâche pas ton dos. Lâche pa-a-s!

Festival de lutte, épreuves équestres et compétitions amusantes

Kourèche: lutte tatare dont l'objectif est de mettre l'adversaire sur le dos en le saisissant autour de la taille à l'aide d'une serviette
Source: Association tatar de Montréal, C.P. 686, Pointe-Claire Dorval, Québec Canada, H9R 4S8

Simb
Faux lion

Les Wolofs, les Lébous - Sénégal

Un groupe d'animateurs déguisés en lions apparaît soudainement au milieu d'une foule. Dans une fureur toute animale, ils capturent des proies parmi les spectateurs en fuite.

Le *simb* est un événement familier dans tout le paysage sénégalais, une tradition spectaculaire des ethnies wolof et lébou qui composent près de la moitié de la population sénégalaise. C'est un jeu d'animation de foule qui tient autant de la cérémonie rituelle que du grand guignol. Certains attribuent son origine à un rite de possession ayant servi autrefois à libérer un homme possédé par l'esprit d'un lion. Aujourd'hui c'est un grand jeu de participation de masse où faux lions et proies jouent le jeu de la chasse sous le regard amusé de la foule. Au son des tam-tams, on rugit, on s'écrie, on attaque, on s'enfuit, on capture, on s'esclaffe.

Puis les faux-lions ramènent leurs victimes devant un public emballé. Pour se libérer, celles-ci doivent charmer leur capteur avec une danse envoûtante, une incantation magique ou une supplication oratoire. Parfois, d'autres spectateurs s'avancent pour libérer une victime. Ils y vont alors de leurs propres performances spectaculaires. Gagner le cœur de la foule, c'est gagner la liberté. Les victimes qui refusent d'embarquer dans le jeu sont huées, couvertes de ridicule, voire même aspergées d'eau ou pire encore, alors aussi bien entrer dans le jeu!

Quel autre peuple se sert du lion pour animer les foules? Les Chinois, avec leur célèbre Danse du lion! *(voir Danse du lion, p. 78).*

Arrrrrrrrgh!

Jeu de foule

Objectif: faire réagir et participer joyeusement la foule.
Joueurs: groupe d'animateurs de foule et une foule.
Équipement: costumes et maquillages suggérant des lions; tam-tams.
Source: Centre National d'Éducation Populaire et Sportive de Thies, M. B. Khary Ndoye, B.P. 191, Thies, Sénégal.

Upih Nggisut
Le Canot de Nggisut
Les Indonésiens - Lampung, Sumatra

Voici un jeu rigolo qui a cours lors des célébrations suivant la récolte du riz. Il s'agit d'une course dynamique en groupes qui reprend les trois étapes de la récolte tout en les caricaturant.

Ces trois étapes sont constituées par la récolte elle-même, sa mise en sac et son transport. La récolte s'effectue en voguant les rizières à bord d'un canot appelé *upih.* La seconde étape consiste à verser le riz récolté dans des sacs appelés *karungs.* Et pour terminer, les fermiers ramènent les sacs à domicile en les portant sur la tête ou les épaules. Ce type de portage de lourdes charges s'appelle *cecun.*

Le jeu suit la même procédure, de *upih* à *karung* à *cecun.* Deux équipes de coureurs devront donc faire un tour de canot, remplir un sac et le transporter à destination. Assez simple comme jeu, n'est-ce pas? Sauf qu'il n'y a ni canot, ni riz. Le jeu se déroule sur la terre ferme et, pour tout équipement, chaque équipe doit faire avec un *karung*, un sac.

Voici comment cela se passe. Chaque équipe, qui se compose de deux joueurs ou plus, étend son *karung* au sol derrière la ligne de départ. Le sac tient alors lieu de *canot-upih.* Les co-équipiers s'assoient ensuite dessus, l'un derrière l'autre (voir illustration). Puis, au signal de l'arbitre, nos joueurs se mettent à avancer dans cette position, s'aidant du mieux qu'ils peuvent de leurs mains et de leurs pieds. Bien entendu, le *karung* doit les suivre tout au long de leur avancée. En Indonésie, on appelle *nggisut* cet acte d'avancer collectivement dans cette position. D'où le nom du jeu, *upih nggisut.*

Les joueurs doivent se propulser de cette manière bizarre jusqu'à une ligne tracée à dix mètres de là. Une fois arrivés à cette ligne, ils récupèrent alors leur *karung* pour en faire bon usage. Puisqu'il n'y a pas en fait de riz disponible pour remplir le sac, nos coureurs se servent de ce qu'il y a à la portée de la main, c'est-à-dire d'un des leurs! Ainsi un co-équipier tenant lieu de riz sera mis dans le sac. Bien sûr, maintenant que le riz a été mis en sac, il ne restera plus aux autres membres de l'équipe que d'accomplir *cecun,* c'est-à-dire de ramener la charge jusqu'à la ligne de départ.

Vous pouvez imaginer combien ce jeu peut-être amusant à jouer… et à regarder. Il s'agit d'une course spectaculaire qui exige à la fois beaucoup d'habileté et d'humour. Tout au long de leur périple, les équipes d'*upih nggisut* sont jugées selon la qualité globale de leur performance. La rapidité et le degré d'accomplissement de la tâche comptent pour beaucoup. Mais comptent tout autant les niveaux de coopération et de solidarité du groupe, ainsi que le degré les niveaux de coopération et de solidarité du groupe, ainsi que le degré d'amusement généré durant la course. Car *upih nggisut*, c'est avant tout un geste joyeux de célébration et d'action de grâces envers la nature et sa générosité.

Upih Nggisut s'est mérité en 2003 le prix de la meilleure performance au Festival de jeux et sports traditionnels d'Indonésie. L'art martial *perisean (voir perisean, p. 28)* s'était mérité le grand prix en 2002. Il s'agit d'un rituel de combat au bâton provenant de l'île de Lombok, tout à côté de Bali. L'Indonésie compte à elle seule plus de 700 jeux et sports traditionnels!

Amusante récolte!

Course en équipes sur le thème de la récolte du riz

Joueurs: 2 équipes ou plus d'au moins 2 joueurs.

Objectif: courser en groupes sur une distance de 10 m, assis sur un sac tenant lieu de canot (voir illustration); puis prendre le sac et y mettre un co-équipier; finalement revenir au point de départ en transportant la charge sur ses épaules.

Terrain: piste de 10 m de long, avec lignes de départ de 10m; gazon, sable ou plancher.

Équipement: un *karung,* soit un sac ou une poche; un sarong (vêtement traditionnel) pour chaque joueur.

Nggisut: action de se propulser en groupe à l'unisson à l'aide des pieds et des mains en étant assis au sol.

Cecun: manière traditionnelle de transporter une lourde charge sur la tête (dans ce cas-ci, sur les épaules).

Règles: chaque groupe doit rester assis sur son *karung* jusqu'à ce qu'il ait atteint la ligne de 10m; peut passer à l'étape du *cecun* seulement quand tout le groupe a accompli l'étape 1, *nggisut*; durant *cecun*, un joueur en sac doit être transporté jusqu'au point de départ; tout le groupe doit arriver au point de départ en même temps, sinon, il faut retourner aider à transporter le joueur dans le sac.

Jugement de la course: basé sur la justesse et la vitesse, ainsi que sur la coopération et la solidarité du groupe; aussi sur la qualité globale de la performance et de son côté spectaculaire.

Gagnant: première équipe à arriver ayant commis le moins grand nombre d'erreurs.

Source: Dwi Hatmisari Ambarukmi, Directeur Sports pour tous, Departemen Pendidikan Nasional, Jl Gerbang Pemuda, Senayan Jakarta.

Bienvenido a Los Angeles, Chile !

Photoreportage d'Arnaud Drijard
www.unmondedesports.com

À Los Angeles, nous ne sommes pas en Californie mais bien à quelques heures au sud de Santiago. Ici a lieu la finale nationale du Rodeo Para Criadores. Nous y sommes venus car quand nous avons interrogé quelques chiliens sur le sport traditionnel de leur pays: le rodéo a fait l'unanimité.

veste courte), son pantalon coupe droite, son lasso à la selle et ses espualas, ces éperons de grande taille.

Nous sommes donc partis à la rencontre de ceux qui le pratiquent, ces éleveurs de bétail que l'on appelle «huasos».

Le huaso est un homme élégant, vêtu de son manta (un lainage de type poncho), son chupalla (un sombrero), sa chaquete (une

Le son de ces éperons en mouvement suffit à diriger le cheval.

Avant d'arriver à cette compétition annuelle, notre chauffeur de taxi précise avec beaucoup de fierté: «ici, ce n'est pas du rodéo américain, mais bien 100% chilien!»

En effet, ce rodéo prend une autre forme qu'en el norte. Pratiqué depuis des générations, il se joue dans des arènes en demi-lune (medialuna) où deux cavaliers doivent diriger une vache devant des centaines de spectateurs très connaisseurs.

Une medialuna est une arène avec un premier espace, appelé abiñadero. C'est dans cet espace que la vache lâchée doit effectuer deux tours et demi sans faire demi-tour, guidée par une équipe de deux cavaliers.

Bienvenido a Los Angeles, Chile ! - suite...

Puis la vache passe dans un deuxième espace, plus grand, et doit là encore effectuer deux aller et retours et demi. Pendant cette évolution, les deux cavaliers doivent réussir à plaquer la vache à trois reprises successives dans une zone d'attaque.

À peine le vainqueur désigné, la reine et ses deux sujettes arrivent dans l'arène, en robe traditionnelle appelée china. Elles montent derrière les vainqueurs et effectuent à cheval un tour de l'arène sous les applaudissements...

Les huasos peuvent ainsi démontrer leurs qualités de dressage alors même que le 4X4 a tendance à remplacer le cheval comme moyen de locomotion. Ce grand spectacle de quatre jours se termine à la nuit tombée alors que tous n'attendent que la fête arrosée de pisco.

Suite à cette parade et aux photos officielles, un cocktail est servi à même l'arène, avant la grande soirée au casino. Dans la salle de réception, des photos rappellent les grands chevaux comme Nipan ou encore Alcatraz, et célèbrent les grands éleveurs tel Julio Rivas.

Au programme de la soirée, et dans le respect de la tradition : vin chilien, cueca -danse traditionnelle, musique chilienne à base de guitare, harpe et chants, sans oublier le pisco -alcool local...

Notons que la musique est un élément prépondérant du rodéo - et plus globalement de la vie au Chili - les femmes chanteuses sont «vénérées», invitées à danser par les vainqueurs... Les 4 jours, elles n'arrêteront pas et accompagneront le ballet des cavaliers le jour et celui des séducteurs le soir.

Si vous faites un tour au Chili, ne manquez pas d'aller au rodéo. Renseignez vous dans le journal national, par exemple El Mercurio, et vous saurez où vous diriger pour vivre une expérience authentique, intéressante, et spectaculaire.

Photoreportage d'Arnaud Drijard

Voir texte Rodéo p. 89

Jeux de Force/Adresse

Allunaariaqattaarneq
Gymnastique inuit de cordes
Les Inuits - Groenland

La gymnastique Inuit de corde consiste en une série d'exercices assis et suspendus servant à entraîner le kayakiste. Assis sur des cordes suspendues en l'air, il s'agit de se balancer et de virevolter et, suspendu depuis une corde par les mains, de se hisser au-dessus et de redescendre au sol.

Manœuvrant son corps comme s'il était en kayak, le pratiquant augmente ainsi sa force, son équilibre, sa flexibilité et son assurance. En se haussant par les mains, il les renforce tout en accroissant la force et la résistance de la partie haute de son corps.

Pour les exercices assis, deux cordes parallèles pendent de deux poteaux placés à une distance de six pas l'un de l'autre. Pour les exercices suspendus, une troisième corde est fermement tendue entre un des poteaux et un troisième.

En virevoltant sur les cordes molles, on pratique le contrôle des roulements. Position départ: fessier entre les deux cordes, bas de jambes suspendues sur les cordes et pieds croisés pour se maintenir en position. Chaque main tient fermement une des cordes, une main en avant et l'autre en arrière. C'est en gardant les mains bien agrippées et les jambes en position tout au long des manœuvres que l'on parvient à maintenir son fessier en place entre les deux cordes.

La manœuvre de base consiste à faire un tour complet autour de soi-même en se redressant aussitôt en position originale. Pour ce faire, on transfère son poids de manière à verser d'un mouvement fluide, puis on revient en place. Une fois ce truc bien assimilé, on place un chapeau au sol sous son corps et on répète la manœuvre. Ce coup-ci, on fait une pause la tête en bas, le temps de saisir le chapeau et de se le mettre sur la tête avant de se redresser en position originale. Évidemment, on doit libérer une de ses mains de son emprise en cours de route... Bonne chance!

Et maintenant un mot sur les exercices suspendus. Au Groenland, la gymnastique de corde simple endurcit le kayakiste pour le préparer à la vie rigoureuse du chasseur de phoque. La position de base demande que l'on se suspende depuis la corde par les mains, chacune dans une direction différente. Saisir la corde par les mains et seulement avec les mains, sans gants ou aucune autre protection... Croyez-moi, ça peut être une expérience très douloureuse: la corde vous coupe les doigts!

L'objectif consiste à essayer de tortiller votre corps pour le passer au-dessus de la corde de différentes façons. Pour commencer, placez le coude de votre main avant au-dessus et de l'autre côté de la corde. Puis hissez-vous par-dessus la corde à l'aide de votre autre main, passez par-dessus la corde et redescendez de l'autre côté. C'est la manière la plus facile...

Il existe au-delà de soixante-dix manœuvres de corde, toutes plus difficiles à réaliser les unes que les autres. En effet, *allunaariaqattaarneq* est un programme d'entraînement rigoureux qui exige un engagement sérieux. Et l'association de kayak du Groenland *Qaannat Kattuffiat* le reconnaît au cours de ses championnats. Chaque année, les gymnastes de corde sont appelés à réaliser un maximum de manœuvres dans un temps limite. Les points sont attribués tant pour la quantité que pour la qualité de ces manœuvres.

Lors de ces championnats mondiaux, le kayakiste de réputation mondiale Maligiaq réalisa une série de vingt-cinq manœuvres toutes excellentes; en tout juste trente minutes. Inutile de vous dire que tous ceux présents restèrent bouche-bée et qu'il remporta le championnat sans problème. Pour vous donner une idée de l'effort, imaginez combien de temps il vous faudrait pour simplement accomplir les manœuvres de base correctement. À cœur vaillant, rien d'impossible!

Virevolter sur corde!

Exercices d'entraînement sur cordes

Piste d'entraînement: 3 poteaux solides enlignés; chacun mesure 2,4 m; 2 à 6 pas de distance; le troisième à 3 pas au-delà du deuxième; à peu près 15 m de corde, 12 mm d'épais; 2 longueurs de corde bien attachées à 183 cm du sol sur chacun des premier et deuxième poteaux; les cordes pendent une à côté de l'autre, à peu près à 120 cm du sol mi-chemin entre les poteaux; la troisième corde plus courte est tendue fermement entre le deuxième et le troisième poteau, 210 cm du sol.
Manœuvres: 74 différentes; liste complète sur site Web de *Qaannat Kattuffiat, Greenland Kayaking Association,* dans *Rules for Kayak Competitions.*
Concours: réaliser autant de manœuvres que possible en 30 min.
Points: attribués en fonction du style et du nombre de manœuvres réalisées.
Contact: Inuit Circumpolar Conference Greenland, Dr. Ingridsvej 1, P.O. Box 204. DK-3900 Nuuk, Kalaallit Nuaat, Greenland.
Source: Rope Gymnastics, John Heath, Sea Kayaker Magazine, June 2000, P.O. Box 17029, Seattle WA USA 98127-0729.
Site Web: www.qajaqusa.org
Qaannat Kattuffiat, Greenland Kayaking Association.

Boomerang

Aborigènes australiens - Universel

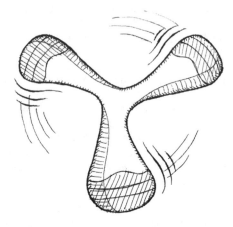

Boomerang, universel? Tout le monde sait que le boomerang est australien! Bien sûr, mais selon certains il est surtout préhistorique et à cet égard il aurait laissé des traces de son usage sur les cinq continents.

Ces traces, on les retrouverait tout aussi bien en Pologne, en Allemagne, au Danemark qu'en Égypte, en Inde et en Amérique du Nord. Encore faut-il clarifier le sens du mot boomerang, car ce qu'on retrouve dans les civilisations de l'âge de pierre, ce sont des bâtons de lancer aérodynamiques. Ceux-ci faisaient simplement partie de l'arsenal de chasse. Ceux des aborigènes australiens sont les plus connus sans doute parce que ceux-ci ont conservé jusqu'à nos jours leur culture archaïque. Et aussi parce que leurs bâtons de lancer n'ont pas été supplantés par le tir à l'arc, arme qu'ils n'ont tout simplement jamais utilisé.

Mais ces bâtons de lancer peuvent tout aussi bien être des bâtons à tuer que des bâtons qui retournent. Certains aborigènes australiens appellent leur bâton de chasse *kylie;* les Hopis et les Navajos d'Amérique le nomment « bâton à lapins ». Ce sont

des armes aérodynamiques conçues pour assommer ou tuer les proies. Ces bâtons de chasse ne sont pas destinés à retourner à son propriétaire, pas plus que ne le sont la pierre, la flèche ou la lance.

Les bâtons qui retournent seraient une forme plus évoluée des bâtons de lancer, une forme qu'ont maîtrisé les premiers Australiens comme les Anciens Égyptiens. Le pharaon égyptien Toutankhamon possédait en effet toute une collection de boomerangs des deux types: bâton de chasse et bâton qui revient. Il les a d'ailleurs emporté avec lui dans sa tombe et, on imagine, dans l'au-delà.

On a toujours tendance à croire que le boomerang était lui-même un bâton à tuer. Ce ne serait pas le cas. Le boomerang serait plutôt un rabatteur. Il aurait servi par exemple à effrayer les groupes d'oiseaux afin de les rabattre vers des filets ou encore de les mettre à portée de bâtons… à tuer. Plus léger et plus profilé que le bâton à tuer, le boomerang n'atteint pas de cible mais revient plus ou moins précisément vers son lanceur.

Que ces bâtons de lancers soient conçus pour la guerre et la chasse ou encore pour le rabattage, leur maniement nécessite un long apprentissage qui passe nécessairement par la pratique et le jeu. Il en va ainsi pour tous les arts martiaux et pour le maniement de tout l'arsenal de guerre et de chasse. Les aborigènes australiens pouvaient se mettre en file et lancer leurs boomerangs les uns après les autres, et ce pour jouer, se pratiquer et montrer leurs prouesses, tout-à-la-fois.

Et c'est après ce long détour que l'on en arrive au boomerang en tant que jeu et en tant que sport. La première règle du sport est la précision, cette recherche du lancer parfait qui ramène l'instrument à son point de départ. Et la première règle de tout jeu est d'apprécier l'expérience.

En 1969 le jeu devient sport avec la fondation de l'*Australian boomerang association,* à qui on doit les principales épreuves du lancer de boomerang d'aujourd'hui. Parmi celles-ci, notons la vitesse, l'endurance, l'*Aussie-Round* (championnat général) et le MTA, soit le maximum de temps en l'air. Puis les américains ajouteront le *freestyle* acrobatique, le jonglage, le *doubling* ainsi que les relais et le super catch en équipe. La *World Boomerang Association* voit le jour en 1991; depuis, le lancer du boomerang contemporain se propage de par le monde.

Un boomerang en règle doit pouvoir voler sur une distance minimale de 20 mètres, sans égard à son poids, son matériau et sa taille. Cette ouverture face à la composition de l'instrument engendre un processus de développement créatif rapide. Ses formes deviennent toujours plus modernes et maniables. On expérimente de nouveaux matériaux, on développe de nouvelles techniques de fabrication, de nouvelles façons de jouer apparaissent. Tout ce bouillonnement favorise une croissance rapide du sport. Comme les formes actuelles du boomerang le font voler toujours plus loin, plus vite et plus haut que celles d'autrefois, la pérennité de l'activité s'en voit plus assurée. Le boomerang n'aboutira pas de sitôt dans les musées. Activité plusieurs fois millénaire, elle est plus que jamais promise à un bel avenir dans ce nouveau millénaire qui s'ouvre devant nous.

Le bâton qui revient

Lancer et rattraper un boomerang

Joueurs: individuel, jeux en groupe sous forme d'épreuves et de relais.
Épreuves: de vitesse, d'endurance, d'acrobaties, de jonglage, de *doubling,* d'équipe à relais et de *super catch,* aussi *Aussie-Round* et MTA.
Vitesse: *fast-catch;* rattraper le boomerang 5 fois de suite dans un minimum de temps; record de 14,6 sec.
Endurance: lancers consécutifs; rattraper le plus de fois le boomerang en 5 minutes; record de 80 fois.
Acrobaties: *freestyle* ou *trick catch;* figures imposées, de dos, sous la jambe, etc.
Jonglage: avec 2 boomerangs.
Doubling: 2 boomerangs lancés du même coup.
Relais d'équipe: joueurs se relaient à courir, lancer et rattraper.
Super catch d'équipe: un joueur lance à distance pendant que les autres font le maximum de lancers et de rattrapages consécutifs avant que le boomerang du premier joueur ne soit revenu.
Aussie-Round: championnat général de distance, de précision et de rattrapage.
M.T.A: maintenir le boomerang le maximum de temps en l'air; chronométrage du vol; record de 2 min 59.
Source: Wallaby Boomerangs, téléphone ligne gratuite 1 888 597 1333.
Sites Web: www.wallabyboomerangs.com

Courses de canots de guerre des Salishs

Les Salishs - Canada

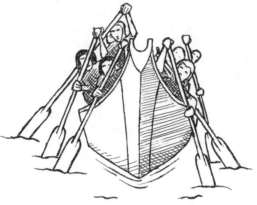

L'été, c'est le temps des courses de canots. Des foules bigarrées s'entassent au bord de l'eau pour encourager les pagayeurs qui fendent l'eau de leurs avirons. Quel spectacle grandiose!

Dans la région côtière du sud de la Colombie-Britannique et de l'état du Washington, avironneurs comme spectateurs sont bien conscients de l'importance historique de tels événements. En effet, la tradition des régates dure depuis au moins le 19e siècle, et celle du canotage remonte à la nuit des temps! C'est l'occasion pour la nation salish et les autres Premières nations de se rencontrer, d'échanger et de se livrer à des compétitions aussi amicales qu'enjouées.

Les courses se déroulent durant des heures, quelque soit la température. Tout le monde peut participer, hommes, femmes et enfants. À la grande variété et formats d'embarcations en présence correspond toute une série d'épreuves: on concourre en effet en simple, en double, en équipes de six et même en équipes de onze, soit le nombre requis pour manœuvrer le grand canot de guerre.

Les tribus cowichan, membres de la famille des Salish de la côte, organisent des courses de canots traditionnels indigènes dans la baie de Cowichan sur l'île de Vancouver depuis 116 ans. Les tribus cowichan sont formées de six communautés habitant la vallée de Cowichan, près de la ville de Duncan. Leur groupe comprend environ trois mille personnes.

Des courses de canots traditionnels telles que celles-ci se déroulent de mai à septembre sur des sites sacrés de l'île de Vancouver, de la côte du sud de la Colombie-Britannique et de l'état de Washington. Tout le monde est bienvenu et, afin de maximiser la participation, on combine la tenue des courses avec de nombreux autres événements au cours de la même fin de semaine. Ceci attire les foules de partout en Amérique du Nord ainsi que des touristes du monde entier.

L'entraînement intense et rigoureux commence à la fin mars ou au début d'avril pour se poursuivre jusqu'à la fin de la saison estivale. On ne peut qu'admirer l'engagement et l'agilité des pagayeurs à l'entraînement dans leurs canots de guerre traditionnels.

Le grand canot salish est un objet qui tient du sacré, tout comme le cèdre rouge gigantesque qui lui donne corps. L'esprit de l'arbre est transféré au canot, ce qui en fait une entité en soi. À cet égard, on peut comprendre l'importance donnée au choix même de l'arbre ainsi que la reconnaissance que les fabricants de canot lui accordent pour se laisser transformer en objet utile et puissant. Taillé d'un seul bloc à même le tronc de l'arbre, le canot de guerre mesure 13 mètres de longueur et moins de 50 cm de largeur. Avec ses dix pagayeurs et son timonier, il est paré pour la mer ou encore pour les grandes régates de 16 kilomètres.

Selon la tradition, monter dans un canot est un honneur qui se mérite. Il faut être sain de corps et d'esprit afin de ne pas se mettre à dos l'esprit du canot. Il faut avant tout être une bonne personne, à la hauteur de l'arbre qui a enfanté le canot. À cet effet, la course de canot organisée par les tribus cowichan, la *Annual Canoe Races At Cowichan Bay,* s'annonce fièrement comme exempte d'alcool et de drogues.

Rame!

Courses de canots

Joueurs: en simple, en double ou en groupes de 6 ou de 11 personnes.
Canots: pour 1, 2, 6 ou 11 personnes.
Grand canot de guerre: 11 personnes, soit 5 rangées de 2 pagayeurs et 1 timonier.
Distances: jusqu'à 5 km pour les petites embarcations, jusqu'à 16 pour les grosses.
Sites Web: www.cowichansports.com/cowichantribes/
        www.cirtualmuseum.ca/Exhibitions/Traditions/Francais/salish_canoe.html

Fierljeppen
Saut à obstacles à la perche

Les Hollandais

Les Hollandais habitent une contrée à moitié submergée, découpée d'une multitude de canaux et de tranchées. Pas surprenant qu'ils soient devenus des experts en saut à la perche!

Fierljeppen est un sport de haute voltige (c'est le cas de le dire) qui possède quelques particularités assez originales: pour commencer, il nous vient de la Hollande (de ceux-là même qui nous ont donné la tulipe). Deuxièmement, le défi qu'il offre peut s'avérer très drôle, sinon hilarant (en effet, si on manque son coup, c'est plouf! dans l'eau). Troisièmement, il s'agit d'un des sports athlétiques les plus complexes au monde, si l'on en croit les Hollandais (et je pense que là-dessus, on peut leur faire confiance).

Mais trêve de plaisanteries. Le saut à la perche est pratiqué en Europe depuis les temps anciens. Les soldats grecs et romains, les envahisseurs vikings et les bergers grecs privilégiaient tous cette technique pour franchir crevasses et cours d'eau. Aux Îles Canaries, les bergers pratiquent toujours le *salto del pastor* pour franchir les ravins. Quant à nos habiles Hollandais, ils ont vite transformé leur talent inusité en un sport tout aussi inusité. Le premier match officiel se déroula en effet en 1771.

Tel que pratiqué de nos jours, le sport se déploie en une séquence de quatre étapes. Les joueurs commencent par sauter d'une plate-forme de course montée contre un fossé. Ils saisissent alors en vol une perche plantée dans l'eau et s'y agrippent. Du coup, ils la grimpent le plus haut possible. Ce faisant, ils tentent de contrôler les mouvements frontaux et latéraux de leur perche et de la diriger vers l'avant. Si tout a bien été jusque-là, ils tentent alors un atterrissage en douceur sur un lit de sable qui les attend de l'autre côté du plan d'eau.

Comme vous vous en doutez, toute cette opération complexe exige beaucoup d'habileté. En effet, chaque étape comporte son lot de pièges. Toute la séquence appelle en fait à une comédie d'erreurs du plus haut niveau (c'est encore bien le cas de le dire). Je verrais bien d'ailleurs un magnifique Buster Keaton se prêter au jeu en compagnie des cascadeurs-gaffeurs de ses fameux films muets.

Imaginez en effet le sauteur qui manque carrément la perche en vol et qui fout le camp à l'eau. Puis le tristounet qui, une fois agrippé sur sa perche glisse doucement vers l'eau qui l'attend. N'oublions pas le grimpeur en détresse qui, incapable de contrôler le mouvement de ladite perche, se balance dans toutes les directions sauf la bonne. Il se dirige évidemment vers une finale en trempette... Et finalement apparaît notre sauteur d'expérience qui vient couronner le tout. Il franchit le fossé gracieusement et avec une grande légèreté, au grand plaisir de tous.

Réussir un saut de *fierljeppen* est une chose d'une grande beauté qui relève de l'art. Imaginez: les champions sautent sur plus de 17 m, et le record à battre dépasse maintenant les 20 m!

Ah, ces magnifiques Hollandais volants. Dire qu'ils se servent depuis longtemps de la perche comme moyen de transport!

Attention : Hollandais volants !

Défi d'adresse

Joueurs: individuels.
Objectif: traverser un cours d'eau à partir d'une plate-forme de course, en s'agrippant à une perche plantée dans l'eau, afin d'atterir de l'autre côté du plan d'eau.
Perche: appelée *polsstok;* mesure entre 8 m et 12,5 m de long, 8 m pour les enfants et 12,5 m pour les champions.
Source: Polsstokbond Holland, www.pbholland.com/
Site Web: www.pbholland.com/

Handboogschieten op de staande wip
Tir à l'arc vertical à la perche

Les Flamands - Belgique

En Flandre, le tir à l'arc est vertical car les cibles trônent à 28 m de haut!

Nombreux sont les stands de tir à l'arc sur perche verticale dans le paysage flamand. Cette activité est en effet pratiquée avec enthousiasme et respect des traditions par hommes, femmes et enfants de toutes les couches sociales. Le but est d'atteindre quarante et une cibles fixées sur un cadre de métal au sommet d'une perche. On appelle *gaaien* ces cibles faites de plumes de couleur fixées sur des assises de bois, de liège ou de plastique. Symbolisant des oiseaux, elles sont disposées en ordre d'importance, les plus belles tout en haut de la perche.

Pour tirer, on se sert d'un arc de fibre de verre dérivé de l'arc de bois traditionnel ou encore d'un arc à poulies moderne. Les flèches sont épointées. Un périmètre de sécurité de 60 m de diamètre entoure le stand afin de protéger archers comme spectateurs des inévitables retombées. Certains archers portent même des casques de protection!

La tradition du tir à l'arc belge date du Moyen-Âge, alors que les archers flamands jouissaient d'une redoutable réputation. L'arc était alors l'arme du peuple, celle du simple soldat qui se déplaçait à pied. Et pour ces archers habiles et disciplinés, les valeureux chevaliers trônant sur leur monture étaient une cible facile.

Dès le XVIe siècle, les archers flamands se regroupaient en confréries ou guildes pour défendre leurs communes en cas d'attaque armée. Vêtus de leurs costumes colorés et brandissant l'étendard de leur confrérie, ils étaient de toutes les cérémonies publiques. Au XVIe siècle, bourgeois et gentils hommes d'un côté et paysans et artisans de l'autre se mesuraient au tir à l'arc vertical. Ils prétendaient tous au titre de roi des archers, tout comme leurs descendants d'aujourd'hui qui perpétuent la tradition.

Aujourd'hui, quelque 250 guildes d'archers se regroupent autour d'une fédération flamande fondée en 1914. Ainsi, la tradition de ce sport unique se perpétue de famille en famille et de génération en génération.

Tire en l'air!

Tir à la cible

Perche: verticale; 28 m de haut.
Cibles: 41 cibles symbolisant des oiseaux; faites de plumes de couleur fixées sur des assises de bois, de liège ou de plastique; fixées sur un cadre de métal au sommet d'une perche; disposées en ordre d'importance, les plus belles tout en haut; appelées *gaaien*.
Arc: de fibre de verre dérivé de l'arc de bois traditionnel ou arc à poulies moderne.
Flèches: épointées par mesure de sécurité.
Périmètre de sécurité: 60 m de diamètre autour de la perche. Casques de protection recommandés par mesure de sécurité.
Source: Vlaamse Traditionele Sporten vzw Polderstraat 76 A bus 2 8380 Brugge.

Javelot tir sur cible

Les Wallons - Belgique

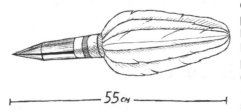

|— 55 cm —|

Dans le sud de la Belgique comme au nord de la France, on lance des javelots qui n'ont rien à voir avec les longues lances de la discipline olympique.

Ce javelot est en fait une combinaison originale de lance et de flèche. Prenez la pointe effilée de la lance, retirez la tige, ajoutez l'empennage de la flèche pour assurer un vol bien équilibré, et voilà! Toutes proportions gardées, le tout ressemble à un dard géant. On le tient dans la paume de la main et on le lance d'un mouvement de bas en haut plutôt qu'au dessus de l'épaule.

On découvre les premières traces de ce type d'arme dans la France du douzième siècle. Au cours des siècles suivants, il se transforme graduellement en jeu. Aux quinzième et seizième siècles, le jeu s'étend du côté de la Flandre, occupée alors par l'Espagne. Peut-être les Flamands ont-ils adopté le jeu du javelot afin de relancer les Espagnols, réputés habiles lanceurs de couteaux.

On retrouve ensuite, dans la France du dix-neuvième siècle, une variante-concours du jeu appelée «tir à la *papegaie*» ou «tir à l'oiseau». L'oiseau en question est en fait un morceau de bois fixé par un crochet sur une cible classique. En Belgique, le concours s'appelle «tir du roi» car le vainqueur est proclamé roi des lanceurs pour une année.

Ces traditions emmêlées du *papegaie* et du vainqueur nommé roi pour l'année datent en fait du Moyen-âge. On les retrouve partout en Europe, depuis l'Écosse et la Bretagne jusqu'au Danemark et la Pologne. Elles étaient et sont encore pratiquées par des guildes d'archers et d'arbalétriers européens auxquels on peut ajouter nos «javelotteux». Selon l'endroit, l'activité s'appelle *papegault, papingo, papengoy, papejay, popinjay, cock shooting* et de bien d'autres façons encore.

Au tout début on tirait sur de vrais oiseaux, mais avec le temps et l'évolution des mœurs, les cibles vivantes furent toutes remplacées par des représentations symboliques de l'espèce. Cette évolution vaut pour nombre d'autres jeux encore pratiqués de nos jours, tels le tir à l'arc vertical à la perche chez les Flamands (voir *Handboogschieten op de staande wip, p.112*), jogo do galo chez les Portugais (voir *jogo do galo, p.84*) et Aunt Sally (voir *Aunt Sally, p.168*) chez les Anglais.

Et tant qu'à parler de jeux où les oiseaux sont pris pour cible, voici un jeu de l'autre bout du monde où l'oiseau sert à la fois de dard et de cible! En effet, les Hawaïens lancent depuis des lustres un gros dard qu'ils appellent *moa,* du nom d'une poule locale. La cible, deux piquets plantés au sol, est censée représenter les pattes de ladite poule. Toute une histoire que ce corps de poule à la recherche de ses pattes. Vous voulez savoir pourquoi le *moa* traverse la rue? Pour se rendre jusqu'à ses pattes... Le jeu s'appelle *moa pahe'e (voir moa phahe'e, p. 196).*

On tire aujourd'hui le javelot sur cible dans des javelodromes mis à la disposition des associations de lanceurs par les municipalités. Ceci nous suggère que le jeu traditionnel est devenu un sport à part entière, quoique toujours régional. Il se pratique sur une distance de 8 mètres vers une cible placée à 80 centimètres de haut. Sur cette cible de bois mou sont imbriquées deux bagues concentriques de tailles différentes. Le but du jeu est bien sûr de tirer au centre de la plus petite bague, appelée mouche. De faire mouche, quoi! Un co-équipier se place près de la cible et donne ses recommandations au lanceur. Si le tir est trop bas, il crie: «poussе!»; s'il est trop haut, c'est: «laissе!», et s'il est décentré: «en face!».

À chaque joueur son javelot! Et gare à celui qui tente d'emprunter celui d'un concurrent. Comme une bonne baguette de billard, le javelot ne se prête ni ne s'emprunte. Chaque javelot est en effet adapté à son joueur, qui le met littéralement à sa main, allant même jusqu'à découper un creux dans le plumage pour mieux le saisir.

Le javelot tir sur cible se pratique comme un jeu convivial ou comme un sport de compétition. Plus souvent qu'autrement, l'enjeu tourne autour d'une consommation entre amis. À cet égard comme en bien d'autres, le jeu ressemble à ces autres spécialités régionales que sont la pétanque et le bocce *(voir pétanque p. 198 et bocce, p. 170)*, la pelote basque *(voir pelote basque, p. 52)*, le tejo *(voir tejo, p. 205)* et le *jukskei (voir jukskei, p.186)*. Toute la saveur de ces jeux réside dans cet heureux mélange de tradition et de convivialité.

Et comme tout bon plat régional renommé, le jeu traverse les frontières! Un petit groupe de mordus est justement en train d'installer la tradition du javelot dans les Îles de la Réunion, à dix mille kilomètres de son point d'origine. Avec le temps et le soleil qui plombe, le jeu prendra sûrement une saveur locale plus…épicée. Mais toujours, une consommation aussi amicale que bienvenue viendra clore l'événement, dans la plus pure tradition.

Pousse! En face! Laisse!

Tir sur cible avec javelot sans tige

Objectif: lancer successivement 2 javelots sur la cible.
Javelot: pointe d'acier ou autre métal à un bout; touffe de plumes à l'autre bout; mesure de 50 à 60 cm de long; pèse de 200 à 400 g en général.
Support de cible: en peuplier; surface de jeu minimale de 2500 cm carrés; en général de couleur blanche.
Plancher de lancer: distance de 8 m de la cible; plancher de 2 m minimum de longueur et de 5 cm maximum d'épaisseur; sinon une barre d'arrêt de 2 cm d'épaisseur pour marquer la ligne de lancer.
Cible: deux bagues concentriques en fer rigides et biseautées; diamètres de 6 et 21 cm, imbriqués et centrés sur le support.
Pointage: 2 points si c'est dans la mouche, la bague intérieure de 6 cm; 1 point si c'est dans la surface comprise entre la plus grande et la plus petite bague; si le javelot pique mais retombe, ça compte.
Source: Muriel Coppejean, A.D.E.P.S., 44 Blvd. Léopold II, 1080 Bruxelles, Belgique.
Site Web: http://perso.wanadoo.fr/philippe.plouviez/javelot/TRADI.htm

Jeux arctiques

Les Inuits - Conférence Circonpolaire
Les Dénés - Canada, Territoires du Nord-Ouest

Les Inuit ont développé au cours des millénaires toute une série de jeux traditionnels pour les aider à passer les hivers longs et froids.

Imaginez: leur territoire s'étend sur toute la calotte polaire. Cela inclut le nord du Canada, des États-Unis (Alaska) et de la Russie (Sibérie), ainsi que le Groenland. Ainsi depuis toujours, les Inuit font face à neuf mois de neige, dont trois mois de pénombre hivernale accompagnée de températures glaciales de −30° C en moyenne! Ça laisse beaucoup de temps au chaud à l'intérieur pour s'inventer des passe-temps.

Ces jeux que les Inuit inventaient étaient bien sûr divertissants. Mais ils servaient en outre à développer leurs habiletés et tactiques de survie ainsi que leurs prouesses et endurance physiques. Aujourd'hui, ces Jeux font toujours partie intégrale de la culture

inuit moderne. Ils sont largement pratiqués aussi bien dans les écoles que dans les rencontres sociales. Les Inuit tiennent même tous les deux ans, avec les dénés des Territoires du Nord-Ouest canadien, des Jeux de niveau olympique: les Jeux arctiques.

Curieusement, les noms Inuit et Déné veulent tous deux dire, dans leurs dialectes propres, hommes ou peuple. Les dénés sont les voisins immédiats des Inuit, au Sud. Le territoire des dénés du Nord s'étend au Canada depuis la rivière Churchill et la branche nordique de la rivière Saskatchewan jusqu'aux confins des territoires Inuit. La grande famille déné comprend aussi deux groupes plus au Sud, soit d'une part les Apaches et les Navahos et d'autre part les Déné du Pacifique, répartis dans les États d'Orégon et de Washington ainsi qu'au nord de la Californie.

Voici quelques jeux inuit et déné très cool.

High Kicks - Sauts-Bottés
À un pied, à deux pieds

Le saut-botté, voilà comment je me permets d'appeler en français ce défi spectaculaire qu'est le high kick.

Il consiste à sauter dans les airs afin de botter, d'un ou des deux pieds, une cible suspendue le plus haut possible. Du défi d'habileté qu'il était à l'origine, le *high kick* est devenu un sport fédéré avec règles fixes, compétitions internationales et records mondiaux.

Dans le botté en hauteur à un pied, le participant saute des deux pieds, botte d'un seul pied un objet suspendu, puis atterrit sur le même pied tout en gardant l'autre pied en l'air. Dans le botté en hauteur à deux pieds, les deux pieds restent collés tout au long du saut, du botté et de l'atterrissage.

Brian Randazzo d'Anchorage en Alaska détient le record mondial avec un saut-botté de 289,5 cm, record homologué lors des Jeux Arctiques de 1988. Le roi du *high kick* a aussi profité de ces mêmes jeux de 1988 pour s'essayer au *high kick* à deux pieds, avec pour résultat un saut record de 264 cm.

L'ordre de jeu est déterminé par tirage et maintenu durant toute la partie. La cible est remontée de quelques centimètres à chaque ronde. Personne n'est forcé de s'essayer à chaque ronde, mais les joueurs qui le font et ne peuvent rejoindre la cible sont éliminés.

Tractions à deux et à quatre
Doigts, Mains, Bouche, Bâton, Bras

Les inuits et les dénés ont développé toute une série de jeux de souque un contre un. Il y en a pratiquement pour chaque partie du corps, littéralement de la tête aux pieds! Ils apprécient aussi la souque à la corde et en pratiquent une version très originale.

Ces jeux sont tous basés sur la confrontation amicale avec un gros accent sur «amicale». Le plaisir est de rigueur. Les tires inuit et déné font toutes appel à la force, à l'adresse, à l'endurance, à la volonté et à la résistance à la douleur mais aussi aux feintes, aux esquives et au bluff.

Tire des doigts
Dans ce jeu traditionnel déné, deux adversaires se font face, accrochés l'un à l'autre par le majeur. Le premier qui réussit à redresser le doigt de l'autre ou encore à lui faire abandonner la tire, l'emporte. Les hawaiens jouent un jeu similaire qu'ils appellent Lou-lou!

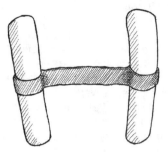

On utilise un gadget spécial pour ce jeu inuit de la tire aux mains. Il s'agit de deux manchons reliés par une courroie (voir illustration). Chaque joueur assume aussi un rôle soit offensif, soit défensif. Les adversaires saisissent chacun un manchon d'une main. S'ils sont debout, le joueur défensif se met en position en serrant contre son corps le coude de la main qui tient le manchon. S'ils sont assis au sol, celui-ci serre son coude contre son genou. L'adversaire est alors invité à tirer.

Bien entendu, tout n'est pas que question de force, loin de là. Les joueurs bluffent autant qu'ils se mesurent. Le joueur défensif peut opposer une résistance à tout casser pour aussitôt laisser aller. Son adversaire risque du coup de perdre l'avantage, l'équilibre et la face.

Tire de la bouche
Dans une version romantique du jeu précédent, un couple sautille sur un pied tout en se faisant face. Chaque joueur prend ensuite dans sa bouche le manchon d'un gadget de tire similaire mais plus petit que celui illustré. On ferme ensuite la bouche et on tire!

Tire au bâton

Comme son nom le suggère, ce jeu déné consiste à tirer sur un bâton afin de faire lâcher prise à son adversaire. Les deux adversaires s'assoient au sol face à face, jambes droites, les pieds de l'un touchant les pieds de l'autre. Les joueurs commencent par tirer uniquement de la main droite, puis de la main gauche. Le bâton ne peut en aucun cas être tourné ou tortillé. Il doit conserver sa position horizontale en tout temps. Pour ajouter un peu de piquant au défi, pourquoi ne pas graisser le bâton?

Tire aux bras

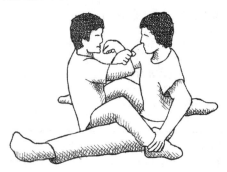

Il s'agit ici de tirer l'adversaire hors position. Les inuits pratiquent deux variantes à ce défi; les deux mettent les adversaires assis au sol, face à face. Dans la première, les adversaires placent chacun un pied contre le genou replié de l'autre et se saisissent les avant-bras soit droits, soit gauches. Puis, au signal, ils tirent à l'unisson.

Dans la deuxième version, les adversaires se prennent coude à coude pour avoir plus de force (voir illustration). Encore une fois, soit les coudes droits ou les gauches. Ils entrelacent aussi leurs jambes et saisissent la jambe de l'autre de leur main libre, pour servir de levier.

Les inuits et les dénés aiment aussi se tirer les oreilles, la tête, pratiquement toutes les parties du corps. C'est pas toujours très délicat, mais c'est de bon cœur.

Tire en quatre directions

Voici une variante inuit de la souque à la corde qui met en opposition quatre joueurs plutôt que deux groupes. Nos Inuit attachent ensemble, par le centre, deux cordes de même dimension, pour former une croix. Chacun des quatre joueurs saisit alors un bout de corde. Au signal on tire. Imaginez les jeux de feintes à quatre: c'est hilarant!

Les Russes jouent une variante de ce jeu où ils ajoutent quatre objets disposés à deux mètres de distance de chacun des joueurs. Le premier à saisir l'objet l'emporte. Les Portugais jouent aussi une variante similaire, la *tracção da corda em anel (voir tracção da corda em anel, p.)*, soit la souque à la corde en anneau. Au lieu d'attacher deux cordes en croix, les quatre joueurs saisissent d'une main une seule corde attachée pour former un anneau.

Tirez, sautez, bottez!

Jeux Arctiques

Contacts: Société Makivik, www.makivik.org
Inuit Tapiriit Kanatami, www.tapirisat.ca/
Sites Web: www.awg.ca/
www.anchorage.net/1950.cfm

Jeux de force basques

Les Basques - France, Espagne

«Onenari ere bukatzerako berotzen zaio arnasa». **Même le meilleur doit se surpasser à la fin. Proverbe basque.**

Comprendre et apprécier les jeux de force basques, c'est comprendre et apprécier la vie rurale de ce peuple unique. Ces jeux font revivre le quotidien traditionnel du fermier basque, le *baseritarra,* dans un vibrant hommage au travail sur la ferme, le *caserío.*

Alors qu'auparavant les voisins à la campagne se lançaient des défis, aujourd'hui les jeux sont devenus en grosse partie des événements de démonstration. De la campagne on est passé au village, et du village à la ville. Les spectacles de force basque sont maintenant organisés partout en Europe. Ils réunissent un grand nombre de spectateurs, curieux et fascinés par les prouesses que réalisent les sportifs basques.

Les jeux de force basque comportent des similarités intéressantes avec les Jeux Voyageurs du peuple Métis du Canada *(voir Jeux des Voyageurs, p. 121).* En effet, les uns comme les autres comportent des épreuves de transports de bidons et de sacs de marchandises. Et à un niveau plus élémentaire, les jeux traditionnels des Basques comme ceux des Métis sont une célébration de la force culturelle des peuples et de leur survivance contre l'adversité.

Voici un aperçu de quelques disciplines de force basques.

Épreuve de bidons et de poids (voir illustration)

Voici des épreuves individuelles similaires qui consistent à transporter des poids ou encore des bidons sur de longues distances. Dans l'épreuve des poids, appelée *transport de txingas,* l'épreuve peut par exemple consister à transporter dans chaque main un poids métallique de 50 kg sur une distance de 28 mètres, distance appelée *plaza ou clavo.* Dans le cas du transport de bidons, le concurrent doit par exemple transporter un bidon de lait pesant 41 kg dans chaque main sur la plus grande distance possible, sans limite de temps. Quelle est la distance record, d'après vous? 100 mètres, plus? Un petit pari, allez, c'est coutumier chez les Basques!

Eh bien, selon le club de force basque Napurrak, un certain J.E. Saint Esteben nous a fait le coup sur une distance de 1073 mètres. Ça fait toute une livraison à domicile! Allez, avancez la monnaie! Je me demande tout de même combien de temps il a pris pour réaliser son exploit… Ça, l'histoire ne nous le dit pas.

Tir à la corde

La souque à corde basque ou *soka-tira* se déroule de la manière suivante: deux équipes de huit tireurs s'affrontent, chacune agrippant le bout d'un câble. Au signal de l'arbitre, chaque équipe se met à tirer. La première équipe qui parvient à tirer l'autre sur une distance de quatre mètres l'emporte. Quatre mètres, ce n'est pas évident!

Course de ballots

Zazu lasterka est une course de style sprint qui se pratique tant individuellement qu'au relais à trois. Les concurrents doivent courir avec des sacs de maïs de 81 kg sur les épaules. Il paraît que c'est inspiré des contrebandiers qui doivent transporter leurs marchandises au pas de course. Les Jeux Voyageurs des Métis du Canada *(voir Jeux Voyageurs, p. 121)* comprennent aussi des épreuves de transports de ballots pesant 82 kg et…245 kilos! Mais pas à la course, mollo-mollo!

J'aimerais bien voir des compétitions de ce genre inter peuples…on pourrait alors faire concourir les Basques, les Métis et…les indigènes d'Amazonie qui, avec la *corrida com tora (voir corrida com tora, p. 76)*, se tapent quotidiennement des courses à relais de transport de rondins pouvant peser plus de 100 kg!

Lever de pierres

Voici un jeu traditionnel fort connu maintenant de par le monde, rendu célèbre grâce aux exploits du célèbre leveur de pierre de Navarre, Iñaki Perurena. Il est le seul compétiteur capable à ce jour de lever une pierre de 300 kg. Selon celui-ci, « *Harriak jasotzea kultura da* », c'est à dire « lever des pierres, c'est culturel ». Tout le monde, et ce n'est pas étonnant, s'empresse d'acquiescer aux paroles du champion.

Habituellement, deux compétiteurs se mesurent lors d'un événement, tentant à tour de rôle de réussir un nombre toujours plus grand de levers. Pour qu'un lever soit accepté, il faut que l'athlète puisse le balancer sur une épaule. Les pierres peuvent prendre la forme d'un rectangle, d'un carré, d'un cylindre ou encore d'une sphère.

Épreuves de bûcherons

Aizkolariak et *arpanariak* sont deux épreuves de bûchage et de sciage. Les bûcherons doivent couper un certain nombre de troncs d'arbre d'un diamètre de 35 et 60 cm dans un temps record. On bûche tant au sol qu'à 6 mètres de haut. Puis, dans l'épreuve de sciage, les concurrents doivent scier le plus rapidement possible 10 troncs de 60 et 75 cm de diamètre, et pas avec une scie à chaîne!

Harriak jasotzea kultura da!

Jeux de force du peuple basque

Joueurs: nombre varie selon l'épreuve; certains sont individuels, d'autres en simples, d'autres en groupe.
Contact: Aquitaine Sports pour Tous, Complexe de la Piscine - Route de Léognan - F -33140 Villenave D`Ornon, France.
Site Web: www.forcebasque.org

Jeux des voyageurs

Les Métis - Canada

Ces Jeux rappellent les exploits des Voyageurs de l'époque de la traite des fourrures, qui parcouraient les bois en transportant des biens dans l'Ouest canadien.

Les Jeux Voyageurs consistent en une série d'épreuves de force et d'endurance pour hommes et femmes de la nation métis du Canada. Cette nation provient de l'union, dans les années 1800, entre les Voyageurs d'ascendance européenne et les femmes autochtones. Ces Voyageurs en canot ramenaient vers l'est les fourrures de l'ouest. Ils déployaient des efforts surhumains lors des portages d'un cours d'eau à l'autre. Ils devaient alors transporter sur leur dos, en plus de leur canot, des centaines de kilos de fourrures et d'autres marchandises.

À l'époque, lorsque les Voyageurs se rencontraient, ils se mesuraient entre eux lors de compétitions amicales de force, de rapidité et de tirs sur cibles. Cette compétition sportive traditionnelle tomba dans l'oubli dans plusieurs communautés métis jusqu'à sa réintroduction récente par le Club culturel métis du Manitoba. Les catégories réintroduites sont le transport de ballots, de bidons de crème et du billot, ainsi que le lancer de la hachette et le tir du lance-pierres. Voyons un peu plus avant chacune de ces catégories.

Transport de ballots

Comme l'indique l'image, le transport de ballots consiste à transporter sur son dos une série de sacs de provisions. Ce défi de force et d'endurance ressemble énormément au *Zazu lasterka,* la Course de ballots des Basques. *(voir Jeux de force Basque, p. 119).* Ceux-ci doivent porter des charges de 81kg, alors que les Métis doivent transporter une charge de 82 kg, ou encore de… 245 kg! En ce qui concerne cette charge énorme, il s'agit d'un concours de distance, alors que pour celle de 82 kg, il y a des catégories distance et vitesse, tant pour les hommes que pour les femmes. Pour nos amis basques, il s'agit uniquement d'un sprint. Car là les traditions diffèrent: autant les Voyageurs devaient porter leurs colis le plus rapidement possible sur de très longues distances, autant les Basques devaient charger et décharger leurs marchandises le plus rapidement possible, car on dit qu'il s'agissait souvent de marchandises de contrebande…

Transport de bidons

On parle ici de bidons de crème de 34 kg, une à chaque main. Hommes et femmes participent également et les compétiteurs s'exercent tant dans des catégories distance que vitesse. La catégorie vitesse se joue sur 100 verges. Les Basques ont un défi similaire, le transport des bidons de lait de 41 kg.

Transport du billot

On parle ici en fait d'un transport de tronc d'arbre d'au moins 136 kg. Les femmes comme les hommes doivent le lever puis le balancer sur une épaule afin de le transporter le plus loin possible.

Tire du lance-pierres et de la hachette

On fait ici *politically correct* en remplaçant le traditionnel tir à la carabine par le tir du lance-pierres. On vise des cannettes avec des billes: trois essais, cinq billes par essai. Quant au lancer de la hachette, ça c'est bien traditionnel: tir sur cible de bois composée d'anneaux concentriques: trois essais de trois lancers.

Les Voyageurs vivaient, il va sans dire, une vie plutôt hardie. Imaginez-les un peu portant leur canot avec en plus deux ou trois sacs de 41 kg sur leur dos, gravissant collines abruptes et traversant marais nauséabonds avec moustiques et mouches noires pour compagnons!

Louis Riel, premier chef et père de la nation métis, serait fier aujourd'hui de voir son peuple en train de jouer comme avant, partageant ses jeux avec les autres nations du monde. Comme il le disait à l'époque, et je cite librement: «Chérissons notre héritage. Préservons notre nationalité pour les jeunes de demain».

La nation di michif!

Jeux de force du peuple métis

Joueurs: hommes, femmes et enfants, chacun dans leurs catégories.

Catégories: transport des ballots de 245 kilos et de 82 kilos; transport des bidons de crème de 34 kilos; transport du billot de plus de 136 kilos; lancer de la hachette; tir du lance-pierres.

Transport de ballots de 245 kilos: le plus loin possible.

Transport de ballots de 82 kilos: catégorie distance homme, 200, 400, ou 600 verges et femme, 100, 200 ou 300 verges; catégorie vitesse homme et femmes, sur 100 verges.

Transport des bidons de crème: 2 bidons de 34 kilos, hommes et femmes; catégorie distance, le plus loin possible; catégorie vitesse, sur 100 verges.

Transport du billot: hommes et femmes, billot de 136 kilos et plus, levé puis balancé sur une épaule et transporté le plus loin possible.

Lance-pierres: tir sur cannettes. 3 essais, 5 billes par essai.

Lancer de la hachette: lancer sur cible de bois avec anneaux concentriques; trois essais de trois lancers.

Source: Conseil national des Métis, 350 Sparks St., Suite 201 Ottawa, Ontario, Canada K1R 7S8.

Site Web: www.metisnation.org/culture/games/home.html

Kula'i Wāwae
Poussée des pieds

Les Hawaiiens

Pour garder la forme en temps de paix, les guerriers hawaiiens des temps anciens pratiquaient des jeux de lutte tels que *kula'i wāwae*.

Aujourd'hui, jouer à *kula'i wāwae* peut être une façon amusante de garder la forme tout en prenant part activement à la renaissance de la culture hawaiienne!

Dans ce jeu de force et d'endurance, 2 joueurs assis se font face, mains à plat au sol derrière le dos. Genoux fléchis, ils se touchent par les pieds, orteil à orteil.

L'arbitre lance le jeu en criant *«Ho 'omākaukau»* suivi de *«'Oia»,* l'équivalent de: «Préparez-vous» et «Partez». Chacun tente alors de déplacer l'autre en poussant sur ses pieds d'un mouvement continu ponctué de soubresauts déstabilisants. L'objectif est de pousser son adversaire sur son dos, pieds en l'air, ou encore de le faire tourner d'un quart de tour. Mais pour gagner, il suffit de déplacer son adversaire de sa position de départ, même juste un peu. Allez, pousse!

Si vous aimez ce type de jeu de souque et lutte, vous raffolerez des jeux des peuples inuit et déné *(voir Jeux arctiques, p. 116).*

Ho 'omākaukau!

> **Jeu de force et d'adresse**
>
> **Objectif:** pousser adversaire sur son dos, pieds en l'air; ou le faire tourner d'un quart de tour; au minimum, le déplacer de sa position départ, même juste un peu.
> **Position:** 2 joueurs assis se faisant face, mains à plat au sol derrière le dos; genoux fléchis, se touchent par les pieds, orteil à orteil.
> **Départ:** l'arbitre crie *«Ho 'omakaukau»* suivi de *«'Oia»,* soit: prêts, partez!
> **Source:** Resource Units in Hawaiian Culture, Donald D. Kilolani Mitchell, Kamehameha Scholls Press, Honolulu 2001.

La Cebolleta
Souque hondurienne

Les Honduriens

La cebolleta veut dire «la ciboulette» en espagnol. C'est aussi le nom donné à une espèce d'orchidée native de l'Amérique centrale. Et c'est aussi le nom de ce jeu...mais pourquoi?

Que vient donc faire un nom pareil attaché à une épreuve de force, cette variante de la souque à la corde? Laissez-moi vous suggérer trois réponses en rapport avec cette question brûlante d'actualité. L'une d'entre elles est la bonne réponse...saurez-vous l'identifier?

Premièrement, j'avance la possibilité que le mot ciboulette soit utilisé ici comme une insulte du genre: «mauviette!», qui se dit d'une personne très chétive. Dans ce contexte, il faut imaginer des copains faisant appel à l'insulte amicale pour encourager leurs copains musclés en train de tirer de toutes leurs forces. Dans le genre: Allez tire, espèce de *cebolleta!*

Deuxième théorie: le mot rappellerait en fait la nature épiphyte de certaines orchidées, c'est-à-dire le fait qu'elles se fixent sur les arbres plutôt que sur le sol. Voilà qui est fort plausible, étant donné que dans le jeu, le challenger est effectivement agrippé à un arbre. On pourrait alors dire que tous les tireurs qui tentent de l'en déloger font comme s'ils cueillaient une orchidée d'Amérique centrale bien agrippée! J'entends d'ici les cris des spectateurs: Allez, cueillez-moi cette *cebolleta!*

Troisième théorie: le jeu s'appelle *cebolleta* en raison de la *cebolla,* l'oignon. Il parait que les cueilleurs d'oignons doivent parfois appeler d'autres à l'aide, certains oignons refusant obstinément de lâcher prise au sol quand on les récolte. Ceux qui viennent alors prêter main forte à notre cueilleur s'agrippent alors à la taille de celui-ci et: Allez, tirez cette *cebolleta!*

Trêve de théories: examinons le jeu comme tel. Ce jeu de souque, c'est tout le monde et sa sœur contre un challenger. Un joueur s'agrippe en effet des deux mains à un arbre. Un premier tireur s'installe derrière lui. Il le prend par la taille et tire. Un à un d'autres tireurs se joignent au premier, s'installant derrière, souquant à qui mieux-mieux jusqu'à ce que notre *cebolleta* lâche son emprise. On compte ensuite le nombre de tireurs requis pour accomplir la tâche. Ça permet d'établir un record de force et de nommer un champion.

On retrouve ce genre de souque sans corde ailleurs dans le monde, mais en équipe et sans arbre. En effet, sur des plaquettes provenant d'un tombeau de la Sixième dynastie, on peut voir des anciens Égyptiens pratiquer un jeu très proche de la *cebolleta*. Voilà qui nous ramène à plus de 4000 ans en arrière!

Dans cette version de souque des temps passés, les joueurs des deux équipes se regroupent en file un derrière l'autre. Les membres de chaque équipe se tiennent dos-à-dos par la taille. Les deux premiers joueurs de chaque équipe se font face, se saisissent les avant-bras et tout le monde souque. On dit que le jeu est encore pratiqué de nos jours dans la campagne égyptienne...

Au Danemark, les Danois nomment leur jeu *grænsekamp,* des mots *grænse* et *kamp* qui signifient «frontière» et «combat». C'est le jeu du combat sur la frontière. Une ligne centrale sépare les joueurs et fait office de frontière. De part et d'autre les joueurs agrippent leur partenaire d'en face et alors, comme je fais dire à mes amis honduriens: Allez souque, espèce de *cebolleta!*

Ah oui, pour en finir une fois pour toutes sur le nom donné au jeu. Je sais de source sûre, i.e. hondurienne, que le jeu s'appelle *cebolleta* en raison de la *cebolla,* l'oignon. Mon copain animateur Nelson Medina, qui préside aux destinées du Comité des jeux traditionnels de San Marcos, m'explique ce qui parait être une évidence dans son village : celui qui s'agrippe si fort à l'arbre joue simplement le rôle de l'oignon qui refuse de se laisser cueillir: Allez, cueillez-moi cette *cebolleta!*

Andale la cebolleta!

Jeu de souque

Joueurs: 5 et plus.
Équipement: un arbre ou encore un poteau bien ancré au sol.
Technique: chacun s'agrippe à la taille du joueur devant lui et tire; le concurrent s'agrippe à l'arbre et résiste.
Source: Comite de juegos tradicionales de San Marcos SB, Bo. Sta. Rosa, San Marcos, Sta. Bárbara, Honduras.
Nelson Medina Puerto: nelsonmedinapuerto@yahoo.com

Lanzamiento de la Barra
Lancer de la Barre

Les Basques et les Espagnols

Le lancer de la barre est, depuis des siècles, un sport fort populaire et fort répandu en Espagne.

C'est au XVe siècle qu'apparaissent les premiers écrits traitant du sujet. Dans plusieurs régions de la péninsule ibérique, travailleurs et fermiers lançaient de lourdes barres de métal dans des contextes de compétition amicale. Ils s'étaient approprié pour leur propre plaisir les barres de métal qui leur servaient d'instruments de travail. Geste typique de tous les peuples que de s'approprier ce qui se trouve sous la main pour en faire des jeux!

Dans le pays basque, les travailleurs des carrières de pierre lançaient pour le plaisir la *palanka,* la barre de métal avec laquelle ils manipulaient la roche. Pendant ce temps, en Aragon et en Castille, les travailleurs des moulins lançaient la barre de métal avec laquelle ils soulevaient les lourdes meules de pierre. Et dans maintes régions d'Espagne, les fermiers lançaient leur soc de charrue. Le lancer des barres était un divertissement couru lors des rencontres sociales et des fêtes de village. Les jeunes et les moins jeunes démontraient alors leur force et leur vigueur devant toute la communauté.

La Barra Vasca

Le lancer de la *palanka* était autrefois un sport extrêmement populaire dans le pays basque. Les hommes forts lançaient la barre basque mais aussi la *makila,* la *piértaga* et la *gezia.* La *makila,* c'est un bâton basque qui cache une épée; la *piértaga,* c'est un bâton fait à partir du noisetier et la *gesia* est une espèce de dard militaire. Le lanceur de *palanka* est appelé *palankiri...* L'objectif du *palankiri* consistait et consiste toujours simplement à lancer sa barre le plus loin possible. Il peut accomplir ceci de différentes façons, mais lors de tournois, les trois techniques suivantes sont obligatoires: *bularrez, biraka* et *ankape.* Quelque soit la technique de lancer, choisie, la barre doit toujours retomber au sol sur sa tête ou encore sur une pointe préalablement marquée.

La technique *bularrez* s'appelle aussi «a pecho». Ce lancer de la poitrine demande au lanceur de saisir la barre d'une main au milieu. Restant sur place, il lance ensuite sa barre dans un mouvement de bras en arc de cercle (voir illustration du lanceur).

La technique *biraka* est aussi connue sous les noms de *jira erdian* et *media vuelta,* qui veut dire demi-tour. Selon cette technique, le *palankiri* se place à une dizaine de mètres de la ligne de lancers. Il s'élance vers cette ligne, virevoltant 6 à 8 reprises en cours de

BARRA VASCA

BARRA CASTELLANA

BARRA ARAGONESA

route pour gagner du momentum avant de lancer la barre «*a pecho*» (voir illustration du lanceur).

La technique *ankape* est certainement la plus exotique des trois. On l'appelle aussi *iztarpe* et *bajo piernas,* sous les jambes. Se tenant à 1 m de la ligne de lancers, le *palankiri* se penche vers l'avant tout en maintenant ses jambes raides et passe la barre sous ses jambes de manière à la retenir derrière lui avec une main entre ses jambes. Puis, alors qu'il ramène la barre vers l'avant et le haut, il saute et la laisse aller. Il aura huilé ou savonné sa barre au préalable afin de minimiser la friction avec sa main lors du relâchement.

La Barra Castellana

La barre de Castille consiste en un cylindre de fer ou d'acier qui se termine à un bout par une pointe en forme de pyramide à six côtés (voir illustration des différentes barres). Elle est plus lourde que la barre basque, quoique deux fois plus courte. L'idée ici est de lancer la barre le plus loin possible comme pour la *barra vasca*. Mais dans ce cas-ci, la barre doit tomber horizontalement au sol sur sa pointe et rester plantée au sol, comme un javelot. Le lancer se fait «*a pecho*» (voir plus haut, technique *bularrez, barra vasca)* ou encore au gré du lanceur.

Des études scientifiques démontrent que le lancer de la barre de Castille se compare favorablement aux événements olympiques des lancers du poids, du disque, du marteau et du javelot.

La Barra Aragonesa

Le lancer de la barre d'Aragon est semblable au lancer de la barre de castille. Ce sont toutes deux des barres de meuniers qui sont lancées «*a pecho*» (voir plus haut, technique *bularrez, barra vasca)*. Mais la barre d'Aragon est un peu plus longue et plus lourde encore que la barre de Castille, et sa pointe prend une forme différente (voir illustration des différentes barres). Les gens de la région lançaient aussi le *barrón,* une grosse barre de métal servant à labourer les champs.

De nos jours, ce sport resurgit grâce aux efforts de la *Federación de Deportes Tradicionales Aragoneses.* Le lanceur se place maintenant les pieds parallèles, touchant une planche servant de ligne de lancers. Depuis cette position il lance sa barre, son bras formant un arc de cercle. Ici encore, la barre doit aboutir plantée dans le sol.

Il sera intéressant, au cours des prochaines années, de suivre le cheminement de ces différents sports de lancers typiques d'Espagne. En effet, les barres qui servaient quotidiennement au labeur et faisaient donc partie intrinsèque du quotidien des travailleurs espagnols sont devenues simplement des barres de lancer. Les Espagnols des générations montantes reprendront-ils ces barres en main ou les laisseront-ils plutôt de côté au profit d'instruments plus près de leur quotidien?

Allez, lance cette barre!

Jeux de lancer de la barre

Objectif: lancer la barre le plus loin possible.
Joueurs: individus en compétition.
Types de barre: basque, de Castille et d'Aragon.
Mesures des barres: grandeurs et poids variés, mais lors de compétitions athlétiques, 1,5 m de long et poids de 3,5 kg; Castellana, 0,75 m de long et poids de 5 kg; aragonesa, 0,81 m de long et poids de 7,257 kg.
Techniques de lancer: «a pecho» ou bularrez; media vuelta ou biraka; bajo piernas ou ankape; les lanceurs basques se servent des 3 techniques; ceux de Castille et d'Aragon utilisent «a pecho»; tous les lanceurs sont libres de lancers à leur gré.
Lancer valide: pour barra vasca, la barre doit tomber sur sa tête ou encore sur sa pointe préalablement marquée; pour barra castellana et aragonesa, la barre doit se planter horizontalement au sol.
Source: Asociación cultural y científica de Estudios de Turismo, Tiempo libre y Deporte (AccETTD), Bioy Casares 37, E-10005 Cáceres, España.
Site Web: www.juegostradicionalesaragoreses.com/

Qajaq
Kayak du Groenland

Les Inuits - Groenland

Le *qajaq* ou kayak du Groenland nous provient du peuple Thule. Ces inuits chasseurs de baleines de l'Alaska émigrèrent en effet vers l'est il y a environ mille ans. Suivant les baleines à travers les eaux de l'Arctique canadien qui venaient de s'ouvrir, de se libérer des glaces, ils atteignirent les côtes du Groenland au bout de quelques générations. Pour eux, la chasse et le kayak allaient de pair. Les harponneurs en *qajaqs* pouvaient en effet se glisser silencieusement le long des eaux côtières et ainsi approcher furtivement de leurs proies.

Isolée du reste du monde jusqu'au début du XIX\e siècle, la petite communauté inuit du Groenland se croyait seule au monde. Il ne fallut guère plus d'un siècle de contact avec la civilisation pour que leur art du kayak ne périclite. Les bateaux à moteurs conjugués au réchauffement des eaux rendirent rapidement leur usage moins essentiel. Dans le temps de le dire, le *qajaq* passa de nécessité et art de vivre à relique du passé, comme le traîneau à chiens et l'igloo.

Mais la vie s'emploie à nous jouer de ces tours! Au même moment où le *qajaq* vivait ses derniers jours utiles, le monde

découvrait le kayak en tant que sport. En 1874 par exemple, un téméraire précurseur du kayak moderne du nom de N. Boshop se rendit depuis le Québec jusqu'au Golfe du Mexique à bord d'un kayak fait de papier trempé. Après la première Guerre mondiale, le kayak devint vraiment populaire en tant que loisir, alors que le kayak compétitif fut reconnu comme sport olympique en 1938.

Et pour boucler le cycle: il y a une vingtaine d'années, un groupe de jeunes groenlandais redécouvrait le *qajaq* traditionnel au cours d'une visite muséologique. Revendiquant alors leur héritage culturel unique, ils fondèrent le club *«Qajaq»*. On vit bientôt les Groenlandais arborer fièrement des t-shits avec les mots *«Qajaq – Atoqqilerparput»*, Kayak - nous recommençons à nous en servir. Et d'une manière plus concrète, le club dénicha des anciens kayakistes prêts à leur enseigner tout sur le *qajaq* traditionnel.

Aujourd'hui le style groenlandais est relancé par Qaannat Kattuffiat, l'Association de kayaking du Groenland. Elle met sur pied des camps d'entraînement où les techniques traditionnelles sont mises de l'avant, depuis la pagaie et l'esquimautage jusqu'à la construction de kayak et la fabrication de tuiliq (vêtements de kayak). Elle organise aussi un championnat annuel. Qaannat Kattuffiat regroupe autour de 25 clubs de kayaks affiliés du Groenland, ainsi qu'un chapitre du Danemark et un des États-Unis.

Un kayak du Groenland est fabriqué sur mesure, comme un habit ou une robe exclusive.

Les *qajaqs* sont aussi parmi les kayaks les plus sophistiqués et performants de l'Arctique. On les reconnaît bien à leurs extrémités effilées, ponts bas et coques très carrées. Ces coques carrées offrent une plus grande stabilité que les coques rondes qui possèdent moins de surface sur l'eau. Quoique la stabilité ne soit pas une qualité normalement attribuée à un kayak: c'est plutôt une habileté durement acquise à force d'expérience!

Qajaq – Atoqqilerparput!

Sport aquatique

Qajaq: embarcation monoplace pontée typique du Groenland.
Format: varie en fonction du corps du propriétaire; 2 exemples traditionnels, autour de 5,18m de long par 50 cm de large, profondeur à la tonture, 20 cm; et 5,69m de long par 48 cm de large, profondeur à la tonture, 15 cm.
Matériaux traditionnels de couverture: peau rasée, spécialement taillée; rebords mâchés pour éliminer toute l'eau (pour points imperméables); cousus avec tendons tressés de jambes de caribou, joint double sur chaque maille, bordures de peau légèrement surjetées, cousues de l'intérieur et de l'extérieur; le devant du revêtement du *qajaq* est parfois fait de peau tendue de caribou, pour protéger contre les coups avec la glace.
Matériaux modernes de couverture: canevas de coton avec peinture de maison à base d'huile; nylon avec néoprène ou polyuréthane; polyester.
Pagaies: forme et format sur mesure selon la taille du pagayeur; la longueur égale à la plus grande longueur atteinte avec une main, doigts repliés sur le bout du manche; la largeur de la pelle égale à la distance entre le pouce et le majeur formant un grand C; la longueur égale à la distance entre les mains qui pendent le long du corps; l'épaisseur du manche égale au diamètre du cercle formé par le pouce qui touche à l'index.
Sources: Inuit Circumpolar Conference Greenland, Dr. Ingridsvej 1, P.O. Box 204, DK-3900 Nuuk, Kalaallit Nuaat, Greenland.
Qaannat Kattuffiat, Greenland Kayaking Association
Site Web: www.qajaqusa.org

Tracção da corda em anel
Souque à la corde en anneau
Les Portugais

Voici une variante rafraîchissante du jeu de force universel qu'est la souque à la corde: ici chacun se mesure individuellement contre les autres joueurs.

Pour ce faire, les Portugais nouent ensemble les deux bouts d'un câble de souque afin de le transformer en anneau circulaire. Quatre, six ou huit compétiteurs se placent ensuite équidistants à l'extérieur de l'anneau. Le câble est saisi, retenu et tendu d'une seule main. Selon le nombre de joueurs, ceci transforme automatiquement l'anneau en un carré, un hexagone ou un octogone. Au signal de l'animateur ou de l'arbitre, chacun tire la corde en direction d'un second anneau tracé à environ deux mètres du premier.

Au-delà de la force brute, les joueurs font appel à des mouvements stratégiques. Ils tendent puis relâchent la corde dans le but de déséquilibrer leurs adversaires. Comme tous jouent à ce petit jeu, le défi devient à la fois drôle et excitant, tant pour les spectateurs que pour les participants. Le vainqueur est évidemment le premier joueur à rejoindre le cercle extérieur sans avoir lâché son bout de corde, bien entendu.

Curieusement, les jeux des peuples déné et inuit *(voir Jeux Arctiques, p. 116)* comprennent tout un arsenal de jeux de force et d'adresse, dont un jeu de souque presque identique. Les inuits l'appellent la souque en quatre directions, mais ils pourraient tout autant le nommer souque à la corde en croix. Au lieu d'attacher une seule corde en anneau, nos inuits attachent ensemble par le centre deux cordes de même dimension, ce qui forme une croix. Chacun des quatre joueurs saisit alors un bout de corde et tire. Les russes quant à eux pratiquent une forme de souque en croix, à la différence que chaque tireur tente d'atteindre un objet.

Bien sûr, si tous ne tirent pas également, la forme géométrique en prend pour son rhume. Et ceci vaut aussi bien pour nos tireurs de corde inuits que portugais. Et que croyez-vous qu'il advienne aux autres tireurs si l'un d'entre eux laisse soudainement aller son emprise sur la corde?

Quand j'anime les foules, j'aime bien avoir un plateau dédié à la souque à la corde. J'appelle ce plateau 'Souques du monde entier', car s'il est un type de défi ludique que l'on retrouve sous une forme ou sous une autre dans toutes les cultures, c'est bien celui là. Imaginez la foule qui se régale de voir tout un chacun s'essayer à toute une série de variantes de tire, dont la souque à la corde standard, la souque coopérative, la *soka-tira* basque *(Voir Jeux de force basques, P. 119)*, la *Cebolleta* hondurienne *(Voir La Cebolleta, P. 124)*, la souque égyptienne, la souque danoise *'grænsekamp',* la souque portugaise en cercle, la souque inuit '4 directions' et la souque russe.

Quant on arrive à la version portugaise, je place quatre joueurs pour tirer en cercle tel que convenu, mais j'installe à courte distance de chaque tireur une équipe de supporteurs-tireurs. Ceux-ci se tiennent par la main sur une ligne imaginaire en prolongation de la direction de souque de leur tireur. Lorsqu'un souqueur parvient à son co-équipier le plus proche, il peut alors s'agripper à lui et du coup profiter de la force de tire décuplée de toute son équipe. Vous imaginez le résultat? Spectaculaire, je vous dis!

Allez, allez, tirez, tirez sur la corde!

Puxe, puxe essa corda!

Jeu de force de souque à la corde en anneau

Joueurs: 4, 6 ou 8.
Corde à souquer: deux bouts noués pour former un anneau. Craie pour tracer ligne au sol
Anneau tracé au sol: 1,5 m à 2 m du de l'anneau de corde.
Position des joueurs: à l'extérieur de l'anneau; une main retenant la corde; équidistants l'un de l'autre.
Source: Associação de Jogos tradicionais da Guarda, Lago de Torreão, 4, 6300-609 Guarda Portugal.

Jeu de Force / Adresse

Varzesh-e-bastani/Zour khaneh
Sport ancien/Maison de force

Les Iraniens

De la Perse antique nous viennent les traditions martiales de *varzesh-e-bastani* et *zour khaneh*.

Dans la langue perse, *varzesh* signifie sport et *bastani,* ancien. Le sport ancien consiste en une série d'exercices rituels et de performances physiques où s'entremêlent jonglerie, acrobatie, danse, lutte, massage, récitation poétique et incantation spirituelle.

Ces exercices se déroulaient et se déroulent toujours dans les *zour khaneh,* les maisons de force, de chevalerie et de générosité. La jeunesse perse allait en effet s'entraîner et se discipliner pour le combat dans ces académies de gymnastique. Du coup, elle se cultivait au gré des déclamations poétiques de contes héroïques et des chants de groupe, le tout ponctué par les sons du *morched,* un musicien-chanteur qui agit comme coordonnateur.

Les disciplines du *varzesh-e-bastani* furent codifiées il y a 150 ans par deux *pahlevâns,* ou héros-chevaliers perses. Curieusement, dans la lutte *kourèche (voir* Kourèche, Sabantuy, p. 93), les Tatars affublent leurs propres héros-lutteurs du surnom de *pehlevan.* Il serait intéressant d'investiguer plus à fond cette relation culturelle et historique entre Perses et Tatars…

Les disciplines du *varzesh-e-bastani* restent à ce jour gardiennes des valeurs morales, éthiques et mystiques iraniennes. Elles représentent l'union parfaite entre la gymnastique et la chevalerie, entre le beau et le bien. Elles forment l'âme et l'esprit tout autant que le corps. Elles montrent la voie de la sagesse, de l'honnêteté et de la force harmonieuse. Elles invitent le puissant à humblement servir sa communauté.

On retrouve généralement les gymnases *zour khaneh* au bout de longs et tortueux corridors au cœur des bazars iraniens. L'arène d'exercice est en forme de trapèze. Les marches en demi-cercle qui y mènent servent de gradins. Le *morched* domine l'arène depuis une plate-forme d'où s'échappent les parfums d'encens de grains sauvages.

À titre de représentant continental du comité fondateur du International Zurkhaneh Sports Federation, j'ai eu le grand plaisir en 2004 de visiter un *zour khaneh* à Téhéran et de participer (avec toute la fébrilité du nouveau-venu) à une série d'exercices dont voici la séquence:

Le tout commence par une course dansante tout autour du cercle de l'arène. Bras écartés on bondit d'un pied à l'autre, le buste changeant de direction à chaque pas. Amateur de danse rythmée, je me fais une joie de suivre le leader, au grand plaisir de tous.

Takhteh shénow, la planche de natation

Les athlètes s'assemblent en cercle autour de leur *miândar,* le maître, et commencent par réciter des *amens*. Chacun tient son *takhteh shénow,* une planche de bois appelée «planche de natation».

Couchés sur leur planche, nos athlètes font une série de pompes de style *push-ups* combinée au soulèvement de leur planche. On dit qu'ils imitent ainsi le flux et le reflux des vagues. Certains peuvent accomplir jusqu'à mille contractions de suite... pas moi!

Sang, les poids

Sang ou encore *seng* veut dire pierre. Ce sont des poids en bois de noyer qui rappellent les *nals,* les grands et encombrants boucliers perses du XVIe siècle en forme de fer à cheval.

Un des athlètes se couche sur le dos. Il lève deux poids au bout de ses bras de manière à ce que leurs portions courbées se rencontrent. Il se tourne d'un côté puis de l'autre et lève son bras droit le plus haut possible lorsqu'il se penche du côté gauche et vice versa. Il répète ces gestes jusqu'à n'en plus pouvoir. Le *morched* compte rituellement le nombre de levées en entonnant des incantations correspondant à chaque nombre. Toute la troupe encourage le héros.

Mil, les quilles

Il y a deux types de quilles: les quilles d'entraînement qui pèsent entre 5 et 40 kg et les quilles de jonglerie qui pèsent entre 4 et 6 kg.

Les athlètes tiennent une quille dans chaque main. Ils déposent celle de leur main droite dans le creux de leur épaule droite. Ils soulèvent la quille au son du tambour puis lui font faire un mouvement circulaire complet de l'omoplate au flanc et à la poitrine, tout en tournant la quille sur son axe. Le mouvement est repris avec l'autre quille. Puis les mouvements sont répétés en cadence au rythme sans cesse accéléré du tambour.

Ensuite un champion s'installe au centre de l'arène avec 2 quilles de jonglerie. Il prononce une incantation avant de se mettre à jongler, au son du *morched* qui l'accompagne du tambour et de la voix.

Ayant pratiqué la jonglerie dans ma jeunesse de clown, je pensais bien pouvoir manœuvrer deux de ces quilles sans problèmes. C'était compter sans leur lourdeur incomparable. Résultat pitoyable: au premier lancer j'échappe une quille et je la fracasse, tout comme mon ego, au grand rire de tous!

Charkidan, la rotation

Tour à tour, du plus jeune au plus âgé, les athlètes se mettent à tourner sur eux-mêmes en accélérant tels des derviches tourneurs. Défi de concentration et plaisir étourdissant.

Païa Zadan, frapper du pied

Paï veut dire pied et *zadan,* frapper. Les athlètes suivent leur leader dans une série de quatre sauts de pieds. Le *morched* récite des poèmes lyriques. Cet exercice était originellement pratiqué par les messagers à pied.

Kabādeh, l'arc

Kabādeh est un arc d'exercice composé d'une barre de fer et d'une chaîne. L'arc d'exercice rappelle les anciens arcs de guerre perses.

Les athlètes saisissent l'arc à deux mains. Ils l'embrassent en signe de respect. Ils le soulèvent à bout de bras au-dessus de leur tête et le secouent dans toutes les directions. Ils se mettent ensuite à tourner sur eux-mêmes en accélérant. Puis, se passant la chaîne autour du cou, ils laissent aller l'arc qui se met alors à descendre dans un mouvement rotatif depuis leurs épaules jusqu'à leurs hanches. Lorsque l'arc atteint leurs chevilles, les gymnastes se penchent et sautent pour s'en dégager. Tout ceci se déroule au rythme sans cesse accéléré du tambour, de la cloche et des incantations du *morched.* Ma tentative d'accomplir cette séquence ardue a vraiment fait ressortir le clown en moi: non, ceci ne s'improvise tout simplement pas!

Koshty, la lutte

Parfois les exercices quotidiens se terminent par un match de lutte très ritualisé et solennel. Les lutteurs s'affrontent pendant dix minutes. Chacun se tient par la ceinture et tente de débalancer l'autre. Lorsque le combat s'arrête, les lutteurs s'embrassent sur le front avant de se retirer.

Conclusion

Un masseur est parfois présent à la fin des exercices. Celui-ci lance alors une serviette aux pieds des gymnastes qu'il massera ensuite à tour de rôle. Je n'ai malheureusement pas eu droit à ce traitement.

Et pour terminer la session, les athlètes pratiquent des acrobaties et des exercices de corde. Le *varzesh-e-bastani* se conclut par un cérémonial de sortie d'arène au son des *amens,* du tambour, de la cloche et d'une incantation mystique.

Le zorkhaneh connaît une renaissance tant en Iran qu'auprès de la diaspora iranienne. Au Canada, par exemple, Hadi Mahmoodi a fondé en septembre 2007 la Canadian Zurkhaneh Sports Federation, à qui on doit l'implantation d'un premier zourhane à Toronto. On peut contacter la fédération canadienne sur le web à www.zurkhaneh.ca

Le sport ancien

Exercices d'entraînement - Maison de force

Zour khaneh: arène d'exercice en forme de trapèze; 1 m de profond; 7 m de long; entourée de gradins en demi-cercle.

Morched: musicien-narrateur; domine l'arène depuis une plate-forme d'où s'échappent parfums d'encens de grains sauvages; cela purifie et ravigote l'air ambiant; réchauffe la peau du tambour qui se tend alors pour résonner de sons riches et profonds.

Sang ou seng: veut dire pierre; poids de bois de noyer; en forme de fer à cheval; mesure 120 cm de long par 70 cm de large; pèse entre 60 et 120 kg.

Quilles: 2 types; quilles d'entraînement pèsent entre 5 et 40 kg; quilles de jonglerie pèsent entre 4 et 6 kg.

Païzadan: série de sauts; sur un pied; d'un pied à l'autre; les deux pieds ensemble.

Kabādeh: arc d'exercice composé de barre de fer et chaîne de 16 anneaux; pèse entre 10 et 50 kg selon la force et l'expérience de son usager.

Contacts: Seyed Amir Hosseini, I.R. Iran National Olympic and Paralympic Academy, sahosseni@olympicacademy.ir

IR Iran Sport for All Federation, Enghlab Sport Complex, Niayesh street, Tehran, Iran

Site Web: www.zoorkhane.com/english/
www.zurkhaneh.ca

Yabusame
Tir à l'arc à cheval des samouraïs

Les Japonais

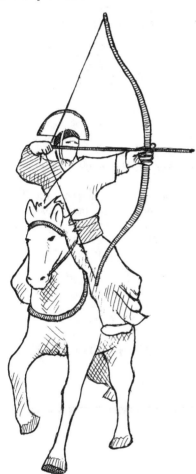

Yabusame, c'est l'art japonais de la guerre dans lequel le samouraï est à la fois cavalier et archer. C'est aussi un spectacle haut en rituels, traditions et exploits qui impose très vite le respect.

Cet art martial des temps révolus exige que les cavaliers chevauchent au grand galop et tirent coup sur coup sur trois cibles disposées à intervalles réguliers le long d'un parcours prédéterminé. Le claquage des sabots et le sifflement des flèches filant allègrement vers leurs cible s'ajoutent au rituel et à l'apparat pour nous transporter dans une autre époque.

La tradition du *yabusame* commence au VIᵉ siècle avec l'empereur Kinmei. Alors qu'il fait face à des guerres tant intestines qu'externes, il prie pour la paix ainsi que pour une récolte abondante, soit *Tenka-taihei* et *Gokoku-houjyou.* Puis, chevauchant au galop, il complète le rituel en tirant sur trois cibles. Depuis ce temps, des compétitions équestres de tir à l'arc aident à sanctifier les cérémonies shintoïstes. Comme ces rituels de foule étaient à l'époque accomplis par les clans guerriers samouraï, l'art du *yabusame* fleurit au rythme des combats.

À l'origine, le *yabusame* servait l'art de la guerre japonais; puis il devint populaire en tant qu'activité sportive durant le *shogunat* de Kamakura, qui dura de 1192 à 1333. Les shoguns qui instaurèrent leur règne dans la ville de Kamakura encouragèrent le développement du *yabusame* et firent de cette ville le centre de ce sport. Les cavaliers archers se rassemblent toujours en cette ville pour donner une performance de *yabusame* chaque année les 15 ou 16 août. Et ce, depuis l'an 1187.

Pour les shoguns de cette époque et leurs samouraïs, le sens de l'honneur était une question de vie ou de mort. Ainsi, lorsqu'un malheureux participant manquait sa cible, il n'était pas inusité de le voir tenu de commettre *seppuku,* le suicide rituel. Au moment de la Période Edo dans les années

1600, autre moment ascendant pour le *yabusame,* la situation est, comment dire, un peu moins tendue. Les archers qui ratent alors la cible ne risquent plus de perdre la vie, seulement de perdre la face… ce qui pour un Japonais peut, selon les circonstances, être considéré pire que la mort.

De nos jours, les archers à cheval revêtent les habits de chasse aux vives couleurs des samouraïs du *shogunat* de Kamakura, ou encore les costumes plus simples de la période Edo. D'autres encore portent les vêtements des courtisans de la période Heian plus ancienne, de 794 et 1192. Autant les archers *yabusame* des temps anciens représentaient leurs clans samouraï, autant ceux d'aujourd'hui représentent des clubs, des villes et des districts.

Ces archers *yabusame* accomplissent une œuvre sacrée très exigeante. Alors même qu'ils chargent avec leurs chevaux, les cavaliers doivent laisser aller les rênes, mettre leur arc et leurs flèches en place et tirer sur trois cibles coup sur coup. S'ils souhaitent accomplir ce défi à la perfection, ils devront se concentrer autant sur bien viser et tirer que sur maintenir leur équilibre, guider leur monture et se préparer à tirer leur prochaine flèche.

Ces flèches reposent dans un carquois à droite de l'arc. L'archer tend son arc au-dessus de sa tête dans le plus pur style kyudo du tir à l'arc japonais. Évitant ainsi d'accrocher son arc avec son sabre ou sa petite épée, il puise une flèche à l'aide d'un gant spécial fait sur mesure. Une fois la cible en vue, il s'en rapproche en pressant le flanc de sa monture de son genou droit. Puis il tourne abruptement son genou et étrier gauches vers l'extérieur et tout son corps suit dans un mouvement fluide. Notre archer a alors dépassé sa cible et il est finalement en position pour tirer dessus… de dos!

Il décoche sa flèche et lance aussitôt son bras droit vers l'arrière pour s'assurer que la cravache attachée à son poignet droit ne s'emmêle pas avec son carquois. Déjà, il s'affaire à recharger: la prochaine cible est en vue.

Samouraïs archers au galop!

Tir à l'arc au galop - Yabusame

Objectif: faire galoper son cheval et tirer trois flèches consécutivement sur autant de cibles.
Parcours: 255 m de long.
Cibles: 3 cibles de bois installées à 70 m de distance les unes des autres.
Contact: JASA, Japanese Amateur Sports Association,
        www.japan-sparts.or.jp/english/index.html
Site web: www.yabusame.jp/english/

Bahia, le berceau de la Capoera

Texte de Valérie Panel Watine et Arnaud Drijard
Photos d'Arnaud Drijard
www.unmondedesports.com

Un peu d'histoire… C'est précisément à Cachoera, près de Salvador, au 16ème siècle, que les esclaves venus d'Afrique auraient créé ces techniques de combat à mains nues, armes redoutables pour déserter les plantations. Après l'abolition de l'esclavage en 1868, ces techniques font leur apparition dans la rue. Les gangs se les approprient. Longtemps bannie, cette discipline se transforme en danse, et réapparaît dans les années 20 sous l'impulsion de 'maître Bimba', véritable icône de la Capoera à Bahia.

Sur les bords de l'Atlantique, Bahia, le berceau de la Capoera. Nous découvrons ce sport mélange d'art martial et de danse au sein de *Camugerê* une académie sportive à Salvador de Bahia.

Capoera

Aujourd'hui, 'la danse des esclaves' est devenue un symbole, la mémoire de l'histoire du pays, et une fierté pas seulement pour la population d'origine africaine, mais pour tous les Brésiliens. Désormais, l'esprit n'est bien sûr plus à la rébellion ou aux combats de rue, mais bien à la fête.

Nous pénétrons de nuit dans les rues animées de Salvador de Bahia. Les rythmes de la samba enivrent une foule toujours en mouvement. Quelques capoeristes se produisent spontanément sur les pavés de la ville et repartent récompensés de quelques pièces par des touristes médusés.

Puis, nous nous enfonçons dans la banlieue nord de Salvador, loin du folklore touristique, pour découvrir l'académie Camugerê, un programme éducatif pour 150 enfants du quartier. À travers la pratique de la Capoeira, ces jeunes sont sensibilisés aux valeurs de fair-play et du respect de l'autre. La règle de base à Camugerê: si tu n'es pas assidu à l'école, pas de capoeira! Les responsables du programme sont en relation avec les parents et peuvent ainsi engager un dialogue avec l'enfant dès qu'ils sont informés d'une difficulté. Cette règle radicale fonctionne bien car tous adorent participer à l'entraînement, qu'ils ne manqueraient pour rien au monde.

Bahia, le berceau de la Capoera - suite...

Camugerê organise régulièrement des séances de Capoeira appelées 'rodas'. Les jeunes de différents milieux sociaux sont invités à participer. Au départ, ceux des quartiers pauvres sont les plus impressionnés mais ils se montrent souvent les plus doués. A l'issue de la rencontre, ils sont toujours envahis d'un sentiment de réussite.

Ricardo, Jadilson, et Jason nous invitent à assister à la 'roda' de ce soir. Soixante enfants, filles et garçons de 4 à 15 ans, sont rassemblés dans une salle qui n'a d'ornements que ses peintures murales au nom de l'académie. Tour à tour, chacun est appelé au cœur de la ronde. C'est le moment de montrer à tous sa maîtrise de la discipline.

Capoera

En partant, les jeunes nous glissent ce message : 'Nous, peuple bahianais, avons la chance d'être le berceau de la capoera, du carnaval et du candamblé et malgré les nombreux problèmes sociaux, nous arrivons à vivre heureux.'

Texte de Valérie Panel Watine et Arnaud Drijard
Photos d'Arnaud Drijard

Les musiciens aussi font partie de la fête. Ils grattent, frottent et percutent les instruments traditionnels, fidèles compagnons de la capoeira.

Les différentes techniques sont développées sous nos yeux : la roda de Makulele (avec des bâtons), la roda classique, la roda de samba. La séance se termine par une démonstration d'acrobaties. Une énergie folle se dégage de ce groupe qui applaudira et chantera sans cesse au cours des trois heures de séance. Une véritable communion. Des sourires magnifiques.

143

Jeux de Récré

Ahuiltemalacachtle
Juego de la piedra redonda
Marelle de la pierre ronde

Les Chichimèques - Mexique

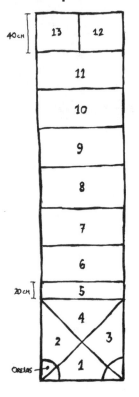

Les experts spéculent sur les origines de la marelle. Pour certains, les Romains l'ont inventé comme exercice d'entraînement militaire. La marelle se serait ainsi répandue en Europe, en Asie et en Afrique. Pour d'autres, la marelle proviendrait de rituels initiatiques. Selon cette théorie, la marelle concernerait LE cheminement spirituel et LES mystères de la vie. Dans ce cas la marelle, tout comme les labyrinthes et les jeux de divination, renfermerait des contenus symboliques qui resteraient invisibles pour le commun des mortels.

Ahuiltemalacachtle vient évidemment apporter de l'eau au moulin à cette dernière théorie. En effet, ce jeu révèle comment l'Homme doit constamment maintenir son équilibre tout en se fixant et en atteignant des objectifs toujours plus élevés. Pour les descendants des chichimèques, gravir l'escalier de la marelle est un processus d'apprentissage dans lequel chacun doit maintenir son attention pour continuer d'avancer. En retraçant constamment ses pas pour ensuite regrimper toujours plus haut, on en arrive à une compréhension de la vie et de ses rouages, et on fait de la place pour plus.

Sous le couvert de ce simple jeu d'enfant se profilent les croyances mystiques des Chichimèques.

En Nahuatl, *ahuil* veut dire jeu et *temalacachtli,* pierre ronde. Ainsi nous obtenons *ahuil temalacachtle,* le jeu de la pierre ronde. Ce jeu de marelle en 13 paliers nous provient de l'ancienne seigneurie pré-hispanique Malacahtepec Momozco, aujourd'hui connue sous le nom de Milpa Alta.

Sur un plan encore plus subtil, les treize paliers du jeu de la pierre ronde représentent les cieux de la Création, une notion de base dans la cosmogonie indigène mexicaine. Comme pour la plupart des jeux méso-américains tels *ulama (voir Ulama de cadera, p. 64)* et *pasarhutukua (voir pasarhutukua, p. 236),* celui-ci reflète le mouvement des astres dans le cosmos. Il rappelle les liens qui unissent la lune à la mère Terre, au père Soleil et à la Voie Lactée. Il illustre le grand ensemble en devenir qui forme la matière cosmique de l'univers, alors que tout et son contraire se combinent pour donner la vie et sustenter la création.

Dans une soif de dépassement les joueurs montent, descendent puis remontent l'escalier céleste en sautillant sur un pied. Pendant ce temps dans les cieux, les dieux maintiennent l'univers dans un équilibre parfait à travers ses innombrables cycles de temps en spirale.

Reste encore à savoir comment *ahuitemala-cachtle* a vu le jour: le jeu de marelle aurait-il été importé par les Espagnols pour être ensuite réapproprié par les chichimèques? Sinon, cela laisserait supposer que le jeu de marelle se soit développé indépendamment. Juste au Mexique, il existe au moins deux variantes nahuatl/chichimèques de ce jeu universel. L'autre s'appelle *ehcamalotl,* qui veut dire tornade, tourbillon de vent *(Voir ehcamalotl, P. 148).*

Qui lancera la première pierre?

Jeu de marelle

Objectif: atteindre le palier 13 et revenir tout en sautant sur un pied.

Motif de la marelle: voir illustration; rectangle; mesure 13 m de long par 3 m de large; 13 espaces.

Premier rectangle dans le bas: mesure 4 m par 3 m; découpé en diagonales pour former 4 triangles de départ.

Orejas: 2 oreilles; demi-cercles en bas du motif, dans le premier rectangle.

Procédures: sautiller depuis la ligne de tir; lancer la pierre sur le palier 1; sautiller là; botter la pierre à la ligne de tir et y retourner; répéter pour chaque palier en ordre croissant.

Procédures exceptionnelles: le joueur choisit l'ordre des paliers 2 & 3 ou 3 & 2, puis reprend le même ordre quand arrive les paliers 12 & 13; une fois à 12 & 13, repose les 2 pieds, un sur chaque palier.

Fin: joueur parvenu aux paliers 12 & 13 virevolte sur place 13 fois; botte la pierre vers la ligne de tir et revient en sautillant sur un pied et en bottant la pierre.

Fin de tour: si un joueur en action met l'autre pied au sol; si un joueur qui lance la pierre n'atteint pas son but; si le pied ou la pierre arrête sur une ligne ou va hors des limites; si à 12 &13 le joueur oublie de répéter la direction prise en 2 & 3.

Brûlé: si la pierre passe par *oreja,* le joueur reprend depuis le début.

Punitions: si fin de tour, le joueur laisse aller son tour puis reprend depuis sa dernière position; si brûlé, reprend à zéro.

Vainqueur: le premier revenu à la ligne de tir depuis le palier 13; continue de sautiller; virevolte 3 fois; met la pierre sur le pied; botte la pierre le plus loin possible; sautille à reculons le plus vite possible; le joueur le moins avancé dans le jeu court chercher sa pierre et revient toucher le vainqueur avec; quand le vainqueur est touché, il monte sur le dos de ce joueur et le chevauche triomphalement jusqu'à sa pierre, sa *temalacachtli.*

Sources: Federación Mexicana de Juegos y Desportes Autóctonos y Tradicionales de México, A.C., Av. Rio Chrubusco Pta.9, Ciudad Deportiva, Magdalena Mixhuca, C.P. 08010 México, D.F.

Mixtin Associación Civil, Versalles 112 B-202 Col. Juarez CP. 06600 México D. F.

Site web: www.codeme.org.mx/autoctonoytradicional/Juegos/Temalacachtle.html

Ehcamalotl
Marelle tourbillon

Les chichimèques - Mexique

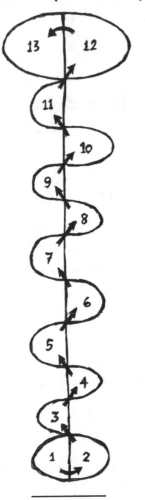

En Nahuatl, le mot *ehcamalacotl* signifie tornade, tourbillon de vent. Voilà qui décrit bien ce jeu de marelle tourbillonnant.

Les descendants des chichimèques du Mexique pratiquent au moins deux variantes du jeu universel de la marelle. Elles s'appellent *ehcamalotl* et *ahuitemalacachtle* *(Voir ahuitemalacachtle, P. 146)*. Celles-ci viennent s'ajouter aux nombreuses variantes du jeu parmi les peuples de la terre. C'est bien simple, tout le monde et sa sœur en jouent: anglais, portugais, arabes, polonais, finlandais, berbères, écossais, espagnols, allemands, danois, nigériens, boliviens, chinois, français, indiens, russes, américains du nord, du centre comme du sud... et j'en passe!

Je me demande si le jeu de marelle en Amérique se pratiquait avant la venue des espagnols ou s'il s'est plutôt infiltré au cœur des cultures indigènes du Mexique dans la foulée des conquérants espagnols. Chose certaine, il se transmet oralement depuis des siècles chez les chichimèques et le jeu est totalement intégré à leur culture.

Voici comment il se joue:

C'est en sautant sur un pied qu'on se présente à la ligne de lancer tout au bas du jeu (voir illustration). Tout en maintenant la pose, on lance sa tuile ou sa pierre dans la case numéro 1, où l'on se rend en sautillant. Une fois là, on pousse sa tuile du pied en direction de la case numéro 2. On s'y rend en prenant soin de ne jamais déposer le second pied au sol. On fait ensuite de même pour toutes les cases subséquentes jusqu'à la case numéro 13. Une fois là, on peut reposer ses pieds en les posant sur les cases 12 et 13. Puis on rebrousse chemin en retraçant ses pas jusqu'à la ligne de saut. Le premier à accomplir le parcours aller-retour l'emporte.

On perd son tour si on pose son autre pied au sol, si on touche du pied une des lignes du jeu, si on sort du jeu ou encore si notre tuile sort du jeu ou s'arrête sur une des lignes. On laisse alors sa tuile au dernier numéro complété et on attend son tour pour poursuivre à la prochaine ronde.

Lorsque le vainqueur passe la ligne d'arrivée, le joueur le moins avancé dans le parcours doit l'embarquer à cheval sur son dos et lui faire deux tours d'*ehcamalotl*.

Cette coutume est identique à une autre appelée *éphedrismos* ou jeu du porteur. Celle-là était pratiquée en Grèce antique dans un jeu de boules du nom de *enkotylé*. Dans ce jeu, celui qui échoue doit prendre son adversaire sur ses épaules et, les yeux bandés, le porter jusqu'à la cible manquée. Autres temps, autres lieux, autres peuples, mêmes mœurs!

Le jeu de la tornade!

Jeu de marelle

Quelques joueurs
Tuile ou petite pierre plate: une par joueur.
Craie pour tracer le jeu selon l'illustration et le plan du jeu:
- Trace une ligne droite mesurant 4,5 m.
- Trace deux ovales de 40 cm et 50 cm de large à chaque extrémité de la ligne.
- Divise le reste de l'espace le long de la ligne en neuf demi-ovales, chacun mesurant 40 cm de large.
- Numérote chacun des demi-ovales de 1 à 13.

Source: Federación Mexicana de Juegos y Desportes Autóctonos y Tradicionales de México, A.C., Av. Rio Chrubusco Pta.9, Ciudad Deportiva, Magdalena Mixhuca, C.P. 08010 México, D.F.
Site web: www.codeme.org.mx/autoctoroytradicional/Juegos/Ehmacalotl.html

El Rastrero
La Traîne

Les Honduriens

Attraper au lasso un bâton tiré par une corde et qui file à vive allure, voilà un jeu d'enfant... qui demande beaucoup d'habileté. Arracher ensuite ce bâton de l'emprise de son propriétaire en tirant sur son lasso de toutes ses forces, ça c'est du sport!

J'affectionne ce genre de jeu où l'on peut passer des heures à se divertir avec un minimum d'équipement et de consignes. Curieusement, l'adjectif *rastrero* qui se traduit par le mot «traînant» veut aussi dire «vil». Mais ce n'est pas parce qu'on joue avec trois fois rien que le jeu est vilain! Pour les jeunes honduriens de San Marcos Santa Bárbara, créativité et simplicité sont synonymes de plaisir et défi. Pour ce faire, il leur suffit d'un bout de bois à plusieurs pointes (voir illustration) et de bouts de corde qu'ils auront tôt fait de transformer en lassos menaçants.

Les joueurs se placent en deux files l'une en face de l'autre afin d'ouvrir un passage entre eux. Pendant ce temps, le joueur partant se place à une certaine distance des autres joueurs et attache sa corde à une pointe du bâton. Puis il s'élance vers le passage, traînant le bout de bois derrière lui. Chacun tente alors d'attraper au lasso le bâton qui file à vive allure. *¡Laza!* Enlace-le!

Le premier qui réussit se met alors à tirer de toutes ses forces sur le bâton et les autres joueurs s'empressent aussitôt de compliquer l'action en passant leur lasso dans le bâton et en tirant pour se l'approprier. Bien entendu, le possesseur du bout de bois résiste de son mieux. *¡Hala!* Tire!

Voilà notre jeu devenu épreuve de force. Sous cette forme de jeu de tire, il fait beaucoup penser à *Tracção da Corda em Anel (voir Tracção da Corda em Anel, p. 131),* une version portugaise de la souque à la corde où chacun tire pour soi.

Éventuellement le propriétaire lâche prise et le jeu reprend de plus belle. Le premier à avoir saisi le bâton avec son lasso devient son propriétaire et la prochaine victime de l'envie de ses pairs!

¡Laza! ¡Hala!

Jeu de lasso et de souque

Objectif: capturer un bâton au passage avec un lasso et se l'approprier.
Joueurs: nombre indéterminé; minimum 4; placés en deux files l'une en face de l'autre de manière à créer un passage au centre.
Équipement: des bouts de bois avec des pointes; petits troncs d'arbre d'où sortent plusieurs rameaux; un lasso par joueur.
Source: Comité de juegos tradicionales de San Marcos SB, Bo. Sta. Rosa, San Marcos, Sta. Bárbara, Honduras. *nelsonmedinapuerto@yahoo.com*

Jingling Match
Partie de clochettes

Les Anglais

Qui ne connaît le jeu du colin-maillard où un joueur aveuglé tente d'attraper les autres joueurs qui le taquinent, le feintent et se rient de lui. Eh bien *jingling match,* c'est l'inverse!

Les jeux de poursuite les yeux bandés font partie de presque toutes les cultures du monde. Dans *jingling match,* tous les joueurs ont les yeux bandés sauf un: celui que tous poursuivent. Et celui-ci doit fait faire tinter des clochettes tout autour d'eux. Nos aveugles se dirigent donc au son!

Comme de nombreux jeux pratiqués de nos jours par des enfants, *jingling* a commencé comme un jeu d'adultes. Parmi les activités répertoriées en 1872 lors de la foire de Yattendon Revel, en Angleterre, on remarque un *jingling match* joué par onze femmes aux yeux bandés qui en poursuivent une autre sans bandeau et clochetée. La gagnante de ce match se mérita un superbe jupon.

Jingling match était en effet un pilier des foires agricoles anglaises des XVIIIe et XIXe siècles. C'était un divertissement très apprécié des foules, au même titre que les courses d'ânes et de poneys, les ascensions de poteaux pour un chapeau, les concours de grimaces, le saut dans les sacs, les courses de vieilles bonnes femmes pour une livre de thé, les courses de brouettes les yeux bandés et les courses de cochons, dont une mémorable qui, lors des Jeux olympiens de Wenlock en 1858, entraîna les poursuivants du cochon à travers monts et vaux jusqu'en ville!

Une partie de clochettes typique regroupait alors une dizaine de joueurs à l'intérieur d'un large cercle délimité par une corde. Tous avaient les yeux bandés par des mouchoirs sauf le sonneur qui tenait une cloche dans chaque main et avait quelquefois des clochettes additionnelles fixées aux genoux et aux coudes. Celui-ci n'avait d'autre de choix que de résonner sans cesse tout en tentant d'éluder ses poursuivants aveuglés. Celui qui réussissait à l'attraper remportait le prix; mais s'il parvenait à bluffer les aveugles durant les vingt ou trente minutes de la partie, alors le prix lui revenait.

Le jeu était aussi pratiqué par les soldats anglais de l'époque et fit ainsi le tour du monde sous les jupons de l'Empire Britannique, comme de nombreux autres jeux et sports. En 1787 par exemple, un lieutenant du nom de John Enys, en visite au Fort Niagara du Canada, décrivit dans son journal une partie de clochettes jouée par les soldats anglais de l'endroit.

Les Hopis du Sud-Ouest américain pratiquent un jeu de nuit qui fait penser au *jingling match*. Dans celui-ci, le sonneur frappe du tambour et les aveugles se dirigent au son. Le sonneur fait le fantôme et le jeu s'appelle *tutu'alangwa*.

De nos jours, *jingling match* se joue toujours, au même titre que les autres jeux de poursuite contemporains. Ainsi, c'est un jeu qui se renouvelle sans cesse, les poursuivants changeant simplement de rôle avec le sonneur quand ils l'attrapent.

Les Jeux olympiens de Wenlock mentionnés précédemment combinaient allègrement performances athlétiques, sports traditionnels tels que le *quoits (Voir quoits, p. 201)* et événements amusants tels que le *jingling match*. Les Jeux de Wenlock furent d'ailleurs le sujet d'articles élogieux rédigés dans la «Revue Athlétique» par nul autre que le futur fondateur des Jeux olympiques modernes, Pierre de Coubertin. «On peut affirmer sans crainte, écrivit-il en 1897, que seuls les gens de Wenlock ont su préserver et poursuivre les véritables traditions olympiennes». Ce n'est pas peu dire.

Jing-a-ling, jing-a-ling!

Jeu de poursuite - Partie de clochettes

Joueurs: environ une douzaine de joueurs.
Équipements: foulards pour bander les yeux de tous les joueurs sauf un; clochette portée par le joueur pourchassé; corde pour ceinturer l'espace de jeu.
Aire de jeu: libre d'obstacles.
Source: Traditional Sports and Games Society, University of Luton, Bedfordshire, United Kingdom

---

Kuachancaca Trompo de Cuarta
Toupie de fouet

Les Huaxtèques - Mexique

Jeu universel par excellence, la toupie est de tous les continents, de toutes les époques et de toutes les traditions.

La *kuachankaka* fait partie intégrante de la culture huaxtèque et se transmet ainsi de génération en génération. Les garçons et les hommes de la région de San Luis Potosi au Mexique pratiquent le jeu de façon classique, c'est-à-dire en faisant tourner la toupie à l'aide d'un fouet.

La *kuachankaka* se présente sous la forme traditionnelle du cône inversé avec des côtés convexes. Le joueur enroule sa toupie de bois d'un *chirrión,* ceinture-fouet, qu'il retire soudainement pour la faire tourner; une fois en jeu, il la contrôle et nourrit son mouvement rotatif à petits coups de *chirrión.*

Faire tourner la toupie le plus longtemps possible, voilà tout le défi du jeu. Selon la surface du jeu, un amateur peut la faire tourner une bonne minute et plus. Pas mal, non? Un champion, par contre, fera tourner sa toupie sans interruption une demi-heure et plus. C'est à vous en couper le souffle!

Et vire la kuachankaka!

Jeu de macadam

Surface de jeu: au moins 5 m carrés; plate, lisse et libre de tout obstacle.
Toupie: faite de bois durs tels que le cèdre, l'oranger, et l'orme; forme traditionnelle du cône inversé avec côtés convexes.
Fouet: *chirrión;* lanières faites d'*ixtle,* fibre tirée des plantes yucca et agave.
Source: Federación Mexicana de Juegos y Desportes Autóctonos y Tradicionales de México, A.C., Av. Rio Chrubusco Pta.9, Ciudad Deportiva, Magdalena Mixhuca, C.P. 08010 México, D.F.
Site web: www.codeme.org.mx/autoctonoytradicional/Juegos/Trompo.html

Los Ronrones
Bouton qui tourne

Les Honduriens

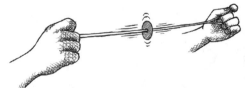

Ronron – ronron. Écoutez le ronronnement du bouton qui tourne à vive allure.

Faire tourner un objet à l'aide d'une ficelle. Voilà qui sonne exactement comme la description d'un jeu de toupie. Je ne serais pas du tout surpris d'apprendre que le jeu de *ronrones* est aussi universellement pratiqué que l'est le jeu de la toupie.

En tout cas, les inuits du grand Nord canadien le pratiquent. Ils appellent leur version du jeu *imiluktaq*. Et dans le livre intitulé: *Sun Chief –the Autobiography of a Hopi Indian,* Don Talayesva nous parle de comment les anciens hopis avertissaient les enfants contre cette pratique. Selon leurs croyances, en faisant tourner un bâtonnet plat sur une ficelle pour le faire ronronner, on appelait les vents néfastes.

Comme bien des petits jeux faits à partir de rien, ce jeu paraît tout simple, voire même simpliste. Mais ceux qui ont maîtrisé l'art du tournoiement savent combien les apparences sont parfois trompeuses. Essayez-le! Tout ce dont vous avez besoin c'est d'un bout de fil passé dans le trou d'un bouton. Enroulez le fil en tortillant les extrémités entre vos doigts et…tirez! Le bouton devrait se mettre à tourner. Combien de temps pouvez-vous le maintenir en mouvement? On appelle ça le *ronrón de botón*.

Essayez maintenant d'expérimenter différents styles et modèles. Utilisez d'autres objets avec des trous au centre, ou encore percez un trou au centre d'un couvercle ou de toute autre plaquette mince. Prenez garde de vous couper! Ces *ronróns* sont appelés *ronróns de chapa*.

Une fois le principe du ronronnement bien intégré, essayez le *ronrón de tablita*. Dans cette version du jeu, vous vous servez d'un couvercle ou d'une plaquette au trou décentré. Percez le trou près de son extrémité. Essayez maintenant de faire tourner la *tablita* sans tortiller le fil entre vos doigts. Vous connaîtrez le succès lorsque vous entendrez votre *tablita* ronronner!

Ron-ron-ron-ron!

Faire tourner un bouton ou une tablette mince

Joueurs: individuel.
Équipement: bout de ficelle; bouton ou mince plaquette ronde percée d'un trou.
Sources: Comité de juegos tradicionales de San Marcos SB, Bo. Sta. Rosa, San Marcos, Sta. Bárbara, Honduras. *nelsonmedinapuerto@yahoo.com*
Sun Chief –The Autobiography of a Hopi Indian, Leo W. Simmons, ed., Yale University Press, New Haven and London, 1942

Malakatchnenejmiltilistli
Control de argolla,
Contrôle du cerceau

Les Huaxtèques - Mexique

Ce jeu vieux comme le monde est toujours pratiqué par des écoliers au Mexique, entre autres dans les communautés autochtones de la région Huaxtèque de San Luis Potosi.

Faire rouler un cerceau à l'aide d'un bâton. Voilà un exemple de jeu ingénieux pratiqué par les enfants du monde depuis l'antiquité. Les Grecs l'appelaient *trochos* et les Romains, *trochus*. Les Danois le nomment *tøndebånd,* qui veut dire cerceau de baril. Les Arabes le nomment *ad-dnana* et les portugais, *jogo do arco*. Le maître flamand Pieter Bruegel a même illustré l'activité en 1560 dans son fameux tableau intitulé «Jeux d'enfants».

Des fils de fer recourbés, des ronds à cuisiner, des cerceaux de barils, des jantes de roues de vélo, tout est récupéré par les jeunes du monde pour faire office de cerceau. Dans les formes les plus anciennes du jeu, on se servait de vignes ou de branches résistantes et flexibles. Les cerceaux Huaxtèques sont faites de vignes, à l'ancienne manière. Les bâtons de contrôle sont des baguettes de bois ou encore des fils de fer comprenant un espace ouvert à une extrémité pour y glisser la main.

L'objectif du jeu est le même que partout dans le monde: rouler son cerceau jusqu'à un but prédéterminé sans qu'il ne tombe de tout le trajet. Les Huaxtèques, comme la plupart des gens, mettent l'accent sur le contrôle du cerceau plutôt que sur sa vitesse. Ils appellent même leur jeu *«control de argolla»,* qui veut justement dire «contrôle du cerceau». Quelles que soient les circonstances, seul le bâton peut toucher au cerceau.

Ailleurs dans le monde, certains se lancent des défis. Ils font chevaucher et traverser des obstacles à leur cerceau, tout comme le font certains amateurs de *skateboards* et patineurs à roues alignées. Pour leur part, les anciens Égyptiens (eh oui, le jeu se pratiquait même alors), jouaient à une version compétitive impliquant deux joueurs et un seul cerceau. C'était à qui pouvait enlever le cerceau à l'autre. Chacun avait son bâton recourbé en hameçon avec lequel il devait tout à la fois faire rouler le cerceau et tenter de se l'approprier pour lui-même!

On peut voir les écoliers Huaxtèques pratiquer le *control de argolla* chaque jour d'école sauf les jours de pluie. Je les imagine justement à l'oeuvre... et vous?

Tiahui! Allons y!

Jeu de contrôle du cerceau

Description: faire rouler un cerceau avec une baguette.

Objectif: faire rouler un cerceau jusqu'à un endroit prédéterminé sans qu'il ne tombe en cours de route; le contrôle du cerceau est plus important que la vitesse; seul la baguette peut toucher au cerceau.

Source: Federación Mexicana de Juegos y Desportes Autóctonos y Tradicionales de México, A.C., Av. Rio Chrubusco Pta.9, Ciudad Deportiva, Magdalena Mixhuca, C.P. 08010 México, D.F.

Site web: www.codeme.org.mx/autoctonoytradicional/Juegos/Argolla.html

---

Shagai - Tir d'osselets

Les Mongols - Russie

(Voir Naadam - festival des jeux de Mongolie, p. 86)

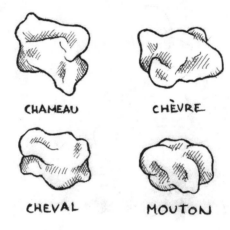

CHAMEAU

CHÈVRE

CHEVAL

MOUTON

Trompo coyote
Toupie coyote

Les Honduriens

Voici une variante originale du jeu de la toupie qui nous provient du Honduras. Le *trompo coyote* est en voie d'être rescapé de la poubelle de l'histoire grâce aux bons soins d'un groupe de gens inspirés.

Saluons les efforts du Comite de juegos tradicionales de San Marcos qui, comme de nombreux autres individus et groupes de par le monde, jouent un rôle déterminant dans la sauvegarde et la promotion des jeux du monde.

Nelson Medina m'écrit depuis son patelin: il me supplie d'inclure le *trompo coyote* dans ce livre sur les jeux du monde. Avec plaisir! Ce petit jeu qui n'a l'air de rien me plaît beaucoup, justement parce qu'avec les moyens du bord, nos amis honduriens font des petits chefs d'œuvre de plaisir. Ils nous font le coup avec *El Rastrero (Voir el rastrero P. 150), avec Los Ronrones, P. 154* et avec *La Cebolleta (Voir la cebolleta, P.*

124). Maintenant ils récidivent avec *trompo coyote,* un triomphe d'ingéniosité.

Il s'agit tout simplement d'une toupie faite d'une calebasse ou d'une noix de coco dans laquelle on passe un bout de bois qu'on laisse dépasser. On perce de petits trous dans la calebasse afin d'y laisser passer l'air: c'est ce qui lui permettra de produire un son de coyote… de là son nom de toupie coyote. Les moyens du bord, je vous dis!

Comme bien des jeux traditionnels, jusqu'à tout récemment le *trompo coyote* n'était plus joué que par les personnes âgées de plus de 50 ou 60 ans, les *viejitos,* quoi. Le comité des jeux traditionnels de San Marcos puise précisément dans ces trésors de têtes blanches pour réintroduire les jeux traditionnels du patelin auprès des jeunes. Du coup, le contact intergénérationnel est retrouvé.

Nelson Medina m'informe que, de tous les jeux traditionnels dont son groupe fait la promotion, la toupie coyote est celui qui résonne le plus chez les jeunes du coin. Ceux-ci ne se doutaient même pas de l'existence d'un tel jeu. Ils le surnomment affectueusement « la maraca que baila », la maraca qui danse, à cause de sa ressemblance frappante avec l'instrument de percussion fort connu. Un élément qui joue vraiment en la faveur du jeu est son apprentissage facile. Plusieurs parviennent à faire tourner et résonner le coyote du premier coup, ce qui est très encourageant. Comme dirait l'autre, faire danser la toupie coyote est un jeu d'enfant! Un autre élément stimulant est le son que produit le coyote qui danse : certains disent que c'est le coyote qui hurle, d'autres disent que c'est l'avion qui passe.

Pour faire danser cette toupie, on l'enroule bien entendu d'un fil. On passe ensuite le bout de ce fil dans le trou d'une petite planchette. Puis on tire sur le fil en retenant la planchette, comme si on partait un moteur de tondeuse ou encore de moto. Voilà, c'est simple, efficace et très amusant.

Un vrai petit jeu comme je les aime!

La maraca qui danse!

Jeu de toupie

Joueurs: individuel.
Équipement: toupie coyote, allure de *maraca;* soit une calebasse ou une noix de coco percée de petits trous et complétée d'un bout de bois; fil et planchette de bois avec trou dans lequel on passe ledit fil.
Objectif: faire tourner et résonner la toupie.
Technique: enrouler fil autour de la toupie; passer le bout du fil dans le trou de la planchette; tirer sur le fil en retenant la planchette.
Source: Comité de juegos tradicionales de San Marcos SB, Bo. Sta. Rosa, San Marcos, Sta. Bárbara, Honduras. *nelsonmedinapuerto@yahoo.com*

Zoooo...

Les Iraniens

Zooo... est un jeu de poursuite qui rend la tâche extrêmement difficile au poursuivant. Vous allez voir, ce n'est pas évident!

Les joueurs forment deux équipes, les poursuivants ou chasseurs et les poursuivies ou proies. Les proies se positionnent à leur gré dans une aire de jeu pré-délimitée. Cet espace devrait être assez petit pour que le chasseur puisse atteindre ses proies au bout de quelques efforts. L'autre équipe reste à l'extérieur de cette aire et se choisit un chasseur. Mouchoir à la main, celui-ci prend alors une grande respiration et, retenant son souffle, s'élance à la poursuite de ses proies en sautillant sur un pied et en exhalant le son *zoooooooooooooooooo* en continu. Quel programme!

Toutes les proies que le chasseur touche de son mouchoir se retirent de l'aire de jeu, éliminées. Lorsqu'il n'en peut plus et avant qu'il ne s'évanouisse, notre chasseur retourne à son équipe et passe le flambeau, ou plutôt le mouchoir, à un joueur qui n'a pas encore chassé. Ce nouveau chasseur procède comme le premier. L'action se répète ainsi jusqu'à ce que toutes les proies aient été éliminées. Les équipes inversent alors leurs rôles et le jeu reprend de plus belle.

Ce qui est merveilleux de ce jeu iranien c'est la combinaison inhabituelle entre les différentes composantes du jeu. Sautiller sur un pied par exemple, c'est typique de tous les jeux de marelle. Et le jeu indien *langdi langdi* met même en scène un chasseur qui poursuit des proies en sautillant sur une patte. Soit-dit en passant, *langdi langdi* veut dire «boiteux boiteux» ...et vlan pour la rectitude politique!

D'un autre côté, le mouchoir est bien sûr la base du jeu du mouchoir. Cet universel jeu de poursuite est connu sous les noms de *jogo do lenço, drop the handkerchief* et j'imagine des dizaines d'autres noms. Au Sénégal on joue aussi au *lagan buri:* un joueur cache un mouchoir et celui qui le trouve poursuit les autres avec. Les espagnols quant à eux ont un jeu où deux équipes s'affrontent pour arracher un mouchoir que tient l'arbitre... mais ça c'est une autre histoire.

Finalement, il existe un bon nombre de jeux qui demandent de retenir son souffle —en dehors de l'eau, s'entend! Ces trois suivants vont plus loin: ils mettent tous en jeu un chasseur qui retient son souffle en exhalant un son continu. On est rendu très proche de Zooo.... *Dho-dho-dho* de la New Games Foundation et la *Guerre des sons* de la Société Nouveaux jeux et rituels sont tous deux ce que l'on appelle des *new games,* des descendants du vénérable *kabbadi,* un sport national de l'Inde qui fait près de 4 000 ans *(Voir kabaddi, P. 44).*

Si l'on fusionne les deux jeux indiens *kabbadi* et *langdi langdi,* on obtient un jeu similaire à *zooo...,* le mouchoir en moins.

Et voilà le mystère: ces deux jeux indiens sont-ils devenus un seul quelque part dans le temps? Et si c'est le cas, pourrait-on relier le jeu perse appelé *zooo...* à ces jeux traditionnels indiens?

Zoooooooooooooooooooooooooooooo

Jeu de poursuite

Six joueurs et plus divisés en deux équipes
Aire de jeu: déterminée par consensus; variable selon le nombre total de joueurs.
Déroulement: une équipe se place à l'intérieur de l'aire de jeu; un joueur de l'autre équipe pénètre cette aire afin de capturer ses adversaires; pour ce faire il doit les toucher avec un mouchoir; de plus il doit se tenir à cloche pieds et retenir son souffle en exhalant le son *zooooooooooooooooo* en continu.
Sources: Women Sport for All Association I. R. Iran, Hejab St. Keshavarz Blvd., Women Sport Deputation, Tehran. I.R. Iran
Dho-dho-dho: New Games Book, Doubleday& Company, Inc., Garden City, New York, 1976
Guerre des sons: Jouer pour rire, R. Blais & P. Chartier, Louise Courteau Éditrice, Montréal 1989, www.paulchartier.com

Kabaddi et kho-kho

Texte de Valérie Panel Watine
Photos d'Arnaud Drijard
www.unmondedesports.com

Le kabaddi est un des sports indiens les plus populaires. Nous choisissons de découvrir cette pratique à l'occasion du tournoi du Kerala organisé dans la petite ville de Pulpally au sud de l'Inde. Nous sommes accueillis comme des rois par les organisateurs qui n'en reviennent pas de voir des occidentaux s'intéresser à ce jeu.

Nous suivons le cortège à travers toute la ville. La circulation est arrêtée et les commerçants cessent leur activité le temps du défilé. C'est l'arrivée dans le stade. La cour d'une école a été aménagée pour l'occasion. Les lignes des terrains de Kabaddi viennent d'être tracées à la peinture blanche. Les haut-parleurs perchés à plusieurs mètres de hauteur sur des bambous crachent les longs discours officiels de la cérémonie d'ouverture.

C'est la première fois que cette petite ville de montagne reçoit chez elle le tournoi interdistricts de kabaddi. La manisfestation débute par un défilé. Toutes les équipes de l'état du Kerala marchent au rythme de la fanfare de la ville qui ouvre la marche. Chaque capitaine désigné porte-drapeau affiche fièrement les couleurs de son club.

18h, les tournois féminins et masculins sont lancés. Les équipes s'affrontent devant 5000 spectateurs agglutinés derrière les barrières de bambou montées pour l'occasion. Plusieurs arbitres sont déployés autour du terrain pour suivre la rencontre.

Kabaddi et Kho-Kho

Au coup de sifflet, un joueur désigné par son équipe franchit l'axe central et se lance à l'attaque criant « kabaddi, kabaddi, kabaddi ». Il touche un des sept joueurs adverses, esquive un piège et retourne dans son camp.

Après 24h de jeu, les spectateurs manifestent toujours leur enthousiasme lançant un «OLE» à chaque esquive de plaquages, et applaudissant les phases de jeu spectaculaires. Certains contestent l'arbitrage hurlant à pleins poumons.

Les rôles sont maintenant inversés. Pas de répit. Cette fois, l'attaquant est encerclé, bloqué. Sa cheville est attrapée. Son buste est soulevé. C'est le plaquage. Dernière tentative au sol, il tend le bras en direction de son camp. Seul un doigt posé derrière la ligne suffirait. En vain. Cette fois, c'est fini. Il est pris et doit sortir du jeu. Les phases d'attaque et de défense se succèdent. Au fil de la rencontre, la tension monte.

Une équipe prend le dessus et finit par éliminer tous les joueurs du camp adverse. C'est la qualification pour le prochain tour. Il faudra en gagner des matchs pour atteindre la finale le lendemain après-midi.

Kabaddi et kho-kho - suite...

Chez les hommes, c'est la grande et performante équipe de Kasaragod face à Alapuzha, qui gagne la coupe pour la 8ème année consécutive. Dans cette équipe, tous les joueurs ou presque ont représenté ou représentent encore l'État du Kerala aux «All India Games», et deux d'entre eux, Kumas et Shredavan âgés de 30 ans, ont joué pour l'équipe de l'Inde.

Chez les filles, l'équipe de Trishur l'emporte. Au sifflet final, toute l'équipe saute de joie et se jette aux pieds du coach. Shyia, membre de l'équipe et élue meilleure joueuse de l'Etat du Kerala, nous confie les larmes aux yeux : «Kesavadas est comme un dieu pour nous, nous le bénissons pour tout ce qu'il nous a appris».

M. Kesavadas entraîne ces jeunes joueuses à l'université de Calicut. Il est expert en Kabaddi et aussi en Kho-kho, l'autre vénérable sport indien. Et c'est grâce à M. Kesavadas que nous assistons à un entraînement de Kho-Kho quelques jours plus tard dans la ville de Calicut.

Vient le moment de la finale, le public survolté est plus que jamais derrière son équipe favorite.

Kabaddi et Kho-Kho

Il n'est pas encore 6 heures du matin, une centaine d'étudiants foulent la terre rouge du stade universitaire. C'est l'échauffement sous les premiers rayons du soleil. Puis vient l'entraînement du kho-kho.

Souvenez-vous des jeux du «Chat» et de la «Tag», le Kho-Kho pourrait bien être son cousin indien. En plus élaboré.

165

Kabaddi et kho-kho - suite...

Car il demande vitesse, endurance, mais aussi souplesse et tonicité pour parfaire les différentes techniques d'attaques, comme le pivot, ci-dessous, ou encore le plongeon, à droite.

Manuchakravarthy, un jeune joueur, est fier de rappeler que les gens de hautes castes se sont un jour intéressés à ce sport pratiqués par les pauvres. 'Mon plus grand rêve est de voir le Kho-Kho joué partout dans le monde !'. Un rêve qui sera peut-être un jour réalisé pour un sport qui a déjà traversé les frontières en s'invitant en démonstration aux premiers Afro-Asian Games en Inde en 2003.

Texte de Valérie Panel Watine
Photos d'Arnaud Drijard

Voir textes kabaddi p.44 et kho kho p.47.

Kabaddi et Kho-Kho

Jeux de
Roulés / Lancers

Aunt Sally
Tante Sally

Les Anglais

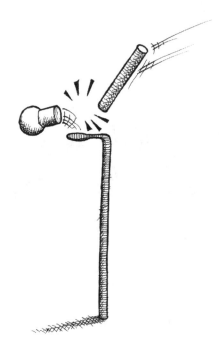

Avis aux lecteurs: ce jeu au nom si débonnaire cache fort probablement un passé très sanglant!

Aunt Sally est un jeu de pub anglais qui se pratique exclusivement en Oxfordshire. Son objectif est de lancer un bâtonnet pour frapper une petite quille. Mais les apparences sont parfois trompeuses.

En effet, une théorie attribue la paternité de ce jeu au sport barbare du *throwing at cocks:* le lancer sur les coqs. Au lieu de la petite quille trapue d'aujourd'hui, on se servait alors pour cible d'un coq vivant. Les joueurs faisaient ce qu'ils pouvaient pour le préparer pour la table, si vous voyez ce que je veux dire. Le jeu s'appelait aussi *cock throwing* et *hen trashing,* soit, en français: «donner une volée à la poule». Comme son

nom le suggère, il consistait en un massacre de volaille. On lançait de petits gourdins appelés *cok-steles* sur un coq ou une poule attaché à un poteau. Et, si par mégarde on brisait les pattes de la victime, on supportait la pauvre avec des petits bâtons jusqu'à ce que la tâche soit accomplie. Signe des temps...

Les «bloody Englishmen» des dix-septième et dix-huitième siècles n'étaient pas les seuls à cibler les oiseaux de cette manière, loin de là. Les Portugais, pour ne mentionner qu'eux, ne donnaient pas leur place. Ils avaient en effet leur propre jeu du coq, le *jogo do galo (Voir Jogo do galo, P. 84).* Dans un jeu comme dans l'autre, le coq se retrouvait comme le dindon de la farce, si l'on peut dire…

Des siècles auparavant à travers l'Europe, les guildes d'archers et d'arbalétriers se servaient de perroquets et de coqs vivants pour cibles. Lors de tournois, ils couronnaient d'ailleurs plus souvent qu'autrement le gagnant du titre de « roi coq » pour toute une année. Cette tradition de couronnement existe encore aujourd'hui. La tradition de l'oiseau vivant ciblé a par contre fait place depuis longtemps à une variété de cibles manufacturées, telles les *gaaien,* tirées du sport flamand du tir à l'arc à la perche verticale *(Voir Handboogschieten op de staande wip, p. 112).*

Aujourd'hui, *Aunt Sally* est le clou de maintes soirées passées en bonne compagnie en Oxfordshire. La prémisse du jeu est simple: renverser, à l'aide de bâtons de lancers, une petite quille blanche appelée *dolly* installée sur un piquet de métal. Comme il sagit de frapper la quille avant de toucher le piquet, le défi n'est pas simple. Le jeu se joue en ligues et on peut sans crainte affirmer que, n'eût égard au caractère innocent de son nom, *Aunt Sally* propose aux habitués des pubs d'Oxfordshire un divertissement fort apprécié et un niveau de défi fort intéressant.

Tante Sally, frappe Dolly!

Jeu de lancers

Joueurs: 2 équipes de 8.
Dolly: petite quille blanche d'environ 15 cm de haut sur 7 cm de diamètre.
Bâtons de lancers: arrondis, mesurant 45 cm de long sur 5 cm de diamètre.
Piquet de métal: debout à hauteur d'un mètre du sol; avec un espace au-dessus pour poser la quille.
Ligne de tir: à 9 m de la *dolly.*
Joute de ligue: 3 rondes appelées *horses,* chevaux; chaque joueur a 6 bâtons; pour un total de 48 lancers par ronde par équipe.
Pointage: renverser une *dolly* compte pour un point si le bâton n'a pas préalablement frappé le piquet.
Record: le record pour un cheval de 3 rondes tourne autour de 40 points pour 144 lancers.
Référence: Traditional Sports and Games Society, University of Luton, Bedfordshire, United Kingdom.
Site Web: www.tradgames.org.uk/games/Aunt-Sally.htm

Bocce

Les Italiens

Les joueurs de *bocce* que je connais sont des passionnés. À les en croire, leur jeu remonterait à plus de 7000 ans. Et ce n'est pas tout: ce serait le sport le plus pratiqué au monde après le soccer! Mettons cela sur le compte de l'enthousiasme.

Et n'allez pas argumenter avec eux là-dessus ou plutôt si. À les voir jouer, certains observateurs pourraient bien conclure qu'argumenter fait partie du jeu. Pour ma part, je leur réponds du tac au tac: le *bocce* n'est pas un sport, c'est une excuse. Une bonne excuse pour sortir de la maison, passer du bon temps entre copains, prendre un petit verre de rouge, faire un petit pari et… argumenter amicalement à l'italienne!

Ramener les origines du *bocce* à soixante-dix siècles ou plus, ce n'est pas inexact, d'un certain point de vue. Mais c'est sûrement étirer la sauce. Il est vrai que les premières traces de jeux de boules ou de pierres remontent à 5200 ans avant notre ère, en Égypte ancienne. Mais tant qu'à remonter jusque là, pourquoi ne pas remonter à la préhistoire? Après tout, lancer des pierres sur une cible est assurément le jeu le plus ancien de l'Humanité! Tiens tiens, me voilà embarqué dans l'amusant engrenage de l'argumentation.

Puisqu'on parle d'un jeu d'origine italienne, ne serait-il pas plus sage et logique d'accorder la paternité du *bocce* aux romains? En effet, c'est en Rome antique que l'on retrouve les premières traces véritables d'un jeu apparenté au *bocce*.

Mais je suis prêt à jeter du lest, mettez ça sur le compte de l'amitié. Il est vrai que les romains n'ont jamais hésité à puiser dans les cultures des autres, et particulièrement auprès des grecs, qui jouaient des jeux de boule il y a de ça près de trois mille ans. Ainsi il est possible que le jeu de boules égyptien ait éventuellement fait son chemin en Grèce peut-être via Babylone, puis de la Grèce à Rome.

On dit qu'au départ les romains auraient joué avec des noix de coco importées d'Afrique, avant de se mettre à sculpter des boules dans du bois dur d'olivier. L'activité devint le sport des leaders et notables romains, à commencer par l'empereur Auguste. Et une fois dans le giron de Rome, le jeu de boules put tranquillement se disséminer dans tout l'Empire.

C'est ainsi que le jeu connut au fil des siècles une popularité grandissante partout en Europe, et ce tant auprès de la paysannerie que de la noblesse. Tant et si bien qu'il fut interdit pour raisons d'État aux XIIIe et XIVe siècles par les rois de France Charles IV et Charles V. Les jeux de boules menaçaient en effet la sécurité de l'État parce que les gens préféraient y jouer plutôt que de s'entraîner au tir à l'arc et aux autres exercices militaires. De même, le jeu fut frappé d'interdit à Venise au cours du XVIe siècle; les joueurs pris en flagrant délit de jouer étaient emprisonnés et condamnés à l'amende. Pour sa part, l'église catholique renchérit en interdisant formellement les jeux de boule à son clergé. Après tout, le jeu encourageait les paris. Tout ce remue-ménage n'empêcha pas les Galilée, Da Vinci, Garibaldi et autres grands de ce monde de proclamer les vertus de bocce, et aux bonnes gens de le pratiquer tout simplement.

Le bocce est reconnu comme sport de calibre depuis 1896, alors que se déroula à Athènes la première olympiade de bocce. Et le XXe siècle fut bon pour le bocce. La première ligue italienne fut établie en 1947. Elle regroupait 15 équipes de Rivoli et des environs. Cette année là marqua aussi le début d'un tournoi annuel d'envergure, les Championnats du monde de bocce.

Le bocce connut aussi au XXe siècle un développement international tout azimut, directement relié à la forte émigration de la population italienne. La communauté italienne de Montréal, par exemple, est aujourd'hui forte de 250 000 membres. Pour les italo-montréalais, pratiquer le bocce va de soi. Ça se joue dans les parcs comme dans des centres intérieurs spécialement aménagés. C'est ainsi que le jeu se développa de par le monde, cahin-caha, chaque groupe d'immigrants implantant dans son nouvel environnement la façon de jouer de sa région natale. Le Collegium Cosmicum ad Buxeas, l'organisation prééminente de bocce installée à Rome, finit par mettre de l'ordre dans ce fouillis créatif. Et pour clôturer les années 1900 en beauté, le bocce fait partie des World Games depuis 1991.

Le bocce s'apparente fortement à sa cousine, la pétanque française (Voir pétanque, p. 198). Les deux activités se jouent en effet de la même manière conviviale près des cafés dans les villages, et, toutes deux sont de plus en plus pratiquées toute l'année durant en ville, dans des centres intérieurs.

Les trois grandes différences entre le bocce et la pétanque sont la taille des boules, la surface de jeu et la position de départ des joueurs. Les boules de bocce sont plus grosses. La surface du jeu de bocce est bordée d'une bande en bois de 10 cm de hauteur alors que la pétanque se joue sans bordures. Et pour finir, les joueurs de bocce amorcent leur lancer par un élan sur quelques pas, alors qu'au lancer les joueurs de pétanque gardent les pieds bien ancrés au sol à l'intérieur d'un cercle.

Enlevez ces particularités et on parle presque du même jeu. Dans les deux cas les boules peuvent soit être lancées ou roulées. Les points sont comptés en fonction de la proximité des boules à la cible. Et les cibles, cochonnet et pallino, sont toutes deux des petites boules de bois. Le cochonnet est à la pétanque ce que le pallino est au bocce.

Le pallino est lancé par le joueur qui amorce le jeu, qui poursuit alors en lançant une de ses boules. Un joueur de l'équipe adverse lance alors une boule à son tour, tentant de la placer plus près du *pallino* que l'autre. Le prochain lancer revient ensuite à l'équipe dont la boule n'est pas la plus rapprochée du *pallino,* et ainsi de suite jusqu'à ce que toutes les boules aient été lancées. Alors l'équipe avec la boule la plus rapprochée du *pallino* emporte le round et compte pour un point chacune de ses boules qui sont plus rapprochées de la cible que la boule la plus proche de l'équipe opposée.

Simpatico e popolare

Jeu de boules - Bocce

Joueurs: 2 équipes, en simple, double ou quatuor.

Objectif: rapprocher les boules de son équipe le plus près possible d'une cible, le *pallino.*

Surface de jeu: peut varier entre environ 18,3 m à 27,5 m de long par 2,4 m à 4 m de large; bordée par des bandes de bois hautes d'environ 10 cm.

Nombre de boules: en simple, 2 boules par joueur; en double et quatuor, 4 boules par équipe.

Boules: de métal creuses; pèsent environ 1 kg et mesurent environ 10 cm de diamètre.

Pallino: petite boule de bois servant de cible et lancée par le joueur qui amorce le jeu.

Pointage: L'équipe avec la boule la plus rapprochée du pallino compte un point pour chacune de ses boules plus rapprochées de la cible que la boule la plus rapprochée de l'équipe opposée; le jeu se joue pour un certain nombre de points, par exemple 9, 11, 13, 15 points.

Source: Federazione Italiana Giochi e sport Tradizionali, Via Martiri dei Lager 65, 06128 Perugia, Italia.

Site web: www.ibocce.com

Bolo Leonés
Quilles de Léon

Les Espagnols

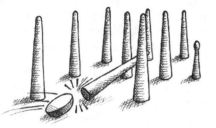

Voici un jeu de quilles ancien qui nous provient d'Espagne. Notez ses particularités: une des quilles est plus petite que les autres, et la boule est en fait une demi-sphère. Ce n'est pas simplement en la roulant qu'elle arrivera là où l'on veut!

Le jeu de quilles est le jeu traditionnel géographiquement le plus répandu en Espagne: on doit ainsi aux espagnols plus de cinquante variétés de ce jeu, que l'on peut grosso modo regrouper en trois catégories: les jeux de boules sans emprises, les jeux de boules avec emprise et les jeux de *pasabolo*.

Dans les jeux de la catégorie sans emprise, on lance les boules dans les airs et en deux temps: le lancer initial de longue distance est suivi d'un lancer rapproché depuis le point d'arrivée de la boule. C'est le cas du jeu de quilles de Léon, même si on ici parle alors d'une demie-boule. Dans la catégorie des jeux de boule avec emprise, on roule les boules, plus lourdes à partir d'un seul lancer. Il en est ainsi de la plupart des variantes basques-espagnoles du jeu, de même que de bien des variantes les plus populaires du jeu en Europe. À la différence des deux autres catégories de jeux de quilles espagnoles, le style *pasobolo* veut que l'on lance les boules sur les quilles avec force dans le but non seulement de les faire

tomber, mais encore de les déplacer le plus loin possible de leur point de départ.

Selon la variante du jeu que l'on pratique en Espagne, le nombre de quilles mises en jeu peut osciller entre 3 et... 22! Le *bolo leonés* se joue quant à lui avec dix quilles, neuf de taille standard et une quille supplémentaire, plus petite et posée un peu à l'écart. L'excentricité de cette dixième quille peut laisser supposer qu'à l'origine ce jeu se pratiquait avec neuf quilles, à la manière préférée de bien des Européens du quinzième siècle, tant allemands que suisses, hollandais, français et anglais. Ces derniers appelaient d'ailleurs cette version populaire du jeu *ninepin* bowling, soit bowling à neuf quilles.

Le bowling à dix quilles est sans contredit la variante du jeu la plus populaire aujourd'hui dans le monde. Mais ce jeu n'est pas pour autant d'origine léonaise. Ce jeu à dix quilles provient plutôt du *ninepin* et d'autres jeux européens similaires à neuf quilles. Et cette version maintenant universelle du dix quilles doit son existence non pas aux espagnols mais aux américains... et à leur habileté à contourner les lois à leur avantage.

Le *ninepin* arriva en effet sur les rives du continent américain via les hollandais puis avec les colons européens dans leurs vagues successives. Le bowling se pratiquait alors dans les tavernes et donnait donc lieu à des scènes de beuverie, de gageure et de combats à faire rougir de honte les bien-pensants puritains. C'est ainsi qu'en 1837 l'État du Connecticut, dans l'espoir d'enrayer le fléau du temps libre et de ses effets pervers, bannit tout simplement la pratique du *ninepin*.

Les amateurs de quilles répondirent à cette menace en deux étapes: ils formèrent des clubs de bowling dûment licenciés et ils ajoutèrent au jeu une dixième quille, ce qui leur permit de contourner l'interdiction spécifique du jeu de neuf quilles. Et c'est sous cette forme nouvelle et grâce à l'apparition de ces clubs que le jeu de quilles tel que l'on le connaît aujourd'hui prit son envol. Mais revenons à nos moutons léonais.

On retrouve la première mention du *bolo leonés* dans la littérature en 1611. On peut donc présumer qu'il se pratiquait bien auparavant. En 1726, le *Diccionario de Autoridades,* le dictionnaire espagnol des Autorités, en faisait une description très adéquate, dont voici la traduction libre: «Voici un jeu bien connu en Espagne. Il consiste à dresser au sol neuf quilles en trois rangées équidistantes, séparées d'une distance d'une main et parfois moins. À côté de ces neuf quilles, on dresse une autre quille appelée le *diez de bolos,* soit la dixième quille. Puis, on lance une *bola* à partir d'une ligne que l'on aura préalablement tracée au sol. Celui qui fait tomber les quilles qui se trouvent après celle appelée *diez de bolos* l'emporte. Si la *bola* s'arrête avant, cela s'appelle *cinca* et alors, même si on a abattu des quilles, ça ne compte pas. Le jeu reprend ensuite là où les *bolas* se sont arrêtés.»

À partir de cette définition presque tricentenaire du jeu de quilles espagnol, qu'en est-il du *bolo leonés* d'aujourd'hui? Pour commencer, les *bolas* prennent toujours la forme d'une demie sphère. On retrouve toujours nos neuf quilles identiques disposées en trois rangées équidistantes, ainsi qu'une petite dixième quille (voir illustration). Cette dernière porte maintenant le nom de *miche.* Les quilles sont disposées dans un espace appelé le *castro.* On lance toujours les bolas à partir d'une ligne tracée au sol, en fait à partir d'un carré appelé *mano.* Si la boule n'entre pas dans le *castro* ou encore qu'elle y entre mais n'abat que la quille la plus proche de la *miche* (appelée *cincón),* le coup ne compte pas. Si la boule s'arrête hors de la ligne d'arrêt qui encercle le *castro,* on peut alors la relancer à partir de l'endroit où elle s'est arrêtée.

C'est l'équipe partante qui détermine l'emplacement du *mano.* Une fois le *mano* dessiné au sol, l'équipe adverse place la *miche* à l'endroit de son choix d'un côté ou de l'autre du *castro,* à sa droite ou à sa gauche, plus près ou plus loin de la quille la plus rapprochée, celle appelée *cincón.* Une seule autre quille régulière porte un nom spécial. Il s'agit de la quille du milieu, qui porte le nom d'*el medio.*

Finalement, trois lignes sont tracées au sol, la ligne de *once,* la ligne complémentaire et la ligne d'arrêt. Ces lignes aideront à déterminer la validité et la valeur des lancers. La ligne de *once* relie le *cincón* à la *miche;* la ligne complémentaire relie la *miche* à la première quille de la troisième rangée; et la ligne d'arrêt encercle le *castro* à une distance précise de la quille du milieu, *el medio.*

Le jeu consiste bien sûr à faire un maximum de points. Mais on ne cherche pas ici à simplement à abattre toutes les quilles. Au contraire, le jeu est tout en subtilités: on peut effectivement faire plus de points d'un coup au *bolo leonés* en envoyant sa boule parmi les quilles sans en abattre une seule qu'en les abattant d'un lancer magistral!

Le joueur compte en effet six points s'il fait entrer sa boule dans le *castro* de manière à ce qu'elle s'arrête avant d'atteindre la ligne formée par la dernière rangée de quilles. Il obtient ce pointage s'il n'a pas abattu de quilles ou encore s'il n'en a abattu qu'une seule. S'il abat plus d'une quille dans ces circonstances, il ajoute à ses six points un point de plus par quille abattue. Sauf pour la quille au milieu, *el medio* et la *miche.* S'il abat *el medio,* ce coup lui vaut deux points de plus et s'il abat la *miche,* il obtient quatre points additionnels.

Chaque joueur peut lancer la boule à deux reprises à chaque tour. La partie se joue pour quarante points, ou moins en version récréative. Paré pour une partie de quilles à la manière de Léon?

Bola en el castro!

Jeu de quilles - Bolo Leonés

Joueurs: en simple, en double ou de 3 à 5 joueurs par équipe.

Court: appelé *bolera;* 25 à 30 m de long sur 8 à 10 de large; comprend 2 zones, le *castro* et le terrain de jeu.

Castro: zone dans laquelle sont disposés les quilles.

Terrain de jeu: zone entre la *mano* et la fin du jeu, soit au-delà du *castro.*

Boules: appelées *bolas;* demi-sphères mesurant 13 à 16 cm de diamètre; faites de bois dur et qui pèsent entre 800 grammes et 1 kg.

Quilles: appelées *bolos;* 9 quilles identiques de forme conique mesurant de 50 à 55 cm de haut avec un diamètre de 10 cm à la base et de 5 cm à la cime; une dixième plus petite appelée *miche,* mesurant de 25 à 30 cm de haut avec un diamètre de 7 cm à la base et 5 cm à la cime; la quille au milieu des autres est appelée *el medio;* la quille la plus proche du *miche* est appelée *cincón.*

Disposition des quilles: les 9 quilles ordinaires sont disposées dans le *castro* en 3 rangées de 3, chaque rangée espacée de 55 cm l'une de l'autre; la *miche* est placée sur l'un ou l'autre des côtés du *castro* par l'équipe qui ne commence pas la partie.

Lignes tracées au sol: la *mano,* la ligne de *once,* la complémentaire et la ligne d'arrêt.

Mano: ligne de lancer des *bolas;* le joueur qui commence la partie trace au sol un cadre d'un mètre carré.

Ligne de *once:* relie la quille appelée *cincón* à celle appelée *miche.*

Ligne complémentaire: relie la *miche* à la première quille de la troisième rangée.

Ligne d'arrêt: circonférence entourant le *castro* avec un rayon de 2 m 25 depuis la quille du milieu, *el medio.*

Ligne de tir: ligne imaginaire appelé *linea de tiro* qui passe par la *mano* jusqu'au centre du *castro,* coupant le court en deux parties égales.

Règlements: l'équipe qui débute trace la *mano,* le carré de lancer, puis l'équipe adverse place la *miche* sur un des côtés du *castro;* chaque joueur peut lancer la boule deux fois; si au premier lancer la balle s'arrête hors de la ligne d'arrêt, le deuxième lancer s'effectue à partir de l'endroit où la boule s'est arrêtée.

Pointage: cumulé selon le nombre et le type de quilles abattues, le lieu d'arrêt de la boule, et les bonifications; 6 points si la boule s'arrête dans le *castro* sans abattre de quilles ou en abattant une seule quille ordinaire; un point de plus par quille ordinaire abattue au-delà de la première, 2 points si on abat *el medio* et 4 si on abat la *miche.*

Partie: 40 points.

Source: Asociación cultural y científica de Estudios de Turismo, Tiempo libre y Deporte (AccETTD), Bioy Casares 37, E-10005 Cáceres, España.

Site Web: www.accettd.com

Boßeln (Bosseln)
Boules sur route

Les Allemands

Ah! Les petites routes de campagnes, la nature, l'air pur... Mais gare aux chauffards: ils croient que la route leur appartient. Ne voient-ils pas les pancartes? «Attention! *Boßeln*» Y'a du monde en train de jouer ici!

Chauffeurs d'Europe prenez gare: il y a environ 200 000 joueurs de boules sur route dans le paysage! Les allemands appellent le jeu *boßeln*. Les irlandais appellent leur version *long bullets* et les italiens, *boccia su strada*. Le jeu est aussi populaire chez les hollandais le long de la frontière allemande. Ils appellent leur jeu *klootshieten,* qui veut dire «tirer la motte». Lorsque le pape Jules III traversa cette région en 1551, il se plaignit des *klootschieters*. Apparemment,

ces joueurs de boules préféraient jouer que prier!

À tous les quatre ans, allemands, hollandais, irlandais et italiens se rencontrent lors de Championnats européens de *road bowling.* En 2008 à Skibbereen en Irlande, plus de 2,000 participants d'allemagne, d'Irlande, de Hollande, d'Italie et d'Espagne se donnèrent rendez-vous lors du *World Road Bowling Championships.*

Au cours de ces compétitions internationales, les participants jouent selon des règles qui conviennent à tous: chaque joueur tente de couvrir la plus grande distance possible en dix lancers.

En d'autres circonstances, les joueurs déterminent entre eux un point de départ et un point d'arrivée. Ils essayent ensuite d'atteindre ce but en jouant le moins de coups possibles. Chaque lancer successif est effectué à partir du point d'arrivée du lancer précédent, un peu comme au golf. Le jeu se pratique le long de routes ordinaires, idéalement peu fréquentées par les automobilistes. La distance à couvrir et le nombre de joueurs par équipe peut varier. L'équipe qui termine avec le moins de coups gagne le match.

Les joueurs prennent leur élan, courent, sautent et lancent leur balle depuis cette position de saut élancé. Cette manœuvre rappelle la position élancée des italiens lanceurs de meules de fromage *du lancio della forma del formaggio* (Voir *lancio della forma del formaggio,* p. 194). Tout autant que la force, le lancer requiert de la précision, car il faut non seulement envoyer la boule le plus loin possible mais encore la maintenir sur la piste étroite.

La région allemande de Ostfriesland est le berceau et le rempart du *boßeln*. Partout dans la région on peut entendre le cri de guerre des joueurs de boules sur routes: *lüch up un fleu herut! (qui veut dire en frisien, la langue du* Boßeln: Envole-toi et vole au loin!). Certains disent que le jeu devint vraiment populaire en 1731 une fois que le duc Georg Albrecht l'eût interdit dans la région. Comme quoi la prohibition peut être un instrument de croissance hors pair! C'est le cas du jeu *rayuela (Voir rayuela, p. 203),* qui fut aussi interdit au Chili, ce qui ne l'empêcha pas de croître…à l'ombre!

Avec la venue de routes fiables à partir des années 1900, le *boßeln* connut un nouvel essor. Les joueurs se regroupèrent en clubs et en associations et les matches devinrent plus formels. Si bien qu'aujourd'hui la région comprend 45 000 joueurs, 260 clubs et 10 ligues!

Hormis le trafic automobile, il ne semble y avoir qu'un autre nuage dans le ciel bleu de nos joueurs de boules sur route: les chiens qui s'amusent à courir les boules pour s'en emparer. Ça va pas, non? C'est pas ça le jeu?

Attention! Boßeln

Boules sur route

Objectif: franchir une distance prédéterminée avec le minimum de lancers.
Joueurs: simple, double ou équipes de 4 joueurs.
Boules: de plastique, anciennement en bois; format et poids variant selon l'âge et le sexe du joueur; variation entre 8,5 cm de diamètre et 500 g pour les enfants de 6 à 8 ans jusqu'à 12 cm et 1200 g pour hommes; championnats individuels avec boules irlandaises en métal de 5,8 cm de diamètre et pesant 784 g.
Routes: routes ordinaires, souvent très étroites; 3 m à 4 m de largeur.
Départ: ligne de départ sur la route.
Arrivée: but fixé par les joueurs selon les circonstances; jusqu'à 8 km de distance.
Gagnant: celui qui franchit la distance en faisant le moins de lancers.
Ordre de lancer: le joueur dont la boule tire de l'arrière lance le premier.
Source: Johann Müller - KBV Free-weg, Zum Schirumer Leegmoor e.V., 26605 Aurich, Germany
MuellerJohann@gmx.net

Caliche Murciano

Les Espagnols

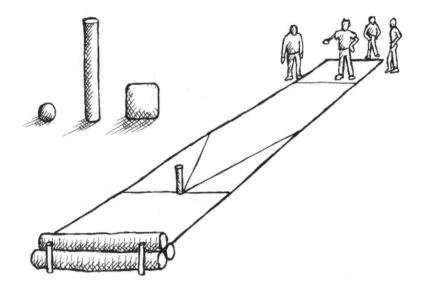

Caliche, c'est un jeu d'habileté et non d'avidité, quoiqu'il s'agisse tout de même de se rapprocher le plus possible d'une pièce de monnaie!

Pour jouer au *caliche,* vous commencez par poser un *caliche* en position debout. Un *caliche,* c'est un cylindre de bois (voir illustration). Puis vous déposez une *moneda,* une pièce, sur ledit *caliche.* Enfin, vous vous installez à une certaine distance et vous tentez de frapper le *caliche* avec un disque ou un carré de métal appelé *moneo.*

Vous voulez deux choses. Premièrement, faire tomber et le cylindre et la pièce au sol. Deuxièmement, que votre *moneo* aboutisse plus près de la pièce tombée que du cylindre. Ça semble assez simple, mais c'est plus compliqué qu'on pense. Évidemment!

Le jeu se pratique en double. Chaque joueur tient deux *moneos.* Le premier joueur lance ses deux *moneos* consécutivement. Il est ensuite suivi par son co-équipier et enfin par ses adversaires. Une fois que quelqu'un a réussi à faire tomber le *caliche,* différentes tactiques pourront être employées afin de gagner la main, ou *mano.*

Si vous avez réussi à faire chuter le *caliche* et que votre *moneo* se trouve plus près de la pièce, et bien formidable, vous avez fait un bon coup. Mais les adversaires pourraient tenter de changer la donne. Par contre, si votre *moneo* atterrit plus près du *caliche,* alors vous avez fait un *ganga,* c'est-à-dire un coup manqué.

Vous pouvez alors transformer votre mauvais coup en bon coup, en *ganga válida.* On peut s'y prendre de deux façons. Certains, par exemple, vont essayer de faire atterrir, d'arrimer leurs *moneos* plus près de la pièce que ceux de l'équipe adverse. Ce coup s'appelle *arrime.* D'autres par contre vont plutôt essayer de frapper le *caliche* pour l'éloigner. Ce coup, c'est l'*arrastre.*

Si votre équipe a le dernier lancer et que vous n'êtes pas encore parvenus à faire une *ganga válida*, alors vous appelez un *arríba*. Le *caliche* est alors remis en position verticale et le dernier lanceur a une chance de le faire tomber dans une position plus avantageuse.

À la fin de la *mano*, de la main, l'équipe dont le *moneo* est le plus près de la pièce compte un point. Voilà qui tombe à point!

¡Arrime, arrastre, arríba!

Jeu de lancer

Joueurs: 2 équipes de 2.

Caliche: cylindre de bois; 20 cm de long, 3 cm de diamètre, posé debout à 7 m de la fin du terrain, 3 m de chaque côté et 25 m de la ligne de tir.

Moneda: pièce de 2 cm de diamètre et 0,2 cm d'épaisseur.

Moneo: aussi appelé *tejo et pieza;* en métal, rond ou carré; 8 cm carrés ou de diamètre; 0, 2 cm d'épaisseur.

Terrain: plat, 35 m de long, 6 m de large.

Ligne de tir: 3 m de la fin du terrain.

Lancers: 2 par joueur, consécutifs, première équipe en premier.

Mano: 8 lancers par 4 joueurs.

Ganga: coup manqué; le *moneo* se trouve plus près du *caliche* que de la pièce.

Ganga válida: bon coup; faire appel soit à l'*arrima* ou à l'*arrastre* pour contrer le coup *ganga*.

Arrima: faire atterrir le *moneo* plus près du *caliche* que les *moneos* de l'équipe adverse.

Arrastre: frapper le *caliche* pour l'éloigner.

Arríba: si au dernier lancer du dernier joueur l'*arrima* et l'*arrastre* ont échoué, le *caliche* est remis debout; c'est le dernier lancer pour refaire tomber le *caliche* en position couchée.

Match: 12 mains, appelées *manos;* chaque *mano* vaut pour 1 point.

Pointage: 1 point à l'équipe qui effectue le meilleur coup.

Source: Asociación cultural y científica de Estudios de Turismo, Tiempo libre y Deporte (AccETTD), Bioy Casares 37, E-10005 Cáceres, España.

Site Web: AccETTD www.accettd.com

Gioco del Ruzzolone

Jeu du Ruzzolone

Les Italiens

Voir Lancio della Forma del Formaggio, p. 194.

Gioco della Ruzzola
Jeu de la Ruzzola

Les Italiens

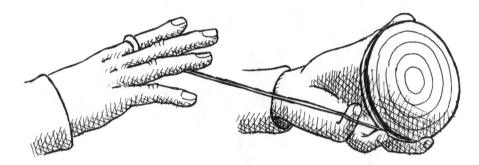

Voir Lancio della Forma del Formaggio, p. 194.

Gorodki

Les Russes

"...Cher père, en votre absence nous jouons au colin-maillard, à la peinture et au *gorodki*. Je vous aime beaucoup et je vous embrasse...»

Ainsi écrivait le jeune prince Aleksey Nikolaevich Romanov, Grand Duc et Tsesarevich de toutes les Russies, à son père le grand tsar Nicholas II. Le jeune Aleksey jouait au *gorodki* tout comme les Russes de tout âge l'ont fait et le font encore aujourd'hui. Les Russes pratiquent ce jeu traditionnel depuis des siècles, qu'ils soient paysans ou tsars, camarades ou capitalistes. Pierre le Grand, qui régna de 1682 à 1725 y jouait, tout comme le faisaient Lénine, Tolstoï, Gorky et même Staline.

Le principe du jeu est assez simple: il s'agit de bâtir une série de figures avec des blocs de bois pour ensuite les démolir en lançant un bâton dessus. Les cinq blocs de bois sont disposés à l'intérieur d'un cercle ou d'un carré et les joueurs doivent les frapper depuis une certaine distance afin de les faire sortir de leur enclos. L'aspect créatif du jeu réside dans la manière dont on dispose les blocs. Ils sont placés de façon à représenter un objet tels une clôture, des murs, des sentinelles, un puits, voire même un avion. Laissez courir votre imagination!

Les bâtons commencent par être lancés depuis une ligne de départ; aussitôt qu'un bloc est frappé hors de son enclos (carré de cibles), le joueur se rapproche à une ligne de mi-chemin d'où il peut compléter ses lancers. En hiver le jeu se pratique souvent sur la glace, ce qui permet de faire glisser les blocs beaucoup plus facilement.

Les Russes comprennent bien la métaphore du *gorodki* qui consiste à frapper des objets pour les éliminer. En 1963, le poète Voznesensky rendit hommage à Lénine en le faisant jouer au *gorodki* dans son poème Longjumeau. Lénine lance son bâton pour détruire empires, églises, et quoi encore!

Au cours des années '50, le peuple polonais renversa la métaphore *gorodki* contre les Russes. Les autorités communistes tentèrent tant comme autant d'imposer le jeu aux Polonais, sans toutefois y parvenir. En refusant d'adopter le jeu, les Polonais posaient un geste de résistance politique et culturelle. C'est ainsi que le bâton communiste ne réussit pas à s'imposer aux blocs de bois représentant l'esprit d'indépendance polonais.

Curieusement, le *gorodki* a certains points en commun avec un jeu traditionnel polonais du nom de *kapele (Voir kapele, p. 188)*. Dans ce jeu, un lanceur de pierres tente de démolir un tas de pierres représentant une chapelle. J'imagine que les communistes auraient eu plus de succès auprès des Polonais s'ils avaient fait la promotion de *kapele* plutôt que du *gorodki!*

Démolition style russe

Jeu de lancers

Joueurs: 2 équipes de 5, ou en simple.

Objectif: déplacer les 5 blocs de bois hors de leur enclos en un certain nombre de lancers de bâtons (2, 3, 4…).

Terrain de jeu: court rectangulaire, longueur et largeur variables, approximativement 10 m à 13 m entre la ligne de départ et le carré de cible (enclos de blocs); divisé au centre dans le sens de la longueur pour former 2 couloirs parallèles, un pour chaque équipe.

Bâtons de lancer: 2, 3 ou 4 bâtons par joueur ou équipe, 80 cm à 100 cm de long; bâtons de bois parfois renforcis de fil de fer ou de plaques de métal; bâton pris dans la main close et lancé de côté avec le bras pour lui imposer un mouvement de rotation; le bâton doit faire une rotation de 360 degrés avant de toucher les blocs.

Blocs de bois: 20 cm de long, 4 cm à 5 cm de diamètre.

Figures de blocs: les 5 blocs peuvent être placés dans n'importe quelle position – sur le côté, réunis pour former des figures, debout en solitaires alors que d'autres reposent au sol, etc. Selon votre imagination.

Carré de cibles: enclos des 5 blocs de bois de 2 m carrés, disposés à chaque extrémité du court.

Lignes de départ: ligne des femmes et enfants à 10 m du carré de cibles; ligne des hommes à 13 m du carré; les bâtons sont lancés de là jusqu'à ce qu'un bloc soit sorti du carré; un bloc qui touche à une ligne n'est pas sorti du carré.

Ligne de mi-chemin: ligne des femmes et enfants à 5 m du carré de cibles; ligne des hommes à 6,5 m du carré; les bâtons sont lancés de là une fois qu'un bloc est sorti du carré.

Pointage: compter le nombre de lancers nécessaires pour sortir tous les blocs du carré; l'équipe avec le moins de lancers gagne la ronde; ou 1 point pour chaque bloc sorti du carré, avec un nombre pré-déterminé de lancers; la première équipe à emporter 2 rondes sur 3 gagne le match.

Source: World Sports Encyclopedia, Wojciech Liponski, Oficyna Wydawnicza Atena, Wawrzyniaka 39, 60-502 Poznan, Poland, www.owatena.com.pl

Haft Sang - Sept Pierres

Les Iraniens

Cela débute comme un jeu de lancers pour ensuite se transformer rapidement en une variante du ballon chasseur. Voyons voir de plus près.

Yek toop, du team, haft sang. En Perse, cela veut dire une balle, deux équipes et sept pierres. *Yek toop,* c'est une balle de tennis. *Du team,* ce sont les deux équipes, celle des attaquants et celle des défenseurs. Et *haft sang,* ce sont sept pierres plates mais arrondies, montées en pile.

Tous les joueurs se placent équidistants du tas de pierres. Les défenseurs montent les sept pierres les unes sur les autres. Les attaquants tentent ensuite à tour de rôle d'aplatir la pile de pierres à l'aide de la balle de tennis. Si les attaquants échouent dans leurs efforts, les équipes changent de rôles et le jeu reprend de plus belle.

Lorsqu'un attaquant réussit à démolir la pile, son équipe au complet accourt sur les lieux pour la rebâtir le plus vite possible. Au même moment, les défenseurs récupèrent la balle et frappent avec celle-ci le plus grand nombre d'attaquants possible afin de les empêcher de remonter la pile de pierres. Tout attaquant alors touché par la balle est immédiatement retiré du jeu.

Les attaquants remportent la ronde s'ils réussissent à rebâtir la pile avant d'être tous retirés du jeu; les défenseurs l'emportent s'ils éliminent tous les attaquants avant qu'ils ne réussissent à remonter la pile complètement.

Le jeu des sept pierres est aussi pratiqué sous plusieurs variantes dans toute la région, entre autres par les arabes, les palestiniens et les indiens. Dans toutes les versions que je connais, la constante qui revient est la pile de sept pierres: quelle que soit la version pratiquée, on en retrouve toujours sept, jamais cinq, six ou huit pierres.

Il existe bien sûr dans le monde d'autres jeux de pierres en pile, mais ils sont joués différemment. Je pense ici au jeu illustré en 1560 par le maître flamand Pieter Bruegel dans son fameux tableau Jeux d'enfants: il montre des gens en train d'essayer d'abattre un tas de pierres (ou de boules) à l'aide d'une autre. Je pense aussi à *kapele* ou *kapela (Voir kapele, p. 188)* un jeu assez proche de *haft sang* qui se joue en Pologne avec cinq pierres montées en chapelle, comme son nom le suggère. Des traditions différentes?

En Palestine, où les pierres dans les mains des enfants servent depuis belle lurette à toutes les sauces, le jeu se pratique comme en Iran sauf que les attaquants se tiennent à environ quatre à cinq mètres de ce qu'ils appellent la «tour» qu'ils cherchent à démolir. On joue ici tout en symboles…

Chez les arabes, les attaquants lancent la balle chacun leur tour d'une distance de plus ou moins un mètre cinquante. Et lorsque la pile s'effondre, la tâche de la remonter revient à ceux qui ont déjà monté la pile plutôt qu'aux attaquants. De plus, un seul membre des défenseurs accourt remonter la pile pendant que ses compagnons se placent entre lui et la balle lancée par les attaquants, et se sacrifient à tour de rôle pour le bien commun.

En Inde, le jeu est connu sous plusieurs noms tels que *lagori sitolia*, *chatti* et *pitu* ou encore *pitthu*. Certaines versions du jeu sont identiques à celle du *haft sang*, alors que d'autres diffèrent considérablement. Là-bas, le jeu des sept pierres sert même de métaphore dans l'enseignement de la musique. En effet, pour composer un *raga*, un air, les sept notes de musique doivent constamment être remontées dans de nouvelles configurations. Il en va de même pour la pile de sept pierres.

Le *lagori* constitue un bon exemple de la façon dont le même jeu de sept pierres peut être joué de manière très différente. Dans ce cas-ci, les sept pierres plates sont montées pour représenter le *mane,* la maison. Les attaquants se tiennent d'un côté du *mane,* les défenseurs du côté opposé. En alternance, les joueurs de chaque équipe lancent trois fois la balle en direction du *mane.* À chaque fois l'équipe adverse se tient prête à attraper la balle au premier rebond car l'attraper ainsi met le lanceur hors-jeu. Une fois le *mane* démoli, les défenseurs tentent de le remonter pendant que les attaquants cherchent à frapper un défenseur avec la balle. Car dans cette version il suffit de toucher un seul défenseur pour que toute l'équipe perde la ronde. Par contre, si les défenseurs réussissent à remonter le *mane,* ils comptent un but, appelé *lagori.* La première équipe à compter sept buts, *yelu lagori,* l'emporte.

En Inde, le *lagori* est essentiellement un jeu de garçons, alors qu'en Iran, le *haft sang* est joué également par filles et garçons, hommes et femmes. C'est d'ailleurs Mitra Rouhi, une amie de la députation sportive iranienne féminine, qui me l'a enseigné.

Yek toop, du team, haft sang

Jeu de lancers

Joueurs: deux équipes d'au moins deux joueurs chacune.
Distance des pierres: variable selon les joueurs; tous les joueurs sont équidistants de la pile.
Attaquants: lancent la balle, démolissent la pile et tentent ensuite de la remonter.
Défenseurs: montent la pile; une fois démolie, se saisissent de la balle et la lancent aux attaquants pour les éliminer.
Gagnant: défenseurs qui éliminent tous les attaquants avant qu'ils puissent remonter la pile; attaquants qui réussissent à remonter la pile avant d'être tous éliminés.
Élimination: tout attaquant frappé par la balle lancée par un défenseur.
Source: Women Sport for All Association I. R. Iran, Hejab St. Keshavarz Blvd., Women Sport Deputation, Tehran. I.R. Iran.

Jukskei

Les Sud-Africains

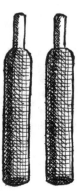

Des conducteurs de chariots à l'esprit créatif et pratique ont inventé le *jukskei* vers 1734. Une chance pour les jeux du monde qu'ils conduisaient des attelages de bœufs!

À l'époque, ces voituriers d'Afrique du Sud parcouraient à l'époque le pays pour acheminer les provisions. Dans leurs temps libres, ils se regroupaient et se lançaient des défis d'adresse avec ce qu'ils avaient à portée de main: les *skeis* de leurs chariots. Les *skeis* sont en fait des *yokes,* c'est-à-dire les chevilles des attelages des bœufs qui tiraient leurs chariots. Ils avaient donc avec eux une grande quantité de *skeis,* ou *yoke-skeys,* des chevilles de *skeis. Jukskei* provient donc du mot *yoke-skei.*

Ces conducteurs, et plus tard les pionniers Voortrekker des années 1800, plantaient ainsi un *jukskei* dans le sol sablonneux. Puis ils tentaient de l'abattre en le frappant à partir d'une certaine distance à l'aide d'autres chevilles. La pratique en prit tout un coup lorsque les chemins de fer remplacèrent les chariots à bœufs, mais on finit par retrouver le jeu sur les plages, pratiqué par les vacanciers. Les *skeis* traditionnels étaient remplacés alors par des quilles de bois et des piquets. Aujourd'hui, les *skeis* sont en

caoutchouc dur et prennent la forme d'une bouteille. Les piquets de bois se retrouvent quant à eux plantés dans des carrés de sable.

Tout comme pour le jeu de lancers de fers à cheval (voir lancer de fers à cheval, p. 192), et pour *quoits (voir quoits, p. 201),* l'aire de jeu se compose de deux carrés de sable comprenant chacune une zone de lancer derrière. À partir de ces zones, les joueurs lancent leurs *skeis* vers le carré de sable le plus éloigné d'eux. Le jeu se pratique habituellement entre deux équipes de quatre joueurs. Chaque équipe alterne et chaque joueur lance deux *skeis* à son tour.

L'objectif est d'abattre le piquet qui y trône, ou tout au moins de s'en approcher le plus possible. L'objectif est aussi d'annuler les bons coups de ses adversaires en les reproduisant. En effet, si les deux équipes ont le même nombre d'abats, personne ne compte de points. On joue pour un total de 23 points très exactement, et l'équipe qui dépasse 23 retourne à 0.

Ainsi en fin de partie, il est fort possible de devoir favoriser l'équipe adverse; *jukskei* devient alors un grand jeu de stratégie!

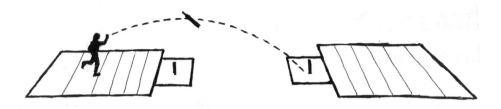

Chevilles d'attelages de bœufs!

Jeu de lancer

Joueurs: 2 quatuors.

Skei: en forme de bouteille, en caoutchouc dur (voir image).

Piquets: de bois, plantés dans des carrés de sable.

Aire de jeu: longueur totale 28m; deux carrés de sable distant de 9 m et comprenant chacune une zone de lancer derrière (voir image).

Distance de lancer: homme, 16 m, femmes 14 m, juniors, entre 11 et 14 m selon l'âge et le sexe.

Déroulement: chaque équipe alterne alors qu'un joueur après l'autre lance ses 2 *skeis* afin d'abattre le piquet dans le carré de sable ou de s'en rapprocher le plus possible, ou encore d'annuler les bons coups de l'équipe adverse. Aucun point alloué si les 2 équipes cumulent le même nombre d'abats.

Pointage: 3 points pour avoir abattu un piquet; 1 point pour chaque *skei* à 460mm ou moins d'un piquet, pour tous les *skeis* de l'équipe avec le *skei* le plus près du piquet.

Match: de 23 points très exactement: l'équipe qui dépasse ce pointage perd si elle n'est pas capable de baisser son score en lançant ses *skeis* pour favoriser ceux de l'équipe adverse.

Site Web: www.petanque.co.za/jukskei.htm et www.jukskei.co.za/ReelsverkE.htm

Kapele

Les Polonais

Symboliquement, ce jeu polonais consiste à démolir une chapelle. Il est curieux de voir un tel jeu de démolition de chapelle nous provenir de la Pologne, pays si fortement associé au catholicisme. Je me demande si Karol Wojtyla était un fan?

Karol a sûrement joué à ce jeu et a certainement dû y prendre son pied. Je parle ici du défunt pape polonais Jean Paul II, reconnu de par le monde comme un grand sportif au sens de l'humour très développé.

Kapele provient du latin médiéval *capella*, qui veut dire chapelle. Le jeu est pratiqué sur un terrain délimité par un large carré. Au centre de ce carré un large cercle est dessiné. Au milieu de ce cercle s'élève une pile de cinq pierres. Elles ont été montées par le maître de *kapela*. Derrière le carré s'enlignent les joueurs qui tiennent chacun leur pierre de lancer. Le maître de chapelle, quant à lui, se tient hors de portée de la ligne de tir sur la ligne du cercle. Il porte chapeau ou calotte.

Tour à tour les joueurs lancent leur pierre vers la pile. Celui qui parvient à la démolir court alors récupérer sa pierre pendant que le maître accourt de plus belle pour remonter sa pile. Si le maître réussit à le faire assez vite, il lance alors son chapeau sur le joueur qui tente de récupérer sa pierre. S'il l'atteint, ils changent de rôle. Bien entendu, si le joueur réussit à récupérer sa pierre avant que le maître ne réussisse à remonter sa chapelle, ils échangent leurs rôles et le jeu reprend ainsi de plus belle.

Le jeu, aussi connu sous le nom de *kapela,* était un favori des bergers polonais. Un mot d'ailleurs sur les bergers en général: ils sont des créateurs de jeux assez prolifiques. Des bergers sont à l'origine de jeux aussi divers que le jeu de hockey portugais *joca* (Voir Joca, p. 229), l'art martial d'escrime au bâton *Jogo do pau (Voir Jogo do pau, P. 14)* et le défi de saut à la perche *salto del pastor* pratiqué aux Îles Canaries.

Pour en revenir à Jean Paul II, on peut certainement affirmer sans craintes de se tromper que ce véritable icône de la nation polonaise aura su, de son vivant, remplir à la perfection son rôle de berger en chef des catholiques polonais et du monde entier. Mais ça c'est une autre histoire.

Quoique *kapele* ne soit pas un jeu d'équipe, il fait penser à un type de jeux d'équipe largement pratiqué au Moyen-Orient et en Inde. Le jeu iranien *haft sang (Voir Haft Sang, P. 184)* en est un exemple parfait. En Perse, *haft sang* veut dire sept pierres. Vous savez sans doute pourquoi…

Frappe dans le tas!

Jeu de lancers

Joueurs: illimité; idéalement entre 4 et 7.
Terrain: carré, de 14 m de côté avec un cercle au centre.
Cercle: 6 m de diamètre, avec 5 pierres montées en pile au centre.
Maître de *kapela*: monte la pile et la remonte lorsque démolie, puis lance son chapeau sur celui qui l'a démoli.
Lancers: un joueur à la fois; on attend que la pile soit remontée et que le démolisseur de pile soit revenu ou ait remplacé le maître.
Lanceur qui démolit la pile: le lanceur essaie de récupérer sa pierre avant que le maître ne réussisse à remonter la pile et à lui lancer son chapeau; si le joueur est atteint par le chapeau, il remplace le maître.
Sources: Ministry of National Education and Sport, 25 Szucha Str, Poland
World Sports Encyclopedia, Wojciech Liponski, Oficyna Wydawnicza Atena, Wawrzyniaka 39, 60-502 Poznan, Poland, www.owatena.com.pl

Krulbol

Les Flamands - Belgique

Un joueur d'expérience peut lancer sa *krulbol* en lui imposant une courbe. Voilà une bonne manière de contourner les obstacles qui se dressent sur son chemin.

Krulbol, aussi appelé *krulbollen,* est le jeu de boules traditionnel de Flandre. Pratiqué depuis plusieurs siècles, il conserve toujours la faveur de nombreux flamands. Le nom du jeu a justement été donné en raison de ce spectaculaire jeu de courbe. En effet, *krulbol* signifie *curl bowl* en anglais, bol courbe en français.

Le jeu consiste à rouler ou lancer les *krulbols* le plus près possible d'un pieu-cible à partir d'un pieu de départ. Ces deux pieux sont plantés dans le sol à sept mètres l'un de l'autre. Le match se joue en double, soit à l'intérieur sur une base de sable ou à l'extérieur sur de la terre battue. L'équipe dont la *krulbol* se trouve la plus rapprochée du pieu-cible l'emporte. À partir de ce pieu qu'ils ont ciblé, les joueurs relancent ensuite leurs disques en direction du pieu d'où ils proviennent. Le match se joue pour 9 points.

La *krulbol* est lourde, épaisse et est dotée de rebords bombés comme des roues. C'est ce qui permet au joueur habile de lui imposer une courbe lorsqu'elle prend du momentum. Originellement, elle était faite en pierre, comme les *maikas* du jeu hawaiien *'ulu maika (Voir 'Ulu Makai, p. 207).* Maintenant les disques sont confectionnés de matériaux modernes, c'est-à-dire synthétiques.

Les *krulbols* sont roulées, mais on peut aussi les tirer pour frapper et déplacer d'autres *krulbols* qui font obstacle. On fait d'ailleurs de même dans les jeux de boules français et italien, respectivement la pétanque *(Voir pétanque, p. 198)* et le *bocce (Voir bocce, P. 170).* La *krulbol* lancée doit alors atterrir à une distance minimale du pieu ou de la boule qu'elle touche en premier.

Mais vous savez, déplacer un disque plat couché sur le côté en le frappant d'un autre disque, ce n'est pas de la tarte! Au-delà de l'habileté normale requise pour taper et déplacer des boules rondes comme celles de la pétanque et du *bocce,* bouger une *krulbol* couchée exige de la puissance!

surveille la courbe!

Jeu de disque roulé

Joueurs: 2 équipes de 2.

Krulbol: disque lourd, épais; rebords bombés comme des roues; mesure autour de 22 cm de haut sur 8 cm de large; pèse entre 3 et 4 kilos.

Court: terrain intérieur en sable ou extérieur en terre battue; mesure 3 m sur 11 m.

Pieux: les 2 pieux en forme de planche se font face à 7 m de distance; plantés dans le sol à chaque extrémité du court, ils servent en alternance de pieu de départ et de pieu-cible.

Pointage: l'équipe dont la *krulbol* se trouve la plus rapprochée du piquet-cible l'emporte; on compte un point pour chaque disque placé plus près de la cible que le plus proche de l'équipe adverse; match de 9 points.

Technique: la *krulbol* est roulée ou lancée; lancée pour déplacer les disques faisant obstacle; la *krulbol* lancée doit atterrir à au moins 90 cm du disque ou du pieu qu'elle touche en premier.

Source: Vlaamse Traditionele Sporten vzw Polderstraat 76 A bus2 8380 Brugge

Site Web: www.petanque.org/around_the_world/flemish.shtml

Lancer de Fers à cheval

Les Québécois

Les Québécois n'ont certes pas inventé le lancer du fer à cheval. Mais il fait partie de leurs traditions ludiques et culturelles depuis si longtemps.

Pour ma part, je me rappelle avoir toujours été proche du jeu, et mes ancêtres ont certainement eu l'occasion de pratiquer le jeu «en masse» depuis que les Européens sont arrivés sur le continent avec leurs chevaux et leurs gros sabots. Ils ont sans doute fait ce que tout le monde fait depuis l'invention des fers à cheval par les Romains: recycler les fers usagés pour en faire un passionnant jeu d'adresse!

Le lancer de fers à cheval est similaire à un autre vénérable jeu de lancers européen: *quoits (Voir quoits, p. 201),* un cousin des jeux de palet qui consistent à lancer de lourds disques de métal au lieu des fers à cheval. Certains disent que *quoits* aurait engendré le lancer de fers, alors que d'autres soutiennent le contraire. Quoi

qu'il en soit, *quoits* et fers à cheval ont de tout temps été associés l'un à l'autre. Dans certains endroits de l'Amérique du Nord par exemple, les deux jeux portent le même surnom campagnard: golf de basse-cour!

La popularité du lancer de fers à cheval se mit à décliner en Europe au cours du dix-neuvième siècle, soit au moment même où elle connaissait un succès grandissant en Amérique du Nord. En effet, au Canada comme aux États-Unis, le sport était fort apprécié dans les campagnes. Et pour cause: le jeu demande un minimum d'équipement, d'ailleurs à la portée de la main, et peut se jouer de manière informelle dans les cours et les champs.

De nos jours, le jeu se joue avec des fers spécialement adaptés. Ceux-ci comportent des ajustements minimes au niveau des pointes qui permettent de stabiliser le fer une fois atterri. Mais hormis ce détail, l'activité se pratique comme depuis toujours. Les règles diffèrent légèrement d'un pays à l'autre, alors pour les besoins de la cause nous irons avec les règles des canadiens, qui à travers le monde sont reconnus pour leur recherche du consensus. Les québécois qui, comme chacun sait, forment une société distincte, trouveront à ces règles quelques variantes mineures aux leurs. Mais rien pour s'arracher la chemise. André Leclerc de la Fédération des clubs de fers du Québec, est aussi à l'aise dans des tournois au Québec, qu'au Canada et ailleurs dans le monde. Lorsqu'on a joué ensemble, j'ai alors réalisé la différence entre un amateur comme moi et un véritable amateur!

En résumé, l'objectif du jeu consiste à lancer des fers depuis une bonne distance en vue d'atteindre une tige de métal plantée au sol. Le joueur vise, balance son fer vers l'arrière, le ramène devant puis l'envoie voler dans une trajectoire arquée. Si le fer tombe en encerclant le piquet, le lanceur a réussi un encerclement qui lui vaut trois points. Si personne ne réussit à enlacer la tige, celui qui a placé son fer le plus près l'emporte et fait un point pour chacun de ses fers placés plus près du piquet que ceux de l'adversaire.

Les Bretons jouent une variante du lancer de fers pour le moins originale: c'est un jeu en cinq. 4 piquets de bois sont disposés en carré avec le cinquième planté au centre. On joue 5 parties composées d'une série de 5 lancers chacune. Ces 5 lancers par joueur s'effectuent d'une distance de 5 mètres. Les piquets ont des valeurs différentes, allant de 5 à 20 points chacun. Un encerclement vaut dix fois la valeur du piquet alors qu'autrement, tout fer qui touche à un piquet compte pour 5 fois la valeur du piquet. Et tout fer à l'intérieur du carré vaut pour une fois la valeur du piquet le plus proche, soit 5, 10, 15 ou 20 points.

Décidément, nos Bretons ne sont pas pingres lorsque vient le temps d'accorder des points!

Golf de basse-cour!

Jeu de lancers de fers à cheval

Joueurs: en simple ou en double; en simple, les lancers sont fait à partir de la même boîte du lanceur; en double, à partir des 2 boîtes opposées.
Court: large de 183 cm, long de 14 m, orienté nord-sud; 2 boîtes du lanceur se font face à chaque extrémité.
Boîtes du lanceur: 183 cm carré, encadrées de bois qui dépasse du sol de 2,5 cm; composées d'une fosse et d'une plate-forme de lancer.
Fosse: zone rectangulaire remplie de sable, de glaise ou de brin de scie, centrée dans la boîte du lanceur; 109,5 cm à 183 cm de long par 79 à 91,5 cm de large.
Plate-forme de lancer: trottoirs de lancers à droite et à gauche de la fosse, parallèles et au même niveau qu'elle; de 46 à 52 cm de large selon la largeur de la fosse, 183 cm de long.
Tiges: de fer ou de métal; centrées, 53,5 cm minimum entre le devant et le derrière de la fosse; distantes l'une de l'autre de 12,20 m; 2,5 cm d'épaisseur, 36 à 38 cm de haut, ou moins; inclinées de 15 degrés l'une vers l'autre.
Fers à cheval: pèsent environ 1,12 kg; pas plus de 19,4 cm de long, 18,4 de large et 2,5 de haut.
Partie: chaque joueur lance deux fers l'un après l'autre, puis on compte les points; partie jouée pour 40 points ou 40 fers, soit 40 lancers en tout.
Points: 3 points pour un encerclement, sinon un point pour chacun de ses fers placés plus près du piquet que ceux de l'adversaire pour les fers se trouvant à 15,2 cm du piquet ou moins.
Contact: André Leclerc, Fédération des clubs de fers du Québec, 4545 Ave. Pierre-de-Coubertin, Montréal Québec, Canada H1V 3R2, (514) 252-3032, fers@fqir.qc.ca
Sites Web: www.fqir.qc.ca   www.horseshoecanada.ca/
          www.jeuxbretons.org/post/2007/06/04/Le-Lancer-du-fer-a-cheval

Lancio della Forma del Formaggio
Lancer de la meule de fromage

Les Italiens

Au cours du Moyen-Âge, le jeu prit une tangente moins fromagère et plus sportive. En effet, des disques de bois destinés à remplacer les meules de fromages firent leur apparition avant le XVe siècle. Ces grosses et ces petites rondelles, *ruzzolones* et autres *ruzzolas,* s'installèrent dans le paysage sans toutefois faire disparaître le vénérable et original lancer de la meule. Aujourd'hui le *gioco del ruzzolone,* le *gioci della ruzzola* et le *gioco de lancio della forma del formaggio* cohabitent et se jouent dans les mêmes environnements, selon des règles de jeu similaires.

On peut compter sur les italiens pour nous inventer un jeu relié à la bouffe. En fait, ils lancent des meules de fromage depuis presque aussi longtemps qu'ils en font!

On dit en effet que le jeu du lancer de la meule de fromage fait partie du paysage italien depuis l'époque étrusque. Cela nous ramène à une période très ancienne, avant même l'apparition des romains.

Les traditions régionales du jeu vont de pair avec la production locale de fromage. À Messine, où l'on produit le *majorchino,* on lançait la *majorchina.* À Pieve San Lorenzo, on lançait des meules de *pecorino.* Et ainsi de suite, de l'*asiago* au *parmigiano,* chaque paysan fait honneur au fromage du coin. Le jeu est d'ailleurs connu comme un jeu de paysan, un jeu du peuple.

Le jeu requiert deux objets: une meule de fromage (ou un disque de bois) et une sangle de corde. Le cordon est enroulé autour de la meule afin d'en faciliter la prise. Lorsque la meule est lancée, le déroulement de la sangle en augmente sa force rotative.

On lance la meule le long des routes champêtres ou de sentiers en terre battue. Le lancer de la grosse rondelle de bois *(ruzzolone)* et de la petite *(ruzzola)* facilitent d'ailleurs la pratique du jeu sur les routes asphaltées. Ces jeux qui se jouent sur de grandes distances ont d'ailleurs beaucoup en commun avec une série de jeux de boules qu'on retrouve tant chez les italiens que chez les irlandais, les néerlandais, les allemands et les danois. Si l'on remplace les meules et disques par des boules («Anathème!» diront les amateurs de fromage), c'est du pareil au même. Dans le *boccia su strada,* le *road-bowling,* le *klootschienten,* le *bosselspiel* et le *bosseln (Voir bosseln, P. 176),* les participants roulent leurs boules le long des routes de campagne sur des distances de plusieurs kilomètres.

Selon certains de ces jeux, celui qui atteint le but avec le moins de lancers l'emporte. Ainsi en est-il pour le jeu du *ruzzolone.* Dans d'autres cas, comme pour ceux du lancer de la meule et de la *ruzzola* par contre, c'est plutôt la distance maximale accomplie dans un nombre prédéterminé de lancers qui décide du vainqueur.

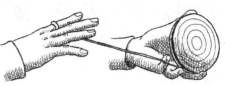

Bien entendu, à cause de la fragilité relative de la meule de fromage, les bris de meule sont à prévoir. Dans ce cas, on relance le jeu à partir du point d'arrêt du plus gros morceau. Les spectateurs s'emparent alors des morceaux plus petits et les mangent aussitôt. Voilà donc une façon garantie de s'assurer la faveur du public!

Une fois le parcours complété, le gagnant remporte la meule de l'adversaire. En signe de respect et d'amitié, le vainqueur offre sa main au perdant de même qu'un verre de vin. Ah, ces italiens, quel savoir-vivre!

Lancia il formaggio!

Jeu de lancers multiples sur longue distance

Joueurs: 2 ou en équipes.

Objectifs: pour le lancer de la meule et le jeu du *ruzzola,* il s'agit de lancer un disque le plus loin possible avec un nombre de coups pré-déterminé; dans le cas du *ruzzolone,* il s'agit d'atteindre le but dans le moins de lancers.

Disques: meules de fromage de format et poids égaux, catégorie léger 1,5 kg, mi-léger, 3 kg, mi-lourd, 6,5 kg, lourd, 16 kg et plus; le *ruzzolone* est un disque de bois en forme de meule, 26 cm de diamètre, 6 cm d'épais, poids supérieur à 2 kg; le *ruzzola* est un disque de bois de 13 cm de diamètre et 4,5 cm d'épais, poids minimum de 450 g.

Sangles: pour la meule et le *ruzzolone,* la sangle consiste en une corde en coton terminée par un anneau fixé au poignet et un bout de bois pour retenir le disque au moment du lancer; pour la *ruzzola,* il s'agit d'une ficelle de 2 m de long se terminant par un nœud coulant ou un anneau de cuir fixé à l'index (comme pour le yo-yo); la *ruzzola* peut aussi être lancée sans cordon.

Terrains: sentier ou route.

Déroulement: on lance avec un élan du point de départ; on lance à nouveau depuis les points d'arrêts de notre disque; si la meule se brise, relancer depuis le lieu d'arrêt du plus gros morceau.

Source: Federazione Italiana Giochi e sport Tradizionali, Via Martiri dei Lager 65, 06128 Perugia, Italie.

Moa Pahe'e
Glisser le dart

Les Hawaiiens

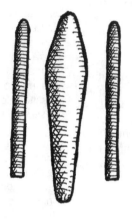

Au début du dix-huitième siècle, les hawaiiens pratiquaient plus d'une centaine de jeux, dont *Moa phahe'e*. Puis vinrent les missionnaires bien-pensants...

Les missionnaires qui s'installèrent alors dans les îles hawaiiennes entreprirent bientôt d'éliminer la plupart des jeux et autres passe-temps appréciés par les habitants. Ils considéraient en effet la culture hawaiienne à la fois païenne et immorale. D'après eux, elle encourageait l'oisiveté. À leurs yeux, il était impensable de consacrer quatre mois par année à la fête, comme le faisaient les hawaiiens durant toute la saison appelée *Makahiki*. Vu qu'en plus on jouait en l'honneur de Lono, le dieu patron de la fertilité, de la paix et des sports, et que l'on gageait souvent sur l'issue de ces jeux... On comprend dès lors pourquoi les pratiques festives hawaiiennes furent vites sacrifiées à l'autel de la soi-disant «civilisation». C'était un signe des temps!

Moa pahe'e est un des quelques jeux qui a survécu au choc des cultures hawaiienne et européenne. Il s'apparente beaucoup à cet autre survivant, *'ulu maika (Voir 'Ulu Maika, p. 207),* jeu dans lequel on fait rouler des disques de pierre. Dans le cas de *moa phahe'e,* le joueur doit faire glisser au sol un gros dard de bois en forme de torpille. Il parait que ça simule le parcours d'une espèce de poule hawaïenne appelée *moa.* Pour vous donner une idée du défi, imaginez que vous ayez à faire glisser une lourde quille de jonglerie sur une longue distance ou encore à travers un but. Cet exercice demande à la fois beaucoup de force, d'adresse et de précision.

Moa pahe'e se joue d'ailleurs de deux façons. Dans l'épreuve de force, les concurrents font simplement glisser leur moa le plus loin possible sur un terrain plat. Dans l'épreuve d'adresse et de précision, les concurrents font glisser leur *moa* vers et à travers une paire de piquets. Pour revenir à l'allusion de la poule *moa:* si le dard-torpille représente le corps de la poule, alors les piquets représentent ses pattes. L'idée, c'est donc de ramener le corps de la *moa* à ses pattes!

Pour conclure en beauté, reprenons donc notre intro, l'adaptant cette fois au nouveau siècle qui s'ouvre à nous. Au début du vingt-et-unième siècle, des hawaïens bien attachés à leur culture font revivre leurs jeux et sports traditionnels en célébrant à nouveau le *Makahiki*. Par exemple, le centre communautaire de Waikiki en est à sa 23ième année de célébration du Ala Wai Challenge. Au programme, courses de canots et jeux *Makahiki* terrestres, de même que chants, danses et bonne chair.

Le tout s'ouvre sur une magnifique procession florale de canots double coque accompagnée de chants *'Oli et de kahiko,* chant et danse *hula* traditionnelle. Les courses de canot consistent en un sprint d'un quart de mille, et les jeux et défis comprennent bien sûr *Moa Pahe'e,* de même que je jeu de bowling hawaïen *'Ulu Maika* (voir *'Ulu Maika,* p. 207), *O'o Ihe* (lancer de javelot), Pohaku Ho'oikaika le lancer de pierres et *huki kaula,* la version hawaïenne de la souque à la corde.

Comme la saison du Makahiki lançait le nouvel an, quelle meilleure façon de conclure cette chronique qu'en vous souhaitant *«Hauoli Makahiki hou»,* soit une bonne et heureuse année!

'Oia, 'oia! Allez y, allez y!

Jeu de lancers

Joueurs: deux joueurs ou deux équipes.
Dard: en forme de grosse torpille; appelé *moa.*
Départ: Ligne de départ tracée au sol.
Version jeu d'adresse: deux piquets appelés *pahe'e* plantés au sol à environ 20 ou 25 cm l'un de l'autre; glisser le dard entre les piquets à partir d'une certaine distance.
Version jeu de force: grand terrain plat et libre d'obstacles; glisser le dard sur la plus longue distance possible.
Source: Resource Units in Hawaiian Culture, Donald D. Kilolani Mitchell, Kamehameha Scholls Press, Honolulu 2001.

Pétanque

Les Français

Le jeu s'appelle pétanque à cause du son que font les boules de métal quand on les cogne ensemble... *petank!* Ouaip, ça fait joli comme onomatopée et comme association d'idées, mais désolé, c'est inexact.

On doit plutôt l'origine du mot pétanque à l'expression provençale *ped tanqua,* pieds «tanqués», qui veut dire pieds joints. La pétanque compte parmi les jeux de boules les plus connus au monde. Quand on pense aux français, on pense bérêt, baguette et boules.

Le principe est simple: il s'agit de lancer des boules le plus près possible d'un but afin de marquer des points. Malgré ses airs vieillots, la pétanque n'a pas cent ans! Elle est en quelque sorte le rejeton de la grande famille des jeux de boules méditerranéens, qui se réclament des civilisations antiques d'Égypte, de Grèce et de Rome.

C'est au temps des Croisades que le jeu de boules ressurgit auprès du petit peuple français. Ils en raffolent et en redemandent, et ce malgré les interdictions. Jouer n'est pas toujours bien vu à cette époque: ça nuit au travail, à la pratique des armes et à la prière... Puis avec la Renaissance vient l'âge d'or des jeux de boules. Leurs bienfaits sont proclamés par la médecine. Leur pratique exige maintenant technique et maîtrise, tant et si bien que les nobles se les approprient. Du coup, le jeu de boules devient une activité noble, donc exclusivement aristocratique. Il faudra la Révolution française de 1789 pour que le jeu de boules retrouve sa tradition populaire.

Puis, au XIXe siècle, on voit apparaître les premières formes modernes du jeu. À Lyon par exemple, on pratique les boules lyonnaises alors qu'en Provence, on voit surgir le jeu provençal. On appelle aussi le jeu provençal «la longue» à cause de la grande distance des lancers. Les règles veulent qu'un joueur s'élance avant de lancer la boule en sautant. C'est en 1910 que la pétanque jaillit de ce jeu de Provence.

À Ciotat, petit port de mer près de Marseille, des vieux habitués du jeu provençal sont assis le long du jeu, moroses. Ils sont tout simplement trop âgés pour se prêter aux exigences du lancer avec élan et saut. Alors un esprit créatif du nom d'Ernest Petiot imagine une nouvelle règle pour accommoder son vieil ami Jules Lenoir et le reste des laissés-pour-compte. Il suggère de confiner les pieds des joueurs à l'intérieur d'un petit rond de lancer et d'interdire l'élan-saut. Quiconque peut dès lors lancer la balle sans égard à son âge ou handicap.

La nouvelle règle est essayée puis rapidement adoptée par les joueurs, malgré les protestations des tenants de la tradition. Les joueurs plus âgés pouvaient jouer à nouveau et ainsi donner une bonne leçon ou deux aux petits jeunots de cinquante ans. On nomma le jeu pétanque, vu la position tenue par les pieds des joueurs dans le rond de lancer. Ils doivent en effet garder leurs pieds «tanqués», c'est-à-dire joints et bien ancrés au sol.

Voici un bon exemple de ce qu'on peut faire avec un jeu qui n'est pas encore devenu un sport. Comme les règles de jeu ne sont pas statiques, elles peuvent être faites et défaites, adaptées et adoptées en consensus en fonction des besoins et de la volonté des joueurs. Ceci explique en grande partie l'attrait des jeux d'enfants. Une fois le jeu transformé en sport fédéré, ses règles deviennent figées dans le temps et il devient alors très difficile de les changer. Mieux vaut alors les suivre.

Le nouveau jeu de la pétanque se propagea rapidement dans tout le sud de la France et, au gré du temps et des circonstances, hors frontières. Aujourd'hui, le sport fédéré se pratique dans plus de cinquante pays sur les cinq continents.

Au-delà des nombreux Mondiaux de la Pétanque se déroulant dans des pays aussi divers que la Thaïlande, l'île de la Réunion et la Tunisie, on retrouve bien sûr dans son berceau français le fameux Mondial La Marseillaise à Pétanque, qui avec ses 46 ans d'existence et 150 000 spectateurs, s'inscrit comme une des grandes fêtes ludiques populaires du monde.

En 2006 par exemple, 12 336 joueurs se retrouvent dans le rond de lancers, soit 4112 équipes des quatre coins de la planète, y compris de la Chine! Pour ceux qui veulent participer, le tournoi est ouvert aux hommes comme aux femmes, se joue en équipes de 3 et fonctionne sur le principe de l'élimination directe. Il débute toujours la première fin de semaine de juillet et se déroule sur 5 jours, du dimanche au jeudi, au bout desquels 4 équipes se retrouvent dans le carré d'honneur pour se disputer le titre de vainqueur.

Qu'il s'agisse de tournois ou de simples parties entre copains, le modus operandi de la pétanque reste toujours le même.

Un joueur de l'équipe partante trace un petit cercle au sol autour de ses pieds. Depuis l'intérieur de ce rond de lancer, notre joueur lance à une distance de six à dix mètres un cochonnet, la petite boule de bois qui sert de but. Il lance ensuite sa première boule en direction du cochonnet. Ses pieds ne sortent pas du rond avant que sa boule n'atteigne le sol. Notre joueur garde ainsi les pieds «tanqués».

Ce premier joueur est suivi par un membre de l'autre équipe qui lance une boule à son tour. Il tire ou il pointe. Pointer signifie approcher sa boule du cochonnet. Tirer signifie frapper une boule de l'adversaire afin de l'en éloigner du cochonnet et idéalement de la remplacer. Le jeu passe ensuite à l'équipe dont la boule est la plus éloignée du cochonnet. Les joueurs de cette équipe lancent une ou plusieurs boules jusqu'à ce qu'ils aient pris l'avantage. L'autre équipe prend alors le relais pour reprendre l'avantage à son tour. Une fois toutes les boules lancées, la ronde est complétée et on fait le compte. L'équipe gagnante compte un point pour chacune de ses boules qui se trouve plus près du cochonnet que la plus proche boule des adversaires.

Alors, tu tires ou tu pointes?

Jeu de boules

Joueurs: en triple, double, simple.

Boules: de métal; diamètre entre 7,05 et 8 cm; poids entre 650 et 800 g; chaque joueur a 2 boules en triple et 3 boules en double et simple.

Rond de lancer: 35 à 50 cm de diamètre; tracé au sol.

Cochonnet: petite boule de bois servant de but; diamètre entre 25 et 35 mm; doit être à au moins 1 m de tout obstacle.

Terrain: n'importe quel terrain; le terrain est marqué, les dimensions minimales pour les championnats sont de 15 m de long par 4 m de large, avec des variations permises jusqu'à 12 m par 3 m.

Match: joué pour 13 points dans les matches de ligues et de qualifications, ou pour 11 points.

Pointer: placer une boule près d'un cochonnet; 3 types de lancers principaux, plombée, demi-portée et rouler.

Plombée: boule lancée très haut afin qu'elle tombe près du but sans bouger.

Demi-portée: boule lancée afin qu'elle tombe à mi-chemin entre le rond de lancer et le but.

Rouler: boule roulée sur toute la distance jusqu'au but.

Tirer: frapper une boule; déplacer la boule d'un adversaire en la frappant.

Contact: Fédération de Pétanque du Québec Inc., http://www.petanque.qc.ca/

Sites Web: www.petanque.com www.petanque.org

Quoits

Les Anglais

Qu'est-ce qui est apparu en premier: *quoits* ou le lancer de fers? Parmi les experts, c'est la pagaille. Je dirais même plus: c'est comme l'œuf ou la poule!

Quoits provient du vieil anglais *coyte,* mot qui signifie anneau de lancer. Ce vieux mot anglais décrit exactement ce jeu anglais du lancer de l'anneau. Et *quoits* est proche du lancer de fers à cheval *(Voir Lancer de fers à cheval, P. 192)* précisément parce que dans les deux cas il s'agit de lancer des objets en fer sur des piquets plantés dans des carrés.

Pour certains, *quoits* s'est développé à partir du jeu de fers en tant que version plus formelle de celui-ci. Pour d'autres, le jeu de fers a vu le jour simplement parce que les fers à cheval étaient plus accessibles pour certains joueurs que des anneaux de fer. C'est d'ailleurs ce qui serait arrivé dans le cas du *jukskei (Voir jukskei, P. 186).* Les conducteurs de chariots de boeufs d'Afrique du Sud avaient accès à beaucoup de *skeis,* les chevilles des attelages de leurs bœufs, et probablement peu ou pas accès à des fers ou des anneaux. Ils inventèrent donc un nouveau jeu avec les moyens du bord! Théorie fort plausible, mais revenons à nos anneaux.

Les premières références écrites au sujet du *quoits* datent de 1388, alors qu'un acte déclare sa pratique illégale. Les jeux et activités sportives étaient en effet plutôt mal vus par les autorités civiques et ecclésiastiques de l'époque, car ces sources de distraction, qui volaient du temps au travail et à la prière, appelaient à la tentation et à la paresse. Malgré des efforts persistants pour éliminer des pubs et tavernes anglais cette activité jugée malfaisante, le *quoits* ne cessa d'accroître sa popularité, si bien qu'au quinzième siècle il était devenu un sport bien organisé. Ses règles furent officiellement promulguées en 1881 par un regroupement de joueurs provenant des pubs du Nord de l'Angleterre.

Voici comment le jeu se déroule. Chaque équipe de 2 joueurs, ou chaque joueur si le jeu se joue en simple, lance 2 anneaux.

Les anneaux de fer sont lancés vers des piquets de fer appelés *hobs* qui sont enlisés dans des carrés de terre glaise, à partir d'une ligne tracée en avant d'un autre carré d'argile. Ces deux carrés sont distants de 10 ou 16 mètres.

De nos jours, beaucoup de joueurs laissent totalement de côté les lits de terre glaise pour planter simplement les deux piquets dans le sol, comme dans *sward quoits* ou *lawn quoits*, c'est-à-dire *quoits* de gazon. Cette variante relativement récente du jeu permet une installation rapide pour des événements temporaires ou dans la cour des maisons.

Pour terminer sur un flash: en Colombie on joue au *tejo (Voir tejo, p. 205),* une version de *quoits* tout à fait éclatante. En effet, quand on lance l'anneau dans le mille, la cible explose. Quel pétard!

Quoits était là en premier!

Jeu de lancers

Joueurs: en simple ou en double; en simple, les lancers sont faits à partir des mêmes carrés; en double, des carrés opposés.
Quoits: anneaux de fer pesant entre 3 et 4 kg ou plus selon les variantes du jeu; diamètre de 21 à 23 cm, avec anneau intérieur de 9 à 10 cm de diamètre; 2 quoits par joueur/équipe.
Carrés d'argile: mesurent un mètre carré ou ont un diamètre de 1 m; distants de 10 m l'un de l'autre dans la version appelée *northern game,* jeu du nord; approximativement de 16 m dans la version appelée *old game* ou *long game,* jeu ancien ou jeu long.
Piquets: piquets de fer appelés *hobs,* soit plantés au ras du sol ou encore à hauteur de 25 à 75 mm.
Ligne de tir: tracée en avant de chaque carré d'argile; de 137 à 152 cm de ceux-ci.
Pointage: peut varier d'une version à l'autre du jeu; dans tous les cas, les premiers à atteindre 21 points l'emportent.
Contact: Traditional Sports and Games Society, University of Luton, Bedfordshire, United Kingdom.
Site Web: www.tradgames.org.uk/games/Quoits.htm

Rayuela - **Petite ligne**

Les Mexicains

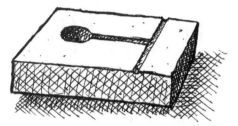

Rayuela: un jeu introduit en Amérique latine par des Conquistadores pour passer le temps et... perdre sa solde!

Rien de plus simple que ce populaire petit jeu latino-américain pratiqué entre adultes. Il consiste en effet à tirer des pièces de monnaie le plus près possible d'une petite ligne tracée au sol.

Précisons d'entrée de jeu que nous ne parlons pas ici du jeu universel de la marelle, que l'on appelle aussi *rayuela* au Mexique comme dans de nombreux autres pays d'Amérique latine. Pas surprenant, vu que ce jeu requiert de tracer une série de lignes au sol et que *rayuela* se traduit par petite ligne. Ceux que la marelle intéresse trouverons d'ailleurs deux versions autochtones de ces passionnants jeux d'enfants dans la section Récré de ce livre, soit *Ahuiltemalacachtle*, p. 146 et *Ehcamotl,* p. 148, deux jeux traditionnels du peuple chichimèque du Mexique.

Mais revenons à nos petites lignes

L'historien Oreste Plath soutient que ce sont les conquérants espagnols qui auraient introduit la *rayuela* en Amérique. Pour passer le temps entre deux conquêtes (si l'on peut dire), les soldats s'amusaient à lancer des morceaux de tuile tombée des toits sur une corde alignée au sol. Le jeu fut bientôt banni au Chili par le Tribunal de l'Audience Royale en raison des gageures qu'il entraînait. Mais on peut parier que le jeu continua de prospérer... dans l'ombre!

Le jeu est aujourd'hui populaire au Mexique et ailleurs en Amérique latine. Au Chili par exemple, il occupe une place privilégiée parmi les sports nationaux, avec fédération et tournois nationaux. Les chiliens se servent de lourds disques de métal appelés *tejos.*

Au Mexique, chaque participant à son tour lance deux pièces de monnaie sur la ligne tracée au sol. L'équipe dont la pièce est la plus rapprochée du but emporte la ronde. Une planchette remplace à l'occasion la ligne. Les joueurs tentent alors de déposer leurs pièces sur la figure qu'on y a tracé (voir illustration). Dans une variante nommée *pasapiedra,* passe-pierre, la figure fait place à un cercle tracé au centre. La planche peut aussi être perforée en son centre. Les pièces doivent alors atterrir dans le trou.

Rayuela est, ne l'oublions pas, un jeu qui se joue avec des vrais sous. Et comme vous le savez fort bien, dès qu'il est question d'argent, tout devient très délicat. À cet effet, la règle veut qu'à la fin de chaque ronde, un joueur désigné aille récolter les pièces de tous les joueurs pour les remettre à qui de droit. Tout joueur mal avisé qui tente de ramasser les pièces est aussitôt éliminé.

C'est bien pour dire, quand on joue avec de l'argent, faut pas jouer avec!

Lancer des sous!

Jeu de lancers

Joueurs: deux ou plus, en simple ou en équipes.

Ligne de tir: de 10 à 15 mètres de l'objectif; craie ou corde pour la délimiter.

Version petite ligne: craie ou corde pour la marquer au sol.

Version Planchette: mesure 10 cm sur 20; figure dessinée dessus (voir illustration).

Version *pasapiedra,* passe-pierre: cercle tracé au centre de la planche.

Version perforée: planche trouée au centre; diamètre du trou un peu plus grand que le format des pièces.

Pièces: pièces de monnaie ou disques de métal; les joueurs décident du format commun des pièces.

Pointage: celui dont la pièce est le plus près de l'objectif compte pour un point toutes les pièces de son équipe se trouvant plus proches que les pièces de l'autre équipe; lorsque la pièce d'un joueur se retrouve sur celle d'un joueur d'une autre équipe, les deux pièces sont éliminées; par contre, si ces pièces proviennent du même joueur ou de joueurs de la même équipe, elles restent en jeu.

Disqualifications: deux joueurs qui lancent leurs pièces en même temps; un concurrent qui dépasse la ligne de départ; un concurrent qui va chercher ses pièces sans autorisation.

Source: Federación Mexicana de Juegos y Desportes Autóctonos y Tradicionales de México, A.C., Av. Rio Chrubusco Pta.9, Ciudad Deportiva, Magdalena Mixhuca, C.P. 08010 México, D.F.

Site web: www.codeme.org.mx/autoctonoytradicional/Juegos/Rayuela.html

Les Colombiens

On peut compter sur les colombiens pour inventer une variante explosive aux traditionnels jeux de lancer.

En effet, le *tejo* colombien propose à ses joueurs une alternative surprenante aux placides jeux de lancers européens de type *quoits (Voir quoits, P. 201)* et palets: en Colombie, les cibles sont explosives!

Les origines du sport traditionnel colombien le plus populaire se perdent dans la brume des légendes. Certains le considèrent comme le jeu du diable; pour d'autres c'est un jeu princier qui se jouait avec des disques d'or. D'ailleurs, le mot *tejón,* très proche de *tejo,* signifie lingot d'or en espagnol. *Tejo* lui-même est un mot utilisé dans divers jeux de lancers pour décrire des disques de métal similaires à des grosses pièces de monnaie ou des médailles, comme dans le jeu espagnol *caliche murciano (Voir caliche murciano, P. 178);* dans le jeu latino-américain *rayuela (Voir rayuela P. 203), tejo* est parfois le nom donné aux pièces de monnaie elles-mêmes.

On dit aussi de ce jeu qu'il aurait des origines pré-hispaniques, ou tout au moins un précurseur du nom de *tumerqué.* En effet, les indigènes de l'altiplano appelaient *zepguagoscua* les disques d'or qu'ils lançaient il y a de ça plus de 500 ans. Voilà donc le jeu princier dont je vous parlais un peu plus haut. Avec le passage du temps, le disque d'or aurait fait place au disque de pierre puis de métal, et le jeu évolua de génération en génération pour devenir ce qu'il est aujourd'hui, soit le sport national de la Colombie.

Les joueurs lancent les *tejos,* de lourds disques de métal, sur une *bocín,* une cible enlisée dans un carré d'argile. Sur la cible sont disposées quatre *mechas,* des petites enveloppes triangulaires contenant de la poudre à fusil. Un *tejo* bien envoyé atterrit juste sur le *bocín* et fait exploser les *mechas.* Quiconque fait exploser le plus de *mechas* ou qui fait atterrir le *tejo* dans le *bocín* le plus grand nombre de fois l'emporte.

Tout comme les joueurs de *tumerqué,* qui consommaient allègrement en cours de jeu de la *chicha,* leur boisson fermentée, certains joueurs adultes trinquent quelques bières afin de compenser pour leurs efforts et les effets des explosions, alors que d'autres, (possiblement les mêmes?) y vont de quelques inoffensives gageures...

Alors si on ajoute à cela le bruit d'enfer des explosions, il ne faut pas s'étonner si d'aucuns considèrent *tejo* comme le jeu du diable!

¡Ay ay ay ay ay!

Jeu de lancers

Joueurs: deux petites équipes.
Tejo: lourd disque de métal de 8 cm de diamètre qui ressemble à une rondelle de hockey sur glace.
Court: 19,50 m de long sur 2,50m de large, avec deux carrés d'argile se faisant face aux deux extrémités, qui ramènent la distance entre ces carrés à 12,5 m.
Lignes de tir: 3,50 m en face de chaque carré d'argile.
Carré d'argile: boîte remplie d'argile humide de 1 m de long sur 90 cm de large; inclinée vers les joueurs à un angle de plus ou moins 45 degrés.
Mur de fond: 1 m de long sur 90 cm de large; placé au dos de chaque boîte d'argile.
Bocín: anneau de métal enlisé au centre de la boîte, qui sert de cible.
Mechas: petites enveloppes triangulaires contenant de la poudre à fusil et qui sont placées sur la cible aux quatre points cardinaux.
Source: Tafisa.net www.tafisa.net
Site Web: www.tafisa.net/us/juegos/america/colombia/04/01.htm

---

'Ulu Maika
Rouler les disques de pierre

Les Hawaiiens

Après deux siècles de déclin, voilà la culture hawaiienne qui rejaillit. Les jeux hawaiiens mènent la charge et *'ulu maika* prend les devants!

Avant la venue des européens, les hawaiiens s'adonnaient à cœur joie à plus d'une centaine de jeux durant la période de célébrations pacifiques appelée *Makahiti*. Cette saison d'actions de grâces en hommage à l'abondance et à la fertilité s'étendait sur quatre mois chaque année. Parmi ces jeux on retrouve *'ulu maika,* un jeu que l'on a retracé jusqu'en Nouvelle-Zélande. Là bas, les envahisseurs européens l'appelaient *Maori bowling*.

'Ulu maika fait d'ailleurs partie intégrante de la mythologie hawaïenne, car si on en croit la légende, les dieux hawaïens jouaient apparemment à ce jeu. Un jour alors qu'ils disputaient un match, ceux-ci égarèrent une de leurs 'pierre qui roule' et baptisèrent *Ewa* l'endroit où ils avaient perdu leur pierre, car *ewa* en hawaïen veut dire égaré. Cet endroit c'est aujourd'hui Ewa Beach, un quartier résidentiel situé à l'ouest de Pearl Harbor, un petit coin peu fréquenté par les touristes.

'Ulu maika est un jeu de bowling hawaiien qui s'est développé complètement à l'écart des influences européennes. Les *maikas* sont des disques de pierre aux rebords convexes soigneusement façonnés. On les roule sur des parcours spécialement aménagés, soit pour prouver son habileté ou encore pour prouver sa force. Pour encourager les joueurs, les spectateurs y vont de «*Makai'i*» et de «*Auwe*», l'équivalent «Bon jeu» et de «Tant pis».

Dans le roulé d'adresse et de précision, chaque joueur roule quatre disques *maikas* entre des piquets distants d'un peu plus d'une vingtaine de centimètres l'un de l'autre. La distance entre la ligne de tir et les piquets est d'environ cinq mètres. Chaque pierre qui roule entre les piquets compte pour un point. Dans l'épreuve de force, les joueurs laissent de côté les piquets et font rouler leur *maika* aussi loin que possible le long d'un parcours lisse. Le concurrent qui l'envoie le plus loin l'emporte.

On retrouve sur l'île de Moloka'i un des meilleurs courts d'*ulu maika* encore existants. Il mesure environ cent cinquante mètres de long, ce qui en dit long sur la force et l'assurance des rouleurs de *maikas* de Hawaii!

Makai'i! Makai'i!

Jeu de disques roulés

Joueurs: 2 concurrents ou plus; 1 entraîneur appelé *kumu;* 1 arbitre appelé *'uao* ou 1 marqueur de points appelé *helu 'ai.*
Maika: disque de pierre soigneusement façonné aux rebords convexes; roulé.
Ligne de tir: corde au sol.

Roulé d'adresse et de précision
Maikas: 4.
Piquets: 2 piquets plantés à 20 à 25 cm l'un de l'autre, à une distance variant de 4,5 à 6 m de la ligne de tir selon l'âge et le degré d'habileté des joueurs.
Court: plat, lisse et libre d'obstacles.
Technique de roulés: debout à la ligne de tir; tenir la circonférence du *maika* fermement entre le pouce et l'index ou le majeur; rouler le *maika* comme une boule de bowling, paume vers le haut; viser entre les 2 piquets.
Déroulement: le 1er joueur roule les 4 *maikas;* le 2e joueur va les chercher et les roule à son tour, et ainsi de suite; 1 point est accordé pour chaque *maika* qui passe entre les piquets.

Épreuve de force
Court: long terrain plat, lisse et libre d'obstacles; certains font 150 m de long.
Technique de tir: debout quelques pas avant la ligne; tenir la circonférence du *maika* fermement entre le pouce et l'index ou le majeur; prendre de la vitesse en s'élançant vers la ligne de tir; rouler le *maika* comme une boule de bowling, la paume vers le haut; aussi loin que possible.
Déroulement: chaque joueur à son tour; celui qui roule son *maika* le plus loin l'emporte.
Sources: Resource Units in Hawaiian Culture, Donald D. Kilolani Mitchell, Kamehameha Schools Press, Honolulu 2001.

La pelota PURhÉPECHA

Photoreportage de Valérie Panel Watine
www.unmondedesports.com

A huit heures de bus au sud ouest de Mexico, une ethnie minoritaire pratique un sport étonnant: la Pelota Purhépecha.

La plupart des maisons sont en bois. Sur les toits, des hauts parleurs émettent régulièrement des annonces publicitaires. Il n'est que midi, la fête bat son plein : musique, manèges, vendeurs de Tortas, Enchilladas et Quesadillas. Un peu plus loin dans une rue voisine, une autre fête se prépare…

Les équipes des villages de la vallée se préparent pour le tournoi de Pelota Purhépecha.

José Luis Aguilera est le président de l'association locale des sports autochtones. Il nous emmène à la découverte de ce sport pratiqué dans un des derniers villages traditionnels de la communauté Purhépecha. C'est à cheval que je pénètre dans Angahuan. Les sabots claquent sur des pavés irréguliers couverts d'une poudre noire, poussière de lave portée par le vent depuis le volcan Paricutin voisin.

Les organisateurs délimitent le terrain avec de la sciure de bois. La taille du terrain n'est autre que celle de la rue: 150 m de long sur 15 m de large.

A l'issue du temps de jeu, l'équipe qui a marqué le plus de points a gagné la partie. Les parties se succèdent sous les encouragements d'un public perché sur le toit des maisons.

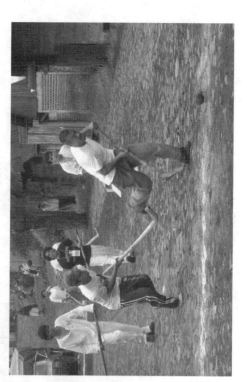

Ce sport mexicain est très proche du hockey. Il se joue avec un bâton en bois et une balle fabriquée avec un chiffon et de la corde. Crosse à la main, tous de blanc vêtus, les joueurs sont fins prêts. Ils se positionnent de chaque côté de l'axe central. Coup de sifflet. Le tournoi démarre. Pour gagner un point, la balle doit passer la ligne arrière du camp adverse.

Les applaudissements et les cris accompagnent les prouesses des joueurs. Les crosses se cognent farouchement. La balle est disputée. Les points tombent.

La pelota PURhéPECHA - suite...

À la nuit tombée, les plus accrocs se lancent dans une partie de Pelota Purépecha Encendida. Une variante absolument impressionnante. Même joueurs, même crosse, mais cette fois la balle en jeu est une boule de feu!

Un des joueurs me glisse la règle d'or: la préparation de la balle. Un morceau de bois est façonné au couteau jusqu'à l'obtention d'une boule parfaite.

Arrivent les demi-finales. La pluie se mêle à la fête. Boue, trous d'eau. Le sol devient bientôt impraticable. Rien n'arrête ces sportifs. De malheureux coups de crosse font quelques bobos sans gravité.

Coup de sifflet. La partie commence. Entre les joueurs, une bataille du feu s'amorce.

L'un d'eux tente un lob. La balle quitte le sol, décrit un arc de lumière dans le ciel. C'est magnifique. On est émerveillé par la beauté du spectacle et à la fois inquiété par cette boule de feu un peu folle. On craint pour celui qui la réceptionne. Mais non.

Les joueurs se lancent, s'agglutinent autour d'elle. On pense un instant qu'elle va s'éteindre. Et puis la voilà suspendue plus haut encore dans le ciel. Brillant de ses plus beaux éclats. Tiens on dirait une comète. Soudain le lien devient évident. On comprend mieux pourquoi les Purhépéchas associent ce sport au dieu du soleil.

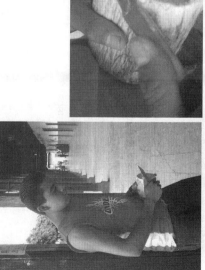

Celle-ci est plongée dans un seau d'essence. Le bois poreux s'imprègne lentement du combustible. Deux à trois jours plus tard, la balle est prête!

Un des joueurs plonge la main dans le seau d'essence, en sort la balle, la place au centre du terrain. Il craque une allumette, la balle aussitôt s'enflamme.

213

La pelota PURHÉPECHA - suite...

Alors, si cette tradition sportive s'éteint, ce sera encore une partie de son identité qui s'en ira avec elle. Et le peuple Purhépecha sera un peu moins Purhépecha encore...

Photoreportage de Valérie Panel Watine

Voir textes Pasarhutukua P.236 et Pasiri-a-kuri p. 240

Notre hôte José Luis remet le trophée aux vainqueurs sous les applaudissements d'une foule en délire. La fanfare se lance dans un concert de cuivre. Instant d'émotions. Rejoint par sa famille, José Luis est embrassé par tous. Tout le monde sait ici qu'il se bat chaque jour pour que jamais ce sport ne disparaisse.

«C'est une conviction, je sais que ça vaut la peine» me dit-il en partant. Car la Pelota Purhépecha fait partie de l'identité de ce peuple, qui fut et est encore menacé.

Jeux de Terrain

Australian Rules Football
Football règles australiennes

Les Australiens

Voici deux jeux de football australiens dynamiques et spectaculaires. Le premier est d'origine purement aborigène, alors que le second fut développé au XIXe siècle par les australiens de descendance britannique.

Des deux sports, *marn grook* est évidemment le plus ancien. Alors que l'*Australian Rules* football, ou le football aux règles australiennes si vous préférez, était encore inexistant, le *marn grook* occupait le terrain depuis des lustres. Aujourd'hui c'est l'*Australian Rules* football qui a la cote, alors que le *marn grook,* c'est du passé. Mais comme la légende veut que le *marn grook* ait engendré le football australien, je traiterai des deux jeux dans le même texte, en vous parlant d'abord du plus ancien.

Voici, en traduction libre, comment monsieur Thomas, protecteur des aborigènes australiens, décrivait le jeu en 1841: «*Les*

hommes et les garçons se rassemblent joyeusement dès qu'il est question d'y jouer. Quelqu'un fabrique une balle à partir d'une peau d'opossum, quelque peu élastique, mais ferme et solide. Les joueurs ne lancent pas la balle à la manière de l'homme blanc mais la laissent tomber afin de la botter du pied. À ce jeu, ce sont les hommes les plus grands qui ont l'avantage. Certains d'entre eux peuvent sauter jusqu'à cinq pieds du sol pour attraper la balle. La personne qui s'en empare la botte aussitôt. Cela continue ainsi pendant des heures et les indigènes ne semblent jamais se lasser de l'exercice.» Cette citation est tirée du livre de 1848 de Robert Brough-Smyth « The Aborigines of Victoria », et du site web de Darren Moncrieff: www.aboriginalfootball.com.au/marngrook.html

Ainsi, au *marn grook* on attrapait la balle avec les mains pour ensuite la botter avec les pieds. Aujourd'hui le *marn grook* est un sport réinventé de toutes pièces, version de l'*Australian* football pratiqué pour célébrer l'apport des aborigènes à ce sport.

Selon les règles du *marn grook* renouvelé, on peut lancer la balle en s'y prenant des deux mains à la fois mais jamais sur plus de dix mètres. Les joueurs s'installent n'importe où sur le terrain et se déplacent dans n'importe quelle direction. L'aspect le plus important du jeu est sans contredit le *taking a mark,* c'est-à-dire marquer, attraper la balle en vol. Ceci encourage les grands sauts ainsi que la formation de *packs,* de bandes de joueurs cherchant tous tant bien que mal à s'emparer de la balle en marquant. Pour ce faire, les joueurs n'hésiteront pas

à sauter les uns par-dessus les autres afin de se hisser aussi haut que possible (voir illustration ci-haut). Cette particularité spectaculaire était un élément essentiel du *marn grook* originel. Et cette particularité se retrouve dans l'*Australian Rules* football, de même que plusieurs autres.

En effet, dans l'*Australian Rules* football, aussi appelée *Aussie Rules* ainsi que *footy,* on peut aussi attraper la balle avec les mains et la botter du pied. On ne peut par contre la relancer: pour se la passer, on la cognera du poing. Dans ce jeu, les équipes peuvent prendre position en formation, mais les joueurs sont en fait libres de s'installer où bon leur semble sur le terrain et peuvent s'y déplacer à volonté. Ils jouent tous des rôles à la fois offensifs et défensifs et ne portent aucun équipement de protection. Finalement, quand il s'agit d'attraper le ballon, les joueurs forment aussi des *packs.* Les joueurs les plus habiles s'élancent alors le plus haut possible au-dessus et au-delà de la bande de joueurs entassés pour tenter de l'attraper et ainsi marquer, ce qui s'appelle, comme au *marn grook, taking a mark.*

Les deux sports diffèrent sur quelques points mineurs. Les ballons diffèrent carrément de format: le ballon de *footy,* (voir illustration p. 216) est beaucoup plus gros que la balle de *marn grook* originelle, qui était grosso modo de la taille d'une orange. Les joueurs d'*Aussie Rules* peuvent par exemple courir avec le ballon à condition que celui-ci touche le sol tous les quinze mètres, alors que les joueurs de *marn grook* doivent aujourd'hui soit botter la balle tous les dix mètres, soit se la passer à eux-mêmes, de la main au pied à la main.

La forme du terrain de jeu d'*Aussie Rules* est quelque peu originale: elle est ovale plutôt que rectangulaire, en raison de son lien avec le cricket *(Voir cricket P. 222).* En effet au départ, l'*Australian Rules* football fut créé pour garder les joueurs de cricket en forme durant la saison morte d'hiver. Le jeu se pratiquait donc à même les terrains ovales de cricket. Les dimensions du terrain de *footy* peuvent aussi varier énormément: de 135 à 185 mètres de long sur 110 à 155 mètres de large. Chaque extrémité du jeu comprend quatre poteaux de buts répartis en deux séries. Pour compter six points, un joueur doit botter le ballon entre les deux poteaux intérieurs. Il peut aussi compter un seul point en bottant le ballon entre un poteau extérieur et intérieur des deux séries.

Les immigrants britanniques qui colonisèrent le continent australien à partir de 1788 amenèrent avec eux leur culture, et avec elle leur amour du football ainsi que différentes versions du jeu. Les règles d'une version purement australienne du sport furent déterminées en 1858 par un groupe d'australiens dont faisait partie Tom Wills, un vétéran de la *Rugby School* et de Cambridge d'Angleterre et un véritable connaisseur de la version du football pratiqué par les aborigènes. Si l'on en croit la légende, le *marn grook* serait la véritable source d'inspiration de Tom Wills lorsque lui vint la bonne idée de créer un nouveau jeu pour ses joueurs de cricket. Pour les nombreux joueurs aborigènes de la Ligue australienne de football, cela coule de source: le *marn grook* a précédé le *footy* puis l'a engendré.

Tom Wills connaissait en effet de première main le *marn grook*. Le jeune Tom Wills fut élevé en compagnie d'aborigènes; il apprit le dialecte local *Djab wurrung* parlé par les clans aborigènes de l'Ouest de Victoria et joua au jeu de balle d'opossum sur la propriété familiale de Lexington (Victoria) avec ses compagnons aborigènes. Tom Wills servit même d'entraîneur pour l'équipe aborigène de cricket qui fit éventuellement une tournée en Angleterre en tant que premiers représentants australiens de cricket.

Tom Wills aurait-il simplement adapté le passe-temps des aborigènes en vue d'animer ses joueurs de cricket? L'*Australian Rules* football ressemble en effet étrangement à une forme de *marn grook* auquel on aurait ajouté quelques variantes inspirées du rugby et du football gaélique. Mais ce ne serait là qu'apparences, selon certains. Preuves purement circonstancielles, diront les prudents.

Révisionnisme historique, diront d'autres: «Montrez-nous des preuves véritables de ce que vous avancez!» Du point de vue historique, rien dans les écrits laissés par Wills ne suggère un lien quelconque entre le *marn grook* et la création de l'*Australian Rules* football. Sans de telles preuves, on ne peut malheureusement que supposer ce lien de parenté.

Il en fut tout autrement pour un autre sport indigène pratiqué à l'autre bout du monde. En effet, au cours des années 1860, les immigrants canadiens d'origines britannique et française se prirent de passion pour le jeu indigène appelé la crosse. *(Voir La Crosse p. 233)*. Ceux-ci reconnurent totalement l'origine autochtone du jeu: des équipes composées d'indigènes et de canadiens firent en effet des tournées en Australie et en Angleterre dans les années 1870, jouant même devant la reine Victoria au château de Windsor.

Si dans le passé on ne fit aucun lien entre le *marn grook* et l'*Australian Rules* football, aujourd'hui, c'est tout le contraire.

Il est bon de voir cette nouvelle volonté des australiens d'inclure le *marn grook* dans l'histoire du *Australian Rules* football, même si cela grince un peu. Nous ne pouvons qu'applaudir leurs efforts d'embrasser la légende et de se rendre à l'évidence.

À cet égard, il faut mentionner que la Ligue australienne de football remet maintenant un trophée au joueur recrue aborigène s'étant le plus démarqué tout au long de l'année, et que ce trophée porte justement le nom *Marn Grook*. Ainsi, le *marn grook* et l'*Australian Rules* football sont maintenant liés pour toujours dans l'esprit des joueurs et des amateurs.

Et c'est justement dans cet esprit que j'ai choisi de vous présenter ces deux jeux ensemble plutôt que de les couvrir séparément.

Règles australiennes!

Deux jeux de football d'Australie

Marn Grook: Pour la fiche technique de Marn Grook, voir. P. 235.
Australian Rules football: connu aussi sous les noms de *footy* et d'*Aussie Rules;* le premier de tous les sports de football à avoir été officiellement codifié, en 1858.

Joueurs: 2 équipes de 18 joueurs.
Ballon: en cuir, de forme ovale et gonflé d'air sous pression; format normal de ballon de football.
Terrain de jeu: de forme ovale; terrains de cricket souvent utilisés pendant les mois d'hiver; dimensions variées allant de 135 à 185 m de long sur 110 à 155 m de large; à chaque extrémité, 4 poteaux de buts installés en 2 séries; chaque extrémité comprend 4 poteaux de buts répartis en 2 séries.
Description: 2 équipes qui cherchent à s'emparer du ballon et à le diriger vers un joueur assez près pour le botter dans les buts adverses; combinaison dynamique de vitesse, d'athlétisme, de talent et de résistance physique.
Règles: la balle peut être attrapée avec les mains et bottée du pied; on peut faire des passes en la cognant du poing mais non en la lançant; les joueurs peuvent se placer n'importe où sur le terrain et s'y déplacer dans toutes les directions; pour attraper le ballon, les joueurs forment des *packs,* des groupes serrés, et les joueurs les plus habiles s'élancent sur le dos des autres, pour attraper le ballon en vol, ce qui s'appelle *taking a mark*.
Taking a mark: celui qui attrape le ballon en vol peut ensuite botter le ballon à un coéquipier en position de botter dans un but adverse.
Packs: groupes de joueurs rassemblés pour attraper le ballon, provoquant des *high marks* spectaculaires.
High marks: se dit de l'acte posé par les joueurs qui se lancent haut dans les airs sur le dos des autres joueurs pour attraper la balle.
Arbitrage: jusqu'à 3 arbitres au niveau élite, plus 2 juges de ligne et deux juges des buts.
Pointage: 6 points si on botte le ballon entre les 2 poteaux intérieurs des 2 séries de poteaux; 1 point si on le botte entre un poteau intérieur et un poteau extérieur des 2 séries.
Sites Web: www.footy.com.au/dags/FAQ1v1-5.html
www.vandyaussierules.com/collegenationals/footylinks.htm
www.aboriginalfootball.com.au/marngrook.html

Bâton volant

Les Québécois

Voici un jeu universel de cogne et re-cogne vieux d'au moins cinq mille ans. Sous quel nom le connaissez-vous?

Fort probablement d'origine asiatique, le jeu s'est sans doute répandu en Asie et en Europe à la faveur des migrations des tribus indo-européennes. Les italiens pensent qu'il serait arrivé chez eux autour du XVe siècle. Quand et comment il aurait abouti sur les rives du Québec est un mystère, mais on peut supposer qu'il soit arrivé avec les colons français ou encore anglais… quoique je connais une joueuse qui s'est fait dire par son grand-père que le jeu était d'origine amérindienne, alors…

Les québécois ont plusieurs noms pour ce jeu, chaque région ayant ses préférences. Pour les uns, c'est le Jeu du bâton, pour d'autres la *Bitch,* la Bitte, le Cochon ou encore le Moineau. Certains le nomment même Bâton français, ce qui pointerait bien vers sa provenance. Par contre, d'autres le connaissent sous le nom du Chat, ce qui pourrait pointer vers des origines anglaises, car en Angleterre et en

Irlande, le jeu s'appelle *Tip cat,* et le petit bâton *cat* ou *kitten,* soit chat ou chaton. En France, on appelle le jeu Le Quinet, Guise et Pilounette, et ce dernier mot se rapproche de *Pilaouët,* le nom du jeu en Bretagne. Les bretons l'appellent d'ailleurs aussi *Mouih* ou La tinette.

Bâton volant ou petit bâton, c'est aussi le nom donné au Québec au petit bout de bois qui sert d'objet frappé. Le bâton qui sert à frapper le bâton volant est simplement appelé le grand bâton ou encore le gros bâton. L'objectif du jeu est de frapper avec le grand bâton sur le petit bâton qui repose au sol sur un but afin de le faire rebondir et, une fois dans les airs, de le refrapper le plus loin possible. À partir de là, des variantes locales du jeu se sont multipliées au cours des siècles, pour ne pas dire des millénaires. Mais toujours, le bâton volant a conservé ses éléments distinctifs.

Les italiens, qui ont inscrit ce jeu dans leur Fédération de jeux et sports traditionnels, l'appellent *Lippa,* mais aussi *Battonet, Ciaramela* et *Mazza e Piuso,* alors qu'en

Allemagne et en Pologne le jeu s'appelle *klipa* et *sztekiel*. Dans la région arabe de Qsim, on appelle ce petit bout de bois *Al-ba"a,* alors qu'en Inde et dans toute cette région de l'Asie, on l'appelle *Gulli* ou *Gilli*. Dans toute la région asiatique, de l'Inde au Pakistan en passant par Ceylan et l'Afghanistan, on joue plein de variantes du jeu avec des noms ressemblant à *gulli danda* et *gudu*. La variante indonésienne quant à elle s'appelle *tak kadal*. Au Vietnam, c'est *Dánh côn,* au Timor-est c'est *manulin* et en Iran, c'est *alak dolak*. N'en jetez plus, la cour est pleine!

Il y a évidemment plusieurs façons de jouer le jeu. Mais la plupart sinon toutes se rapprochent des deux versions suivantes.

La version la plus simple consiste simplement à cogner le bâton volant avec le grand bâton de la manière prescrite, puis de mesurer la distance accomplie. On compte combien de longueurs de ce grand bâton séparent le bâton volant de son point de départ, puis on attribue alors un certain nombre de points en fonction de la distance parcourue.

La seconde version comprend des joueurs au champ disposés à leur guise sur le terrain. Ceux-ci vont tenter d'attraper le bâton volant avant qu'il ne touche le sol afin de retirer le frappeur du jeu. Cette version peut se jouer à un contre tous ou encore en équipes. Dans le premier cas, tous les joueurs hormis le frappeur se retrouvent dans le champ. Dans le second, une équipe de frappeurs fait face à tour de rôle aux joueurs de l'équipe adverse.

À partir de cette version surgit une variante très intéressante. Elle est pratiquée par différents peuples, bien sûr chacun avec leurs propres variantes, mais elle se résume à ceci. Les joueurs dans le champ qui ne parviennent pas à attraper le bâton volant en vol peuvent quand même éliminer le frappeur ou tout au moins lui nuire. En effet il s'agit pour celui qui a récupéré le bâton tombé au sol de parvenir à le relancer exactement à son point d'origine, sur le but. Et vlan!

Frappe le p'tit bâton!

Jeu de frappe

Objectifs: frapper un petit bout de bois (le bâton volant) au sol avec le grand bâton pour le faire rebondir en l'air et le refrapper alors avec le grand bâton pour l'envoyer le plus loin possible à l'intérieur du terrain.

Grand bâton ou gros bâton: bâton cylindrique de 50 cm de long et de 13 cm de tour.

Bâton volant: petit bout de bois en forme de fuseau; 18 cm de long, 10 de tour; en forme de cône de chaque côté à 4 cm de chaque extrémité.

But: rectangle de 50 cm par 30 cm.

Terrain: 100 m de long par 50 m de large.

Sources: Sylvie Lavoie & Yannick Morin, Jeux d'hier, jeux d'Aujourd'hui, Éditions de l'Homme, Montreal, 1982.

Federazione Italiana Giochi e sport Tradizionali, Via Martiri dei Lager 65, 06128 Perugia, Italia

Cricket

Les Anglais

Bien plus qu'un simple sport, le cricket est un état d'esprit. Soutenu par un code d'honneur, le joueur de cricket reflète toutes les qualités du gentilhomme, pour qui les règles du fair-play vont de soi.

Dans le langage courant, les anglais utilisent d'ailleurs l'expression «It's not cricket» pour dénoncer le manque de fair-play.

Pour bien comprendre l'esprit du cricket, comparons-le un instant au baseball américain, autre jeu impliquant un lanceur et un batteur. Au baseball, le lanceur s'efforce de prendre le batteur par surprise avec des lancers inattendus. Au cricket, c'est tout le contraire: avant de lancer, le lanceur doit indiquer à l'arbitre (qui le dira ensuite au batteur) de quelle manière il a l'intention de lancer la balle. L'arbitre est seul juge de la conformité du lancer. S'il estime que le lanceur n'a pas lancé la balle tel qu'annoncé, celui-ci doit reprendre son coup.

Le jeu se déroule entre deux équipes de onze joueurs, tous de blanc vêtus. Le batteur défend un guichet de bois, dit *wicket,* contre les assauts du lanceur. Le guichet de bois est formé de trois piquets verticaux, dits *stumps,* surmontés de deux témoins. Les piquets sont suffisamment rapprochés les uns des autres pour empêcher la balle de passer entre eux.

Batteur et lanceur se trouvent chacun face à un *wicket*. Les deux *wickets* sont plantés chacun à une extrémité du *pitch* ou *square,* rectangle de 20 m par 2,5 m situé au centre du terrain. Derrière le guichet du batteur se tiennent le gardien, membre de l'équipe des lanceurs chargé de récupérer les balles, et un arbitre.

Chaque lanceur effectue une série de six lancers avant d'être relayé par un coéquipier. Tous les joueurs de l'équipe qui lance deviennent ainsi lanceurs chacun leur tour, sauf le gardien qui ne lance pas à cause de son équipement. Quand ils ne lancent pas, ils sont chasseurs: dispersés dans le champ, dit *outfield,* ils se chargent de rattraper et renvoyer au gardien les balles frappées. Du côté de l'équipe des batteurs, chacun prendra de même la batte à son tour.

Le batteur prend position devant le guichet qu'il doit défendre des balles du lanceur. Un coéquipier se place près de l'autre guichet, prêt à courir. Le batteur est retiré du jeu (out) si son guichet est détruit par la balle du lanceur ou encore s'il le détruit lui-même par inadvertance.

Si le batteur frappe la balle, il se met alors à changer de position avec son coéquipier situé à l'autre extrémité du *pitch.* Chaque changement de position lui vaudra un point, dit *run.* Les batteurs courent ainsi d'un guichet à l'autre tant que la balle n'a pas été relancée au gardien par les chasseurs. Le gardien s'empresse alors de détruire le guichet pour faire cesser les courses. Le batteur est par contre automatiquement retiré du jeu si un chasseur attrape au vol la balle frappée. Bien entendu, le batteur sera aussi retiré du jeu si son comportement est jugé indigne de la conduite d'un gentleman. Après tout, c'est du cricket!

Cette association unique entre cricket et franc-jeu, entre sport et règles de gentilhomme a amené l'activiste politique Ted Hayes et sa partenaire Katie Haber à implanter le cricket au coeur du monde des gangs à Los Angeles. Depuis 1994, l'équipe *Straight out of Compton* fait en effet la promotion du cricket aux États-Unis tout en contribuant à mettre un terme aux activités auto-destructrices de la culture des gangs.

Avoir du respect est la seule exigence pour qui veut devenir membre de cette équipe. Respect des parents, des professeurs, des policiers. Les joueurs peuvent être membres de l'équipe ou d'un gang, mais pas des deux. Pour Hayes, c'est une question de principe, les principes mêmes du cricket.

Ça, c'est du cricket!

Jeu de batte et balle

Joueurs: 2 équipes de 11 ; une équipe de lanceurs-chasseurs, une équipe de batteurs.
Objectif: pour le lanceur, détruire le guichet *(wicket)* protégé par le batteur; pour le batteur, frapper la balle dans le champ, le *outfield,* et courir pour faire des points en changeant de position avec un coéquipier désigné; pour les chasseurs dans le champ, attraper la balle frappée au vol ou la retourner au gardien qui détruira alors le guichet, mettant fin à la course des batteurs.
Terrain (field): ovale, en gazon; mesure 135 m par 150 m; *pitch* au centre du terrain; le reste est appelé *outfield.*

Suite: Page suivante

Criquet: fiche technique - suite et fin

Pitch ou **square:** au centre du terrain, rectangle de 20 m par 2,5 m; herbe coupée plus courte, de couleur plus claire que le reste du terrain; à chaque extrémité du *pitch* se trouve un guichet *(wicket)* de bois.

Guichet *(wicket):* 23 cm de large; formé de trois piquets verticaux *(stumps)* de 71 cm surmontés de deux témoins; piquets suffisamment rapprochés les uns des autres pour empêcher la balle de passer entre deux piquets. Le guichet est défendu par le batteur.

Batteur *(batsman):* défend avec batte en bois son guichet des lancers du lanceur *(bowler)* qui se trouve à l'autre extrémité du *pitch;* équipé de jambières, de gants rembourrés et d'un casque pour se protéger.

Batte: 97 cm de long sur 11 cm de large ; une des faces est plate.

Balle: très dure; pèse 160 g; noyau recouvert de deux morceaux de cuir rouge.

Arbitres: 2 arbitres *(umpires)* chargés de faire respecter les lois du cricket; un se tient derrière le guichet du lanceur, le *fielding side;* l'autre se place environ à 20 m, à angle droit par rapport à l'autre guichet, le *striker side.* Ils échangent leur place à chaque tour de batte; seuls juges de la droiture d'une action, mais recueillent les avis des capitaines.

Déroulement: chaque lanceur effectue une série de 6 lancers; tous les joueurs de l'équipe qui lance doivent lancer une fois (sauf le gardien à cause de son équipement); le lanceur tente de démolir le guichet protégé par le batteur; le coéquipier du batteur se place près du guichet du lanceur, prêt à courir et changer de place avec le batteur dès qu'il frappe la balle; les 11 joueurs de l'équipe de batteurs doivent frapper la balle une fois.

Pointage: lorsque le batteur frappe la balle, il peut gagner des points en échangeant sa position avec celle de son coéquipier situé à l'autre extrémité du *pitch;* chaque échange de position apporte un point, un *run;* les deux batteurs peuvent courir jusqu'à ce que les chasseurs aient relancé la balle au gardien, qui détruit alors le guichet; un batteur qui envoie sa balle hors des limites du terrain sans qu'elle ait touché le sol gagne 6 points; si la balle sort du terrain en roulant, il gagne 4 points; pas de points de course dans ces deux cas.

Batteur retiré du jeu *(out):* si son guichet est détruit par le lanceur; s'il détruit son guichet lui-même en voulant frapper la balle ou protéger son guichet; si l'un des chasseurs attrape au vol la balle frappée; s'il fait de l'obstruction du guichet avec ses jambes; s'il frappe intentionnellement la balle après l'avoir déjà frappée ou touchée de son corps; s'il attrape la balle avec la main qui ne tient pas la batte, sans l'accord de l'autre équipe; s'il a un comportement indigne d'un gentleman.

Contact: Katy Haber, Justiceville Homeless USA, Dome Village, 847 Golden Avenue, LA CA 90017 USA, jhusal1998@aol.com

Sites web: www.lords.org/laws-and-spirit/laws-of-cricket/
www.domevillage.org/Cricket.html

Dibeke

Les Sud-Africains

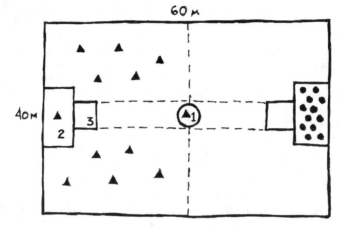

À la fois jeu d'action et sport spectaculaire, *dibeke* ressort clairement parmi les jeux et sports traditionnels sud-africains.

Tous les jours après l'école, filles et garçons vont jouer à ce jeu de ballon. Ils ont probablement eux-mêmes appris le jeu lorsqu'ils étaient plus jeunes en regardant les plus vieux y jouer avec tant d'énergie. Selon les régions, le jeu s'appelle aussi *angush, diwiki, snuka, snukunu, umabohrorisha,* et j'en passe.

Dibeke se jouait autrefois sur les terrains de pâturage en bordure des rivières. Pour ce faire, les garçons et les filles des régions rurales fabriquaient des ballons d'herbes enveloppées de guenilles ou de peaux d'animaux. En ville, on enroulait de la guenille ou du plastique autour de boules de papier. Aujourd'hui, on utilise plutôt des ballons de soccer ou d'autres ballons à botter pour pratiquer cette variante du ballon-chasseur.

Le ballon-chasseur est un jeu universellement connu sous des variantes telles *dodge ball, pelota muerta* et *queimada*.

Il est actuellement fortement contesté dans les écoles d'Amérique du Nord, où on lui reproche d'être trop agressif et intimidant. *Dibeke* quant à lui ressemble aussi à *kupe (Voir Kupe, p. 231),* un autre jeu africain pratiqué celui-là au Sénégal.

Pour résumer le jeu: un attaquant botte le ballon aussi loin que possible dans la zone d'une équipe de défenseurs, puis toute son équipe tente alors de traverser cette zone en courant. Les défenseurs, qui ont récupéré le ballon, tentent alors d'éliminer du jeu chaque attaquant en les frappant avec le ballon.

Plus en détail: deux équipes se font face des deux côtés d'une ligne de centre (voir illustration). Cette ligne s'ouvre au milieu pour former un cercle appelé boîte du rouleur (1, illustration). Des boîtes d'attaquants (2, illustration) sont fixées à l'extrémité intérieure de chaque territoire et des boîtes de botteurs (3, illustration) sont fixées à l'avant de ces dernières.

Les équipes sont tour à tour attaquants et défenseurs. Du côté des défenseurs, un joueur se place avec le ballon dans la boîte du rouleur, prêt à rouler (1) le ballon vers la boîte de botteurs (3) de l'équipe adverse. Le reste de son équipe se disperse sur son territoire. Chacun se met en position pour attraper le ballon qui sera bientôt botté par un des attaquants. Pendant ce temps, les joueurs attaquants se placent côte à côte dans leur boîte sur une ligne. Ils sont parés pour assaillir le territoire des défenseurs.

Au signal, le rouleur appelle un attaquant par son nom ou son numéro. Il roule aussitôt le ballon vers la boîte de botteurs de l'équipe adverse. Le joueur appelé saute dans cette boîte et botte le ballon dans la zone des défenseurs. Puis il se met à courir en direction de la boîte d'attaquants de ces derniers. Les coéquipiers qui le souhaitent se joignent alors à lui dans l'assaut.

Les défenseurs récupèrent le ballon; s'ils l'attrapent en vol, tous les attaquants sont éliminés, les défenseurs marquent un point et les équipes changent de rôle. S'ils n'attrapent pas le ballon en vol, ils le relancent sur les adversaires pour les éliminer un à un. Un attaquant qui atteint la boîte sans avoir été touché par le ballon gagne un point. L'attaquant qui cumule vingt points est considéré comme intouchable; il se mérite deux points en plus de libérer tous ses coéquipiers éliminés. Une fois tous les attaquants éliminés, les défenseurs marquent un point et les équipes changent de rôle.

Bien entendu, *dibeke* peut être joué de manière beaucoup moins formelle que cette version sportive compétitive. Selon les circonstances, on peut choisir de le pratiquer comme un jeu divertissant. Du moment que chacun y trouve son parti, chacun appréciera *dibeke* à sa juste valeur!

Intouchable!

Jeu de type ballon-chasseur

Joueurs: 2 équipes de 12, idéalement moitié filles, moitié garçons.
Aire de jeu: mesure 60 m sur 40 m; coupé en deux territoires par une ligne centrale (voir illustration).
Boîte du rouleur (1, illustration): cercle de 3 m de diamètre au centre du terrain.
Boîte d'attaquants (2, illustration): rectangles aux lignes de fond de chaque territoire; mesurent 10 m de large sur 5 m de long.
Boîte du botteur (3, illustration): carrés en face des boîtes d'attaquants; mesurent 5 m carrés.
Éliminations: si la balle a été bottée en l'air et qu'un défenseur l'attrape en vol, tous les attaquants sont éliminés; est éliminé l'attaquant hors de sa boîte qui est touché par le ballon tiré par un défenseur et l'attaquant qui est sorti des limites du jeu.
Pointage: l'attaquant qui atteint la boîte opposée sans avoir été touché compte un point; l'attaquant avec 20 points compte 2 points et fait libérer tous ses coéquipiers éliminés; les défenseurs comptent 1 point lorsque tous les attaquants sont éliminés; les équipes inversent alors leurs rôles et une nouvelle ronde commence.
Source: South African Indigenous Games, South African Sports Commission, 2001, PO Box 11239 Centurion 0046

Hurling

Les Irlandais

Le *hurling* est le passe-temps national des irlandais. Comparable au hockey sur gazon, cet ancien jeu gaélique a vu le jour bien avant la venue de la chrétienté. C'était à l'origine une forme de guerre par laquelle on pouvait régler disputes et mésententes.

À l'époque, un match pouvait rassembler des centaines de joueurs, provenant souvent de villages avoisinants. On réglait alors ses comptes de manière sportive. Avant le début du match, les deux parties s'entendaient sur les règles de base du jeu. La lutte et le plaquage étaient bien entendu permis, cela allait de soi. Des compensations étaient même prévues pour les familles des joueurs qui mouraient sur le terrain de…jeu.

Un jeu comparable au hockey sur gazon, des centaines de joueurs sur le terrain, des règlements de compte, la forme sportive de la guerre… Vous savez, tout cela fait bien penser au *baggataway,* le petit frère de la guerre. Aujourd'hui connu sous le nom de la crosse *(Voir La Crosse, p. 233),* il s'agit bien entendu du jeu traditionnel pratiqué par les premiers habitants de l'Île de la Tortue, maintenant connue sous le nom d'Amérique du Nord. Alors, irlandais et Premières nations, même combat?

Avec le temps, le *hurling* est devenu un événement festif. On jouait des matches durant les festivals celtes. Puis, au 18e siècle, le *hurling* connut ses heures de gloire. Les propriétaires fonciers organisaient des matches de grande qualité entre baronnies et comtés. Alors, chaque joueur était tenu à un code d'honneur et de comportement très strict. Un siècle plus tard, en 1884, le GAA vit le jour: la *Gaelic Athletic Association for the Preservation and Cultivation of National Pastimes.* La GAA établit des normes de jeu et organisa la pratique du sport au niveau paroissial.

Tricoté serré dans le tissu social, le *hurling,* de même que son jeune frère le football gaélique, en sont donc ainsi venu à représenter l'esprit communautaire et la fierté locale. Le *hurling* reste encore de nos jours un sport pratiqué pour le pur plaisir du jeu et de son histoire. En effet, le *hurling* a conservé jusqu'à maintenant son aspect strictement amateur. Ce qui va nettement contre la tendance actuelle de la professionnalisation des sports de haut niveau.

Tout comme la crosse, le *hurling* a ainsi beaucoup évolué depuis ses origines sauvages. On est en effet très loin de la guerre, quoique certains y voient encore beaucoup trop d'agressivité à leur goût. Le jeu demeure en effet très viril. D'ailleurs, si vous êtes une femme, vous pouvez jouer à la version féminine du *hurling:* le *camogie.*

C'est une variante un peu moins agressive que l'original, mais qui maintient les mêmes principes de jeu. Le *camogie* n'est donc pas non plus pour les mauviettes. C'est irlandais, après tout!

Le *hurling* se pratique entre deux équipes de 15 joueurs, sur un terrain énorme qui mesure presque deux fois celui d'un terrain de football américain. Les joueurs se servent de leur *hurley,* un bâton de bois de près d'un mètre de long, effilé et recourbé, pour chasser une balle de caoutchouc au cœur de liège, recouverte de cuir de cheval. Le joueur qui la ramasse au sol ou l'attrape dans les airs avec son *hurley* peut courir avec aussi loin que possible avant de la relancer vers un co-équipier ou encore vers le filet adverse, le cas échéant. Les joueurs peuvent aussi toucher la balle de la main et du pied.

Les buts, larges de plus de six mètres, sont immenses si on les compare à ceux de la crosse, qui mesurent moins de deux mètres. Une barre transversale croise les poteaux de buts à hauteur de 2,44 m, soit la hauteur exacte d'un but de soccer. Mais les poteaux atteignent par contre deux fois cette hauteur, soit 4,88 m. Envoyer la balle sous la barre transversale vous vaudra trois points, alors que l'envoyer au-dessus vous vaudra seulement un point.

Je ne sais pas comment les joueurs de *hurling* font pour éviter de sérieusement se blesser. Ça reste pour moi un mystère. Chose certaine, l'éthique irlandaise de travailler et de jouer avec ardeur y trouve tout son sens. Donnons aux irlandais ce qu'il leur revient: ils savent donner et recevoir les coups autant que faire la fête!

Le grand jeu gaélique

Jeu de balle et bâton

Joueurs: 2 équipes de 15.
Objectif: envoyer la balle dans le but adverse en utilisant son bâton nommé *hurley.*
Balle: appelée *sliotar;* faite de caoutchouc recouvert de cuir avec centre de liège; 22,86 à 25,4 cm de circonférence.
Hurley: bâton de bois de près de 1 m de long; recourbé, effilé.
Terrain de jeu: autour de 128m de long sur 73 de large.
Buts: 6,4 m de large, avec barre transversale à 2,44 m du sol et poteaux atteignant 4,88 m de haut.
Pointage: 3 points si la balle est envoyée sous la barre transversale; 1 point si elle va au-dessus.
Règlements: maximum de 2 fois 4 pas avec la balle en main, pas de limite de distance avec la balle sur le *hurley;* la balle ne peut être lancée, sauf si on se sert de la technique appropriée de passe à la main; la balle ne peut être ramassée directement du sol sauf de la manière appropriée; le joueur ne peut compter avec la balle en main, mais s'il attrape la balle au vol, il peut la frapper de sa main pour compter; pour le lancer de punition, 3 défenseurs peuvent se tenir sur la ligne des buts.
Contact: Montreal Gaelic Athletic Association (GAA), montreal_gaa@yahoo.com
Site Web: www.gaa.ie/page/all_about_hurling.html

Joca
Hockey sur gazon portugais

Les Portugais

Auparavant, les bergers portugais regroupaient leurs troupeaux au cœur des montagnes et jouaient avec leur crosse de berger au *joca*, une version originale du hockey sur gazon.

Aujourd'hui, les vieux bergers demeurent les experts du *joca,* qui se pratique maintenant dans les parcs et sur les places publiques des villes.

Joca est aussi connu en Espagne voisine sous le nom de *choca*. D'ailleurs, quand les Conquistadores atteignirent le Chili il y a de ça près de cinq cent ans, ils découvrirent chez le peuple mapuche un jeu qui leur rappela leur *choca*. Tellement qu'ils rebaptisèrent promptement ce jeu de hockey autochtone du nom de *chueca*. *Joca, choca, chueca*, blanc bonnet, bonnet blanc?

Loin de là. Étonnamment, le *chueca* des mapuches se rapproche beaucoup plus de la famille universelle du hockey sur gazon que *joca* et *choca*, qui font vraiment classe

à part. En effet, *joca* est un jeu qui ne se joue même pas en équipe. Et, à certains points de vue, il tient beaucoup plus du jeu de chaise musicale que du hockey. Je m'explique.

Les joueurs sont armés d'un bâton recourbé, originellement le bâton du berger. Chacun tente individuellement d'envoyer une balle de bois dans un but, comme un mouton est mené à son pacage. Ce but, c'est un trou central creusé au milieu du terrain. Jusque-là, c'est un jeu classique de un contre tous. Mais voilà que ça se complique. La règle suivante dit: à chaque joueur son trou. Voilà qui change tout!

En effet, tous les joueurs sont éparpillés sur le terrain, chacun devant un trou. Chacun garde son trou en y déposant son bâton, comme sur l'illustration. Sauf pour un joueur, qui lui se retrouve devant le trou central. Comme personne ne veut de ce trou, notre joueur cherchera donc à s'emparer du trou d'un autre.

Les autres joueurs quant à eux aimeraient bien s'emparer de la balle et compter un but dans le trou central. Mais pour ce faire, ils devront intercepter la balle à l'aide de leur bâton et, ce faisant, risquer de perdre leur trou. Leur calcul est donc double: se saisir de la balle sans perdre son trou ou encore se saisir de la balle pour ensuite saisir le premier trou libre.

Pour faire sortir les joueurs de leur trou, le joueur au trou central fait la mise au jeu en lançant la balle en l'air. Tant que quelqu'un n'a pas poussé la balle dans le trou central avec son bâton, celle-ci reste en jeu. Une fois la balle dans le but, le joueur au trou central relance la balle en l'air.

Sauf que ce joueur a aussi l'option de forcer les joueurs à changer de trou, ce qui lui permettra alors de s'emparer du trou le plus près. Comme un bon berger, il n'a qu'à donner un signal à son troupeau pour que tout le monde bouge en même temps: «un, deux, trois, changez!», et chacun se cherche à toute vitesse un nouveau trou.

Vous serez étonnés d'apprendre l'existence en Écosse d'un jeu traditionnel similaire qui a pour nom *sow-in-the-kirk,* c'est-à-dire «truie dans le trou». Mais la surprise ne s'arrête pas là : les Danois ont aussi un jeu traditionnel très similaire qui s'appelle d'ailleurs *so i hul,* «*truie* dans le trou»! De même, un jeu similaire est connu en France sous le nom de «la truie» et certains portugais appellent *porca* le jeu de *joca,* et comme *porca* veut dire truie…

Le jeu serait-il donc une métaphore pour la truie qui cherche à regagner son trou sous la direction d'un groupe de gardiens de pourceaux? Curieux quand même pour un jeu de bergers! Pourquoi la balle ne représente-t-elle pas plutôt un mouton, ça aurait été logique, non? Et tout aussi surprenant de découvrir que ce jeu, que l'on croyait originaire des montagnes du Portugal et d'Espagne, se découvre toute une parenté européenne!

Garde ton trou!

Variante de hockey sur gazon sans équipe

Objectif: les joueurs armés de bâtons recourbés essaient d'envoyer la balle dans le but, un trou central; ils tentent aussi de s'approprier un trou individuel sur le terrain en plaçant leur bâton dessus.

Joueurs: nombre indéfini; pas d'équipe.

Bâton: style bâton de hockey recourbé; autrefois un bâton de berger.

Balle: en bois de 6 cm de diamètre.

But: trou central de 20 cm de diamètre creusé au milieu du terrain.

Trous individuels: autant que le nombre de joueurs sauf un; dispersés sur le terrain.

Mise au jeu: option 1, le joueur sans trou lance la balle en l'air depuis le but; option 2, le joueur sans trou crie « un, deux, trois, changez! »; et tout le monde quitte alors son trou pour un autre.

Source: A.J.T.G. Associação de jogos tradicionais Guarda, Largode Torreão, No 4, Guarda, Portugal, ajtguard@mail.telepac.pt

---

Kupe

Les Sénégalais

Au Sénégal, lorsque les pluies hivernales tardaient à venir, on envoyait les jeunes filles jouer au *kupe*. Elles jouaient alors jusqu'à ce que la pluie vienne les disperser.

En effet, *kupe* servait autrefois de rite d'appel à la pluie. En début de partie, les filles entraient sur le terrain de jeu en chantant au son des tam tams: «*Kupe tongu ku amul tongu dangay daw ba dee te naani tëla.*»

Kupe est en quelque sorte une version sénégalaise du ballon-chasseur. En Afrique du sud, on joue au *dibeke,* un autre jeu similaire *(Voir dibeke, P. 225).* On retrouve dans ces deux jeux africains deux équipes, une à l'attaque et l'autre à la défense. Attaquants et défenseurs...ou devrais-je dire attaquantes et défenses dans le cas du *kupe,* vu qu'à l'origine c'était un rituel de jeunes filles. Tiens donc! En l'honneur de ces jeunes sénégalaises, je continue mon explication en utilisant des vocables féminins... mais ça ne veut pas dire que les gars ne peuvent pas jouer!

Il s'agit pour une joueuse de traverser le terrain pour revenir à son camp à l'autre bout tandis que l'autre équipe la chasse au ballon. Cette joueuse compte un point si elle réussit à traverser le terrain sans être atteinte par le ballon. Voilà qui explique le chant mentionné plus haut. Toujours utilisé en entrée de jeu, il se traduit par:

«Quant on joue au *kupe,* Il faut des bonnes défenses, sinon on passe tout son temps à courir sans marquer de points.»

Le truc intéressant de ce jeu c'est qu'il est bourré de renversements de situation. Cela arrive chaque fois qu'une attaquante est frappée par le ballon. Celle qui l'a atteint devient alors attaquante et les équipes changent de rôles. La nouvelle attaquante tente de rejoindre son camp sans être atteinte par le ballon maintenant contrôlé par l'équipe adverse. Si cette attaquante –fuyarde en réalité- est à son tour atteinte par le ballon, le jeu est encore renversé.

Kupe se joue entre deux équipes de onze joueuses. Le terrain de jeu lui-même a les dimensions d'un petit terrain de soccer. Chaque équipe a son camp à un bout dudit terrain. Un cercle servant au rituel de fin de jeu est tracé au milieu du jeu. Un ballon de handball un peu mou fait office de ballon de *kupe.*

Ce ballon est mis au jeu par une attaquante appelée serveuse. Cette serveuse se place à une ligne tracée à 11 m de la ligne de fond des défenses. Elle lance le ballon en direction d'une défense appelé receveuse, elle-même placée derrière cette ligne de fond. Une fois le service effectué, la serveuse attaque en s'enfuyant vers sa propre ligne de fond pour compter un point.

Pour l'en empêcher, la receveuse lui tire dessus directement ou lance le ballon à une de ses coéquipières dispersées sur le terrain. D'une passe à l'autre, les défenses tentent de se rapprocher suffisamment de la fuyarde pour pouvoir l'atteindre du ballon avant qu'elle n'atteigne son camp et compte un point. La fuyarde qui réussit devient alors la prochaine receveuse et le jeu reprend de plus belle.

La partie se joue en deux périodes. Chaque période dure le temps requis pour que chaque joueuse ait l'occasion d'être serveuse. Si le match ne se termine pas en égalité, l'équipe perdante se place autour du cercle central, mains sur les genoux. Au son des tam tams, les vainqueurs embarquent sur les dos des perdantes et se passent le ballon tout en battant le rythme de leurs mains… jusqu'à ce que le ballon tombe au sol.

Cette finale cavalière me rappelle un autre jeu, celui-là parmi les plus anciens. Il était justement pratiqué par des filles qui s'échangeaient des balles, à cheval sur des compagnes. Ça se passait tout à l'est du continent, en ancienne Égypte. Je ne sais si ces jeunes filles illustrées sur les tombes de Saqqara jouaient dans le but d'attirer la pluie. C'est possible, mais ça, les hiéroglyphes n'en soufflent pas mot.

Kupe tongu ku amul tongu!

Jeu de type ballon-chasseur

Joueurs: 2 équipes de 11.
Ballon: ballon de handball légèrement dégonflé, ou similaire.
Terrain de jeu: autour de 100 m de long sur 50 m de large; le format d'un petit terrain de soccer.
Camp d'équipe: entre la ligne de fond et la ligne tracée à 9 m de là à l'intérieur du jeu.
Ligne de service: intérieure, tracée à 11 m de chaque ligne de fond.
Service: balle mise en service par le serveur sur la ligne de service.
Serveur: membre des attaquants; se sert de la ligne se service de l'équipe opposée pour mettre la balle en service.
Receveur: membre des défenseurs; placé derrière sa ligne de fond; reçoit le ballon lancé par le serveur.
Fuyard: le serveur devient le fuyard une fois le ballon tiré au receveur; il fuit vers son camp d'équipe.
Pointage: 1 point à l'équipe du fuyard qui rejoint son camp sans avoir été atteint par le ballon; le fuyard devient alors receveur; un nouveau serveur fait le service.
Renversement: celui qui atteint le fuyard d'un coup de ballon devient le fuyard; les équipes inversent alors leurs rôles.
Match/durée: 2 périodes; chacune dure le temps que chaque joueur ait joué le rôle de serveur.
Fin: après 2 périodes; suivi du rituel cavalier de fin de jeu s'il n'y a pas égalité.
Source: Centre National d'Éducation Populaire et Sportive de Thies, M. B. Khary Ndoye, B.P. 191, Thies, Sénégal

La Crosse

Les Premières nations - Canada

La crosse, aussi appelé *field lacrosse* et la crosse canadienne, est un sport d'équipe. Les joueurs passent la balle à leurs coéquipiers à l'aide de leur crosse afin de l'envoyer dans le but adverse. Aujourd'hui, le terrain de jeu gazonné fait 100 m sur 55 m. Comme au hockey sur glace, il permet au jeu de se dérouler derrière les buts. À cet effet, les buts de la crosse sont placés à deux extrémités du terrain mais à l'intérieur de celui-ci. Le gardien de but est le seul autorisé à toucher la balle avec ses mains. Le filet de sa crosse est d'ailleurs plus large que celui des autres joueurs.

Bagataway était particulièrement apprécié des peuples algonquins et iroquois. Les membres de la Confédération iroquoise l'appelaient d'ailleurs par des noms différents. Pour les mohawks, c'était *teh hon tsi kwaks;* pour les onondagas, *eksguh jee gwah ai* et pour les oneidas, *ga lahs.* Pour leur part, les cherokees, les creeks et les choctaws pratiquaient des variantes appelées *toli.* Pour tous, c'était le petit frère de la guerre.

Voici le seul sport au monde où une équipe de la Confédération iroquoise participe aux championnats internationaux en tant que nation!

La chose s'explique fort bien. En effet, la crosse, sport national d'été du Canada, provient du *bagataway,* un jeu autochtone très ancien d'Amérique du Nord. Il était pratiqué à l'époque sous une forme ou une autre par non moins de 48 Premières nations. On croit que les missionnaires français de la Nouvelle-France auraient d'ailleurs rebaptisé (c'est le cas de le dire) le jeu à cause du bâton recourbé qui leur aurait rappelé la crosse de leurs évêques.

Ce bâton possède en son extrémité recourbée un filet ovale qui sert à recevoir la balle. Cette balle, qui peut filer à 160 km/h, n'est pas frappée au sol mais est plutôt lancée et attrapée en vol à l'aide du filet de crosse.

À cet effet, les chippewas, peuple des Grands Lacs, firent en 1765 une brillante démonstration du lien étroit entre la guerre et le sport en se servant du jeu comme d'un cheval de Troie. Lors d'un siège sur le poste de traite fortifié *Michillimackinac,* ils cessèrent leur assaut pour se mettre à jouer à *bagataway* près du fort. Les anglais, intrigués et apparemment grand amateurs de sports même à cette époque, sortirent du fort pour regarder jouer les chippewas...et c'en fut fait de nos anglais.

Contrairement au sport la crosse, le jeu *bagataway* et ses variantes pouvaient se dérouler sur plusieurs jours, se déployer sur des terrains longs de plusieurs kilomètres et incorporer des centaines de joueurs. La balle était faite de peau de cervidé ou d'un nœud d'arbre.

On s'entend pour dire que la version traditionnelle du jeu a commencé à évoluer vers le sport que nous connaissons aujourd'hui au cours de la première moitié du XIXᵉ s, après une démonstration du jeu à Montréal par des mohawks de Kanawake. Les canadiens se mirent alors au jeu mais ne remportèrent aucun match contre les mohawks avant plusieurs années. Au cours de la décennie 1860, le dentiste montréalais G W Beers établit les standards du sport en se basant sur une version mohawk qu'il connaissait bien.

Puis dans la décennie suivante le jeu fut introduit en Australie et en Angleterre, alors qu'autochtones et canadiens jouèrent au Château Windsor devant la Reine Victoria. La crosse obtint ensuite le statut de sport olympique d'exhibition aux Jeux de 1908, 1912, 1932 et 1948. Aujourd'hui des ligues féminines et masculines foisonnent partout dans le monde, tant aux niveaux professionnel et collégial qu'amateur.

Pour leur part, les Premières nations accordent toujours à la crosse les vertus spirituelles, thérapeutiques et sportives d'antan. Et grâce au *Iroquois Nationals Lacrosse Club* formé en 1983, ils participent même en tant que nation aux championnats internationaux de la crosse. C'est dire qu'ils prennent une savoureuse revanche sur le passé. Il y a cent ans, on interdisait en effet aux autochtones de participer aux championnats de la Ligue nationale de la crosse du Canada!

Concluons avec ces paroles de sagesse adressées par un aîné de la tribu Fox de Tama en Iowa lors d'un match tenu par sa nation en 1902, parole relatées par l'ethnologue William Jones:

«Jouez avec ardeur, mais jouez franchement. Ne vous mettez pas en colère et ne perdez pas la tête.»

Vitalité des six nations!

Jeu de balle au but

But du jeu: envoyer la balle dans le but des adversaires.

Joueurs: hommes, 2 équipes de 5; femmes, 2 équipes de 6.

Balle: mesure environ 20 cm de tour; pèse soit 1 kg, soit 1,5 kg, ou encore 4 kg.

Crosse: bâton recourbé avec filet dont le bout est recourbé; 3 longueurs différentes selon la position occupée par le joueur; variant entre 76 cm et 1 m 52; le filet de crosse du gardien de but est plus large que celui des autres joueurs.

Buts: 1,83 m carrés; placés à deux extrémités du terrain mais à l'intérieur de celui-ci, à 13,7 m de la ligne de fond.

Gardien de but: seul autorisé à toucher la balle avec ses mains.

Pointage: 1 point par but compté.

Contact corporel: autorisé chez les hommes, interdit chez les femmes.

Durée du match hommes: 4 périodes de 15 minutes pour match amical ou de club; 4 périodes de 25 minutes pour les matches internationaux.

Durée du match femmes: 2 périodes de 25 minutes.

Contact: Mohawks Council, Kanawake, Quebec, Canada

Sites web: http://archives.cbc.ca/IDD-0-60-1091/sports/sport_la_crosse/
www.laxhistory.com   www.peace4turtleisland.org/pages/lacrosse.htm

Marn Grook

Les peuples aborigènes - Australie

Pour le texte sur Marn Grook,
voir Australian Rules Football,
P. 216.

Marn Grook - Fiche Technique

Marn Grook: le nom veut dire «jeu de balle» en dialecte aborigène; jeu traditionnel de football qui était joué par les clans *Djab wurrung* habitant l'Ouest de Victoria lors des rencontres et des célébrations; version moderne réinventée.

Balle: en peau d'opossum ou de kangourou, bourrée d'herbe ou de charbon, et de la grosseur d'une orange.

Description: jeu de football dans lequel on attrape la balle avec les mains pour la botter avec le pied.

Règles d'aujourd'hui: pour avancer avec la balle, le joueur doit la botter tous les 10 m en se la passant de la main au pied à la main, tout en courant; on peut se faire de courtes passes à 2 mains sur une distance n'excédent pas 10 m; les joueurs se placent où ils veulent sur le terrain; quand une équipe sort la balle des limites, on alloue un botté gratuit à l'équipe opposée; on peut plaquer le joueur en possession de la balle; l'aspect le plus important consiste à marquer, *taking a mark.*

Taking a mark: marquer, c'est-à-dire attraper ou prendre possession de la balle en vol après qu'un joueur l'ait botté sur une distance minimale de 15 m; ceci encourage la formation de *packs* .

Taking a contested mark: marquer dans un contexte de chaude lutte.

Packs: bandes de joueurs regroupés qui essaient de s'emparer de la balle et de faire des *high marks.*

High marks: se dit de l'acte posé par les joueurs qui se lancent haut dans les airs sur le dos des autres joueurs pour attraper la balle. (Voir illustration)

Pointage: 3 points si l'on marque *(taking a mark);* 6 points pour avoir botté la balle dans le but en cours de course; 9 points pour avoir botté dans le but pendant que l'on marque *(taking a mark).*

Pasarhutukua
Pelota p'urhepecha encendida
Balle de feu

Les P'urhépèches - Mexique

Telle une comète embrasant le ciel, cette balle en vol trace une éblouissante signature de feu.

Pasarhutukua fait partie des pratiques rituelles antiques des peuples méso-américains. Les *P'urhépèches* du Mexique perpétuent la tradition jusqu'à nos jours. Le jeu évoque le terrain de jeu céleste où les dieux s'amusent à se relancer les astres comme autant de balles enflammées.

Aussi appelé *papandakua,* le jeu est presque identique à cet autre jeu *p'urhépèche* du nom de *pasiri-a-kuri (Voir pasiri-a-kuri, p. 240)* ... sauf que dans *pasiri* la balle n'est pas en feu, ce qui change tout.

Il y a deux façons de jouer, dépendant de comment on pousse le ballon: avec ses mains (ouille!) ou encore à l'aide d'un bâton recourbé (ahhh!). Dans cette dernière version, *pasarhutukua* est aussi appelé *uarhukua chanakua,* qui signifie: le jeu des bâtons de marche qui se frappent. Il s'agit donc d'une forme autochtone de hockey sur gazon qui s'est développée indépendamment des nombreuses variantes que l'on peut retrouver sur d'autres continents.

Le but et les règles de jeu suivent celles de *pasiri-a-kuri*. Il met en jeu deux équipes de cinq joueurs ou plus et un arbitre. Chaque équipe tente de protéger son but et d'envoyer le ballon en feu dans le but de l'équipe opposée. Le but fait la largeur du terrain, souvent la largeur d'une rue. Le terrain peut mesurer entre 150 m et 200 m de long.

La balle est de taille moyenne, ce qui en fait une grosse balle ou un petit ballon. Elle est confectionnée à partir d'un bloc de bois d'érythrine d'Amérique. On le trempe dans la gazoline quelques jours avant un match. Une partie dure habituellement 6 heures environ (fiou!), quoique qu'à l'occasion, on fixe une limite basée sur le pointage ou sur le temps (ouf!).

Joué par les hommes depuis toujours, le jeu est maintenant pratiqué aussi par les femmes depuis 1994, alors que se formaient les premières équipes féminines dans la ville de Mexico. Et on peut maintenant voir garçons et filles, hommes et femmes jouer ensemble à l'occasion dans les mêmes équipes.

Vous savez, il faut être pas mal «cool» pour jouer ainsi avec le feu...

Voir photoreportage, p.210.

Quand les dieux se relancent la balle

Jeu de balle au but

2 versions: à mains nues ou avec bâton recourbé.
Joueurs: deux équipes de cinq ou plus.
Arbitre: contrôle le nombre de joueurs et leur comportement; vérifie leur équipement; valide le pointage.
Balle: autour de 15 cm de diamètre, confectionnée à partir d'un bloc de bois de l'érythrine d'Amérique trempée dans de la gazoline 2 ou 3 jours avant le match.
Buts: 6 m à 8 m de large; de la largeur du terrain, souvent la largeur d'une rue.
Terrain: mesure entre 150 m et 200 m de long et 6 m à 8 m de large.
Durée: environ 6 heures ou encore limite fixée par les capitaines et basée sur le pointage.
Interdit: démontrer trop d'agressivité.
Pénalité: l'équipe adverse reçoit le service.

Version avec bâton

Bâton de bois: le manche mesure entre 90 cm et 120 cm; la palette mesure entre 15 cm et 20 cm.
Interdits: toucher intentionnellement à la balle avec une main ou un pied; démontrer trop d'agressivité; soulever le bâton au-dessus de la ceinture au moment de frapper la balle ou encore après l'avoir frappé.
Pénalité: l'équipe adverse prend possession de la balle et fait le service.
Sources: Federación Mexicana de Juegos y Desportes Autóctonos y Tradicionales de México, A.C., Av. Rio Chrubusco Pta.9, Ciudad Deportiva, Magdalena Mixhuca, C.P. 08010 México, D.F.
A.C.Mixtin Associación Civil, Versalles 112 B-202 Col. Juarez CP. 06600 México D. F.
Sites web: www.codeme.org.mx/autoctonoytradicional/Deportes/pelota.html
www.maxar.de/joomla/index.php?option=com_content&
task=view&id=104&Itemid=87

Pash Pash Tombichi

Les Mayas de l'ethnie Mame - Mexique

Pash-pash, c'est le son que fait la pelote lorsqu'elle est frappée avec la paume de la main.

Les mayas de l'éthnie Mame du Chiapas au Mexique sont très fort au *pash-pash tombichi*. C'est leur jeu de groupe. Ils le pratiquent, adultes comme enfants, depuis l'époque pré-hispanique.

La pelote *pash-pash* est petite, ovale et dure. Elle est composée d'un tas de petites pierres ou de tuiles que l'on enveloppe de couches successives de feuilles de maïs séchées. Un nœud solide vient attacher le tout à une extrémité de manière à laisser dépasser une queue de bouts des feuilles pour former un gouvernail.

Environ 25 à 30 joueurs se rassemblent pour former un large cercle. Le meneur de jeu, surnommé *el repartidor,* le répartiteur, se place au centre, pelote en main. Il est choisi pour sa force et son aptitude à lancer, rattraper et rediriger la balle vers les autres joueurs. Le répartiteur lance donc la balle à un premier joueur qui la lui renvoie. Le répartiteur la relance aussitôt au voisin de ce premier joueur, qui la lui retourne. Ainsi, tour à tour, dans un mouvement fluide qui suit le sens des aiguilles d'une montre, chacun reçoit la balle et la relance au répartiteur.

Le joueur qui laisse tomber la balle est éliminé. Le répartiteur qui l'échappe est aussi éliminé et remplacé par celui qui a le plus souvent attrapé la balle. Le nouveau *repartidor* poursuit là où l'ex-*repartidor* était rendu dans le jeu.

La victoire appartient à celui qui joue encore avec le répartiteur une fois tous les autres joueurs éliminés. Toute la communauté rend alors hommage au vainqueur qui est reconnu et traité comme un personnage de grande importance... jusqu'à ce que n'apparaisse le prochain vainqueur!

Les zunis du Nouveau-Mexique jouent eux aussi à un jeu de volant fait à base de maïs. Et eux aussi le nomment à partir du son que fait le volant lorsqu'ils le frappent avec la paume de leur main. Mais dans leur cas, ils l'appellent *Po-ki-nanane*. C'est parce que le son de leur paume qui frappe le volant leur rappelle le bruit de la foulée du lièvre sur la neige glacée...

Pash...pash...pash...

Jeu de balle

Joueurs: de 25 à 30 joueurs.
Pelote: mesure entre 10 cm et 12 cm de long; composée d'un tas de petites pierres ou tuiles enveloppées de couches successives de feuilles de maïs séchées; un nœud solide vient attacher le tout à une extrémité de manière à laisser dépasser une queue de bouts des feuilles pour former un gouvernail.
Aire de jeu: large cercle de 20 m à 25 m de diamètre formé par le cercle des joueurs.
Meneur de jeu: au centre du cercle, surnommé *el repartidor,* le répartiteur; il lance et rattrape la balle tour à tour à chaque joueur.
Éliminations: un joueur qui laisse tomber la balle; si le répartiteur la laisse tomber, il est remplacé par le joueur qui a le plus souvent réussi à attraper la balle; ce nouveau répartiteur relance alors l'action de plus belle.
Victoire: celui qui joue encore avec *el repartidor* une fois tous les autres éliminés.
Source: Federación Mexicana de Juegos y Desportes Autóctonos y Tradicionales de México, Av. Rio Chrubusco Pta.9, Ciudad Deportiva, Magdalena Mixhuca, C.P. 08010 México, D.F.
Site web: www.codeme.org.mx/autoctonoytradicional/Juegos/Tombichi.html

Pasiri-a-kuri
Pelota p'urhepecha de trapo, Balle de toile

Les P'urhépèches - Mexique

Les *P'urhépèches* pratiquent depuis des temps immémoriaux un sport de balle au sol qu'ils jouent soit avec la main, soit avec un bâton recourbé, comme au hockey!

Le bâton recourbé s'appelle *uarhukua* et dans cette version avec bâton le jeu est aussi appelé *uarhukua chanakua,* ou jeu des bâtons de marche qui se frappent. Il s'agit de toute évidence d'une variante du hockey sur gazon, ce sport universel parmi les plus anciens du monde.

On a en effet retrouvé des joueurs de hockey primitif tant sur une murale des pyramides de Teotihuacan au Mexique que sur des tombes du site archéologique Beni Hassan de l'ancienne Égypte!

Le hockey provient en effet de plusieurs souches indépendantes. En ancienne Égypte, les bâtons recourbés étaient faits de branches de palmiers et la balle de fibres de papyrus recouvertes de cuir. On pratique d'ailleurs encore de nos jours une version de ce hockey dans les campagnes égyptiennes.

Les anciens chinois pratiquaient eux aussi une forme primitive du jeu il y a de cela plus de 4 650 ans. Les habitants de l'Inde quant à eux en pratiquaient une autre il y plus de 2 550 ans. De l'Asie, le jeu se répandit en Europe et en Arabie en des vagues successives.

En Amérique du Nord, les peuples autochtones jouaient au hockey d'un bout à l'autre du continent. *Nahoytatatsiw* est le nom du jeu pratiqué par les hopis. D'autres peuples jouaient à des versions qu'ils nommaient *gugahawat, kakwasethi, ohonistuts, oomatasia* et *ts'iits'quel'o'ol.* En Amérique du Sud, les mapuche du Chili pratiquent encore le *chueca (Voir joca, P. 229).*

Quant aux *P'urhépèches* de l'Altiplano central du Mexique, ils se transmettent le jeu de père en fils et de mère en fille depuis des générations. Leur petit ballon est confectionné de bandes de coton enroulées autour d'une balle spongieuse. Le tout est doublé d'une étoffe de coton renforcée d'un filet de corde.

Tout comme *pasarhutukua (Voir pasarhutu-kua, P. 236)*, un autre jeu des *P'urhépèches* qui se joue celui-là avec une balle en flammes, *pasiri-a-kuri* se joue entre deux équipes de cinq joueurs ou plus. Un arbitre contrôle le nombre de joueurs, vérifie leur équipement et marque les points. Chaque équipe tente d'envoyer la balle dans le but de l'équipe opposée tout en essayant d'empêcher l'autre de faire de même. Le but fait la largeur du terrain, souvent la largeur d'une rue.

Les règles du jeu mettent l'accent sur les valeurs *p'urhépèches* et illustrent l'humilité, l'honneur, la force et le contrôle de soi. D'après eux, c'est en pratiquant la coopération et en maîtrisant ses impulsions que tout le monde gagne.

Vous savez, *pasiri-a-kuri* me rappelle le hockey de rue de ma jeunesse...

Voir photoreportage, p. 210.

Uarhukua chanakua!

Jeu de balle au sol

2 Versions: à mains nues ou avec bâton recourbé

But du jeu: envoyer la balle dans le but de l'équipe opposée tout en essayant d'empêcher l'autre de faire de même, en la poussant au sol soit avec la main (version main), soit avec un bâton (version avec bâton).

Joueurs: 2 équipes de 5 joueurs ou plus.

Balle: diamètre de 12 à 14 cm; pèse autour de 250 grammes; confectionnée de bandes de coton enroulées autour d'une balle spongieuse, le tout doublé d'une étoffe de coton renforcée d'un filet de corde.

Buts: 6 à 8 m de large; la largeur du terrain, souvent la largeur d'une rue.

Terrain: mesure entre 150 et 200 m de long et de 6 à 8 m de large.

Arbitre: contrôle le nombre de joueurs et leur comportement, vérifie leur équipement et valide le pointage.

Durée: les capitaines d'équipe s'entendent sur la durée du jeu qui se mesure soit en temps, soit en pointage.

Interdit: démontrer trop d'agressivité.

Pénalité: l'équipe adverse prend possession du ballon.

Version avec bâton

Bâton de bois: le manche mesure entre 90 et 120 cm; la palette mesure entre 15 à 20 cm.

Interdits: toucher intentionnellement au ballon avec la main ou le pied; démontrer trop d'agressivité; soulever le bâton au-dessus de la ceinture au moment de frapper le ballon ou encore après l'avoir frappé.

Pénalité: l'équipe adverse prend possession du ballon et fait le service.

Sources: Federación Mexicana de Juegos y Desportes Autóctonos y Tradicionales de México, Av. Rio Chrubusco Pta.9, Ciudad Deportiva, Magdalena Mixhuca, C.P. 08010 México, D.F.

Mixtin Associación Civil, Versalles 112 B-202 Col. Juarez CP. 06600 México D. F.

Site web: www.maxar.de/joomla/index.php?option=com_content&task=view&id=104&Itemid=87

Polo vélo - Cycle Polo

Les Irlandais, les Indiens

Fin 19ème siècle, la bicyclette moderne voit le jour, et avec elle de nouveaux sports calqués sur les sports hippiques: courses de vélos et matchs de vélo-polo.

La version vélo du noble sport du polo voit apparemment le jour en 1891, sous l'impulsion du cycliste irlandais Richard J. Mecredy. Le premier match se déroule cette année-là près de Dublin en Irlande. La même année, les premières règles de jeu apparaissent dans le magazine *Irish Cyclist*. À partir de là, le sport se propage rapidement en Angleterre, sur le continent européen puis en Amérique du Nord. Il est d'ailleurs présenté lors des Jeux Olympiques de 1908 à Londres.

Pendant ce temps en Asie, le jeu du vélo polo prend aussi racine. Ce n'est pas étonnant, vu que l'Inde se considère la patrie du polo et que le bicycle est le mode de transport le plus courant du pays. À l'époque, les Maharadjahs joueurs de polo restaient en forme hors-saison en remplaçant leurs montures par des vélos. Aujourd'hui, des milliers de cyclistes indiens pratiquent le jeu de manière informelle et plus de dix mille joueurs font partie du *Cycle Polo Federation of India*.

De même, le sport est pratiqué de manière organisée dans de nombreux autres pays, dont l'Afrique du Sud, l'Allemagne, l'Argentine, l'Australie, le Canada, les États-Unis, la France, la Grande Bretagne, l'Irlande, la Malaisie, la Nouvelle Zélande, le Pakistan, le Sri Lanka et la Suisse.

En pratiquant le vélo polo, on développe son habileté à manier et à contrôler son vélo tout en restant en forme et en ayant beaucoup de plaisir. Quant aux règles du jeu, elles suivent grosso modo celles du polo. Les joueurs tentent de compter des points dans le but opposé en frappant une balle avec un maillet, à califourchon sur une bicyclette. Même le gardien de but chevauche une bécane! Les règlements diffèrent encore quelque peu ici et là dans le monde. C'est pourquoi la *American Bicycle Polo* Association se rapproche du *Asian Cycle Polo Federation* afin de standardiser les règles au niveau international.

Frappe la balle et pédale!

Polo en bicyclette

Joueurs: 2 équipes de 4 ou 5.

Objectif: chaque équipe doit compter plus de points que l'autre dans un temps donné, en frappant la balle dans le but de l'autre équipe à l'aide d'un maillet.

Équipement: vélo, casque de vélo, maillet de polo vélo, 75 cm à 85 cm de long, balle de polo vélo ou balle de tennis.

Terrain: gazonné; autour de 150 m sur 90 m; selon les disponibilités, presque tout format et surface peut convenir.

But: Cage de but de 5 m de largeur, 2,5 m de haut.

Match: 4 quarts de 7: 30 minutes chacun, appelés *chukkars;* 2 minutes d'arrêt entre le premier et le deuxième *chukkar;* mi-temps de 10 minutes; 2 minutes d'arrêt entre le troisième et le quatrième *chukkar.*

Tournoi *round robin:* 2 *chukkars* de 10 minutes chacun.

Contact: Canadian Coalition of Cycle Polo: persweb.direct.ca/tsetse/

Site Web: www.polo-velo.net/

Tájimol la kájbantik Yomixim
Juego de la caña de maiz
Jeu de la tige de maïs

Les Mayas tzoltzils - Mexique

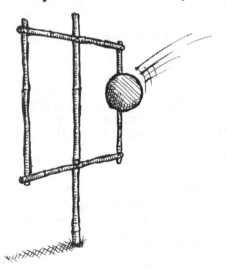

Les mayas du Chiapas pratiquaient ces passionnants jeux de maïs bien avant la venue des Conquistadores... et ils continuent fièrement de le faire de nos jours.

Au XVIe siècle, l'ami et protecteur des mayas Bartholomé de las Casas eut l'occasion de les voir pratiquer cet ingénieux jeu de balle au but. Las Casas fut le premier espagnol à relater l'existence de cet ancien jeu basé sur l'aliment sacré des mayas.

Aujourd'hui encore, à partir de l'âge de huit ans, hommes et femmes mayas de l'ethnie Tzoltzil pratiquent le jeu de la tige de maïs dans leur village de Zinacantan. Ce faisant, ils perpétuent une tradition d'action de grâces envers les forces de la Création tout en s'accordant beaucoup de plaisir. Le jeu comprend même une touche poétique: en effet, c'est le joueur qui décline le plus beau vers qui met la balle au jeu!

Deux équipes de trois s'affrontent sur un terrain de quinze mètres carrés. Aux deux extrémités se dressent les buts. Les avants essaient d'envoyer la balle dans le but adverse que protège la défense. On peut frapper la balle avec l'avant-bras, le dos et le dos de la main, mais la balle ne peut toucher ni la jambe ni la paume de la main. Lorsque la balle tombe au sol on la ramasse avec la bouche.

Au-delà de ces règles prometteuses, la particularité du jeu réside dans le fait que tous les éléments reliés à sa pratique sont faits à base de maïs: la balle, les buts, les équipements de protection, les instruments de musique d'accompagnement, le marqueur de points et même la récompense du vainqueur!

Bien entendu, je vous accorde que les vêtements portés par les joueurs ne sont quand même pas faits en maïs! Il reste tout de même que nos joueurs portent des costumes aussi spectaculaires que fascinants, tissés à la main dans des couleurs vives puis brodés de part en part de motifs symboliques. Ces uniformes sont en fait ni plus ni moins que les vêtements traditionnels encore portés au quotidien et en toute occasion par les membres de la communauté.

La balle est une petite pelote constituée à partir d'un épi de maïs sec recouvert. Les buts prennent la forme d'un cadre en épis de maïs traversé horizontalement par une tige de soutien enterrée dans le sol. Les équipements de protection consistent en des protège-bras et protège-tibias pour les défenseurs et protège-avant-bras pour les avants, bien sûr confectionnés eux aussi à partir de tiges de maïs. Des violons de maïs annoncent le jeu.

Les marqueurs de points, ce sont deux épis de maïs, un par équipe, desquels on retire des grains au fur et à mesure que la partie avance. La première équipe à dénuder la moitié de son épi l'emporte.

Les vainqueurs se méritent le respect de toute la communauté, de même qu'une bonne provision de grains de maïs préalablement mise en jeu. Maïs sont pas fous, ces mayas!

Voir photoreportage, p. 246.

Fous du maïs!

Jeu de balle au but

Joueurs: deux équipes de trois joueurs; soit un défenseur et deux avants.
Terrain: 15 m carrés.
Buts: 2 face à face aux deux extrémités du terrain; cadre carré de tiges de maïs traversé horizontalement par une tige de soutien de 2 m de long; tige enterrée à 50 cm dans le sol.
Équipements de protection: protège-bras et protège-tibias pour les défenseurs; protège-avant-bras pour les avants; confectionnés à partir de tiges de maïs.
Violons: faits à partir de tiges de maïs, ils introduisent le jeu.
Règles de toucher: avec les avant-bras, le dos et le dos de la main; ni jambe ni paume de la main; lorsque la balle tombe au sol, on la ramasse avec la bouche.
Balle: 8 cm à 10 cm de diamètre; épi de maïs sec recouvert de couches de feuilles de maïs sèches, entrelacées de chiffon et ficelées par des filaments de feuilles de maïs.
Marqueur de points: épi de maïs duquel on retire des grains au fur et à mesure que la partie avance.
Pointage: de 1 à 2 grains enlevés du marqueur lorsque la pelote traverse le cadre du but; de 2 à 5 grains lorsque la pelote frappe la tige traversant le centre du cadre; la première équipe à dénuder son épi l'emporte.
Prix aux vainqueurs: provision de maïs en grain préalablement mise en gage.
Source: Federación Mexicana de Juegos y Desportes Autóctonos y Tradicionales de México, A.C., Av. Rio Chrubusco Pta.9, Ciudad Deportiva, Magdalena Mixhuca, C.P. 08010 México, D.F.
Site web: www.codeme.org.mx/autoctonoytradicional/Juegos/Tajimol.html

---

La Caña de Maïs

Photoreportage de Valérie Panel Watine
www.unmondedesports.com

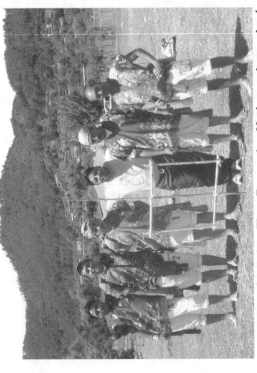

De gauche à droite: Tito, Fernando, Mariono, Juan, José, Arturo à coté d'un des deux buts. Ils ont enfilé leur tenue traditionnelle tzotzile pour jouer à la Caña de Maïs.

On ne connaît pas bien l'origine de ce sport, mais il est mentionné dans certains écrits du 16ème siècle qu'il aurait été offert au moine San Bartolome de las Casas, et qu'il prendrait ses sources bien avant l'arrivée des espagnols.

Aujourd'hui, *la Caña de Maïs* est pratiquée uniquement par les indigènes du Chiapas, dans la municipalité de Zinacantan, qui appartient à l'éthnie Tzotzile. C'est dans ce village que nous nous sommes rendus en compagnie de Juan de la Cruz Martinez, Président de l'Association des Sports et des Jeux Autochtones et Traditionnels de l'Etat des Chiapas. Un accueil une fois encore formidable, et la découverte d'une ethnie fière de son authenticité.

La Caña de Maïs se joue à trois contre trois sur un terrain carré de terre compact (ici d'herbe) de 15 mètres par 15. Le but du jeu est de faire passer une balle fabriquée avec des feuilles d'épis de maïs dans une cage de but élaborée avec des cannes de maïs.

Les joueurs doivent tirer uniquement avec le dos des mains, le poing ou l'avant-bras. La balle ne peut pas être touchée par les pieds ou par la paume de la main.

Les hommes et les femmes le pratiquent à partir de l'âge de huit ans pendant toute l'année, et principalement après la saison des pluies pour célébrer les bonnes récoltes terminées.

La Caña de Maïs - suite...

Arturo est un des joueurs de Caña de maïs du village de Zinacantan. Après le jeu, il nous emmène pour une petite visite, et nous raconte la vie ici. Les maisons en adobe se font plus rares, remplacées peu à peu par le béton. À l'entrée du village, un musée expose les habits traditionnels des Tzotziles. Deux femmes tissent en silence. Des petites filles viennent nous proposer de venir manger un repas traditionnel chez leur maman. Une manière pour cette famille de faire entrer de l'argent dans le foyer.

Arturo nous emmène dans le petit restaurant pour manger une *enchillada* dans la poterie locale.

L'arbitre se positionne sur le côté du terrain. Souvent le plus âgé, il est très respecté. Il attribue les points en tendant le bras avec le maïs dans la main du côté du terrain où le point a été marqué. Puis, il retire un grain de l'épis. À la fin du jeu, les comptes sont faits, et le gagnant désigné.

La Caña de Maïs

des années sur ma vie ici. Mon rêve c'est d'écrire un livre sur mon peuple, sur la vie ici, les traditions». Il prend notre carnet de notes, y dépose un poème.

Il nous confie le bonheur que c'est de vivre ici dans un village où le bruit des automobiles ne vient pas prendre le dessus sur la nature. *«C'est calme, tranquille et tout le monde se connaît et s'entraide.»*

Lorsque nous évoquons les Zapatistes dont Zinacantan est un des fiefs, il me répond: *«la politique et l'argent passent avant l'amour pour certains ici. Ils sont capables de s'entretuer pour la politique. Ce fut le cas dans le passé, il y eut deux ou trois morts je ne sais plus bien. La politique pour défendre nos droits face au gouvernement c'est utile, mais pas pour nous détruire entre nous les indigènes.»*

Arturo a un rêve: éditer un livre. *«je vais commencer mes études de littérature en septembre, puis j'espère trouver des soutiens pour m'aider à financer ce projet de livre. J'écris tous les jours depuis*

Plus tard, nous rejoignons les autres, et Fernando me tend un papier avec noté ceci:
«La Caña de Maïs est un héritage de nos ancêtres, c'est un sport authentique auquel nous sommes attachés. Tout ce qu'il représente est important pour nous. À l'avenir, ce que nous souhaiterions, c'est bénéficier d'une meilleure diffusion, que tout le monde nous connaisse.»

Photoreportage de Valérie Panel Watine

Voir texte Täjimol la käjbantik Yomixim p. 244

Embarquement immédiat!
Destination jeux du Monde

Reportage de Christophe Meunier
photos de Noé Chartier et Christophe Meunier
www.lemoulinavent.org

Le soleil est au zénith, il fait chaud et lourd en ce 1er juillet 2004 à Montréal. Une foule nombreuse se rend sur les quais du Vieux Port où les fêtes de célébration du Canada ont lieu cette année durant 4 jours. Les animateurs de l'Association le Moulin à vent attendent tout ce beau monde dans leur espace ludique, la Station J.

Sous mon costume de guichetier, je vais haranguer les passants pour les inviter à embarquer dans le Train Gaïa dont la locomotive à vapeur commence déjà à souffler.

Billet en main - celui-ci a pour destination l'Afrique - les voyageurs improvisés embarquent dans les voitures et les wagons sous la gouverne de nos charmantes et souriantes agentes de bord. Gaston, chef de gare, assène un coup de sifflet et voilà une bonne cinquantaine de personnes de tous horizons - ne se connaissant ni d'Adam ni d'Ève - qui se retrouvent assises côte à côte et face à face.

Le Train n'a pas bougé d'un iota, mais qu'importe, le voyage vers l'Afrique a bel et bien commencé. La route est longue et tout est prévu à bord pour l'agrémenter : jeux et comédie. Alors que Sir Winston, notre grand voyageur, amuse subtilement la foule avec sa panoplie de farces, de tours de magie et de jeux interactifs, les agentes de bord initient les voyageurs à un premier jeu du Monde : l'Awalé, jeu traditionnel de semailles et de récoltes africain.

Petits et grands sont littéralement happés par le jeu et la situation dans laquelle ils ont si rapidement été plongés. Le paysage défile, les découvertes s'accumulent, le plaisir du jeu grandit…la partie de Fanorana, jeu traditionnel malgache, n'est pas tout à fait terminée lorsque le Train Gaïa rentre déjà en gare.

Tout au long du jour d'autres voyageurs et jeux se succéderont à bord du train pour un voyage aux confins des cultures et des jeux du Monde – Afrique, Asie, Europe, Amériques - essuyant au passage pluies, tempêtes et autres caprices de la nature.

Un an déjà a passé et le Moulin à vent réapparaît avec le Train Gaïa, cette fois en panne, au beau milieu d'une foule de badauds en plein cœur de la rue Saint-Jean du vieux Québec !

Le festival d'été bat son plein et notre petit convoi ferroviaire est devenu ambulant...ou presque ! Notre conducteur s'est égaré, la locomotive est à cours de charbon et la voix ferrée s'arrête là au beau milieu de la rue!

Mais chacun y met du cœur, et grâce à l'énergie combinée des enfants qui posent les rails en avant de la locomotive avec le Nelly et à celle des adultes qui poussent en arrière les wagons, le convoi arrive bientôt à la Station J, qui a repris des airs de fête.

Et déjà quelques courageux badauds se portent volontaires pour tenter de décrocher la lune. Solidement harnachée et accrochée à de longs faisceaux de câbles élastiques, voilà qu'une ado se propulse à plus de 30 pieds dans les airs pour tenter de décrocher le pompon qui attend tout en haut.

Le public retient sa respiration alors que tel un yoyo elle rebondit plusieurs fois, virevolte, tente quelques pirouettes acrobatiques et enfin s'arrête, épuisée après tant d'efforts. Suit un tonnerre d'applaudissements, et déjà une cohorte d'enfants et d'adultes se pressent pour essayer et vivre la sensation forte.

Inspirés de l'univers circassien, les jeux de vertige et les défis lancés au public par le Moulin à vent ne s'arrêtent pas là. J'ai en effet créé une deuxième attraction permettant à tout un chacun de jouer avec la sensation du vide et des hauteurs, et ce, en toute sécurité: le Défi des chutes du Niagara.

Un balancier de funambule dans les mains ou à main nue, il s'agit de franchir une distance de 20' en équilibre sur un câble tendu à plus de 7' du sol.

Et pour ajouter encore plus de piment, il faudra le faire avec toute sorte d'objets qui nous tombent sous la main, tels une roue, un monocycle ou un parapluie…à moins que ça ne soit la pluie qui nous tombe sur la tête la première !

Une autre année a encore passé. J'ai parcouru les festivals et fêtes du Québec avec mon équipe d'animateurs et d'artistes multidisciplinaires à la rencontre de publics variés et merveilleux qui s'étonnent toujours du pouvoir qu'ont les jeux - qu'ils soient issus du patrimoine des jeux du Monde, de la tradition circassienne ou foraine – de les réunir pour leur faire vivre de fabuleuses expériences.

Conscient qu'il nous faut aussi créer des formes d'animations ludiques moins massives que la Station J en terme d'équipements, d'accessoires et d'espace, je crée en 2006 une nouvelle formule d'animation: Les Marchands Ambulants. Celle-ci s'offre aussi bien aux écoles et aux petites fêtes de quartier qu'aux grands événements urbains où l'espace de jeu se confine parfois à un trottoir ou un coin de rue.

Encore un autre juillet, chaud et ensoleillé celui-là, qui attire en grand nombre la foule dans les rues relookées et colorées du festival Juste pour Rire. Les Marchands Ambulants et leur étal de marché mobile y ont élu domicile juste en arrière de la grande porte foraine. Une fois cette entrée franchie, le public se trouve plongé dans une ambiance où se côtoient illusionniste, bonimenteur, chanteuse de rue, projectionniste, mime et comédien.

Sur nos étals de marché point de salades, mais en revanche une panoplie de petits jeux de table, de jeux d'adresse, de casse-tête, de jeux de manipulation, de jeux de plateau…tirés du répertoire des jeux traditionnels régionaux du monde entier.

Le public très cosmopolite fréquentant cet événement majeur dans l'été, composé de touristes, mais aussi des diverses communautés culturelles qui habitent ou fréquentent le quartier, se reconnaîtra pourtant assez bien dans la sélection de jeux présentée sous l'étal des Marchands.

Quel plaisir est toujours pour nous - qui dernière nos personnages sommes en train d'animer les jeux - d'entendre les rires du public, de sentir la joie et le plaisir de jouer et aussi les témoignages, nombreux, des participants sur tel ou tel jeu qui les ramène à leur enfance, à leur pays ou leurs voyages.

Ainsi, les ressortissants des communautés culturelles nous ont exprimé leur joie de retrouver sur nos tablettes: les toupies, le jeu du bouton, les anneaux, les bilboquets, le tangram, le jeu du cerceau, le hoola hoop et autres petits jeux de leur enfance.

Un belge passant par là aurait probablement reconnu ce portique auquel un oiseau suspendu par une longue corde, tel le pendule des vieilles horloges, se balance pour aller planter son bec dans la cible. Nous avions reproduit grandeur nature ce vieux jeu flamand du 16ème siècle connu sous le nom de Struifvogel, ou oiseau piqueur.

Mais ce sont assurément les jeunes du quartier qui ont eu leur heure de gloire au jeu inuit appelé High kick que nous faisions également découvrir à cette occasion sous la structure portante du Struifvogel.

Été comme hiver nous nous sommes mis en tête de jouer avec le monde. Si le Québec, c'est l'hiver, alors que vaut, nous ferons des jeux du monde même par -20 degrés Celsius!

Retour donc en 2007 dans le Vieux Port de Montréal, un peu avant Noël dans la neige et la poudrerie pour un nouveau concept d'animation digne des grands froids sibériens: le Délire d'Hiver.

Pour cet hommage à la nordicité, le Moulin à vent a réalisé de nouvelles structures, tel le grand jeu du Pas de Géant, ci-bas, un autre de ces jeux traditionnels tombés dans l'oubli.

Car ici pas de petits jeux d'adresse autour d'une table! Non, il faut que ça bouge et rien de tel pour se réchauffer que de bons grands jeux de foules collectifs telles la souque à la corde en croix inuit et la Cebolleta du Honduras.

Il faut faire littéralement corps ensemble pour braver la température et se donner du baume au coeur.

D'ailleurs, la plupart des jeux auxquels nous avons joué cette journée-là : le Gorodki russe, le Kapele polonais, le Rastrero hondurien ou les multiples variantes mondiales de la souque à la corde a toute été réinventée à notre initiative ou celle du public!

Le tout dans le joyeux esprit «Libre penseurs, libres joueurs» prôné par Paul Chartier, concepteur ludique et maître de jeu de l'événement. J'en étais tout à l'envers, comme le montre l'image ci-bas…

Et la nuit venue, c'est toute une équipe qui a campé là, sous la tente, au beau milieu de l'hiver.

À travers ces multiples rencontres ludiques avec le public, l'Association le Moulin à vent poursuit, vous vous en doutez, de multiples objectifs autant liés au plaisir que nous procurent ces jeux du monde, qu'à ce qu'ils apportent sur le plan de la sociabilité ou ce qu'ils nous racontent au niveau culturel.

Promouvoir le développement et la reconnaissance des pratiques ludiques auprès du public, des milieux éducatifs et culturels, des partenaires gouvernementaux, des communautés d'affaires et sociales est donc devenu notre mission au fil des ans.

Favoriser l'accès du plus grand nombre à la culture et aux arts, contemporains et traditionnels, par le biais de l'expérience interactive est devenu notre marque de fabrique.

Encourager les loisirs culturels contribuant à la conservation, la transmission du patrimoine culturel immatériel notamment par la pratique: des jeux du Monde, du cirque et des arts forains ou leur subtil assemblage – comme dans un bon vin – est devenu notre credo.

Vive les jeux du monde!

Vers la Cité des jeux du Monde

Texte et photos de Christophe Meunier

www.artsetjeux.org

Un oeil rivé sur la carte routière et l'autre sur la chaussée qui se dérobe à vive allure sous nos roues, je pense à toute cette ribambelle d'enfants qui se réjouissent de notre arrivée imminente au camp et de l'activité surprise contenue dans nos bagages.

Christian et moi quittons l'autoroute du Nord et bifurquons vers l'est en direction de Sainte-Marguerite-Estérel où est situé, en plein cœur de la forêt Laurentienne, l'un des plus vieux camp de vacances du Québec : le camp Oolahwan.

Le site naturel est magnifique, il s'étend sur plusieurs acres avec ses bois,

ses affleurements rocheux, son lac et ses installations. En entrant sur le site nous ressentons d'emblée l'âme de ce campement qui a vu passer, depuis près de 70 ans, des générations et des générations d'enfants de la ville.

Des cris joyeux nous ramènent vite à l'objet de notre visite: une animation jeux du Monde assortie d'un atelier bricolage/recyclage. Nous déballons rapidement le matériel ludique et notre coffre à outils pendant que des enfants aidés par leurs moniteurs rassemblent les matériaux de récupération qu'ils ont, les jours précédents, soustrait du bac à ordures.

Sous les yeux intrigués de la jeune assistance rassemblée en cercle, je trace au sol - comme le font les petits africains - un quadrillage avec une brindille pendant qu'une poignée de jeunes ramassent des petits cailloux et pommes de pin dans l'environnement immédiat. 4 pommes de pin - en guise de graines - sont semées dans chacun des 6 trous que comporte les 2 rangées du jeu qui vient soudainement d'apparaître sur le sol sablonneux : l'Awalé.

Le comédien-animateur Christian Bugden, mon acolyte et complice, conte l'origine de ce jeu qui appartient à la famille des Mancalas, et initie l'auditoire à sa symbolique. Voici nos petits québécois partis en voyage en Afrique.

J'aime commencer mes animations avec les jeux africains comme l'Awalé, le Targui (Solitaire du Saraha) ou le Fanorana (jeu traditionnel malgache), dont vous voyez les formes géométriques ci-contre.

Sur le continent africain, berceau de l'humanité, les jeux commencent souvent avec un carré de sable, de terre et quelques graines ou cauris (coquillages). Nous sommes loin de notre univers ludique domestique, hyper-technologique, dominé par l'écran d'ordinateur ou la console vidéo.

En ce bel après-midi, loin de la ville, nous troquons souris/clavier/joystick pour roche/papier/ciseaux, au sens propre, comme au figuré! Nous voilà maintenant dans l'atelier Arts and Crafts du camp et invitons les enfants à créer eux-mêmes leurs jeux.

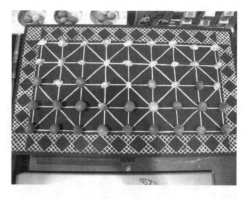

La cloche annonçant le dîner retenti déjà. Avant de se quitter nous prenons le temps de passer en revue les jeux écologiques que les enfants viennent de créer. Wow !

Sur ce chemin du retour vers Montréal, en cette fin d'après midi de l'été 2003, je savais déjà - en mon fort intérieur - qu'un jour viendrait pour la future Maison des arts et des jeux du Monde de s'implanter dans un site naturel pareil à celui là.

Ce lieu magique - témoin de l'histoire des camps du Québec et berceau d'une foule de grands jeux collectifs et naturels (jeux d'hébertisme, chasses aux trésors)- était en sursis et allait perdre sa vocation l'année suivante!

Je poursuis donc ma route en quête d'un lieu d'accueil pour la Maison des arts et des jeux qui sera ambulante pour encore trois ans, c'est-à-dire un temps raisonnable pour en constituer le fond ludique: une collection de jeux du Monde.

Mon pari ayant été, dès le début, d'éviter le plus possible d'acquérir des jeux neufs en boutique afin d'offrir aux enfants une ludothèque différente et originale, il fallait faire preuve d'imagination pour la collecte. À coté de l'animateur que je suis, il y a aussi un bricoleur et un chineur averti, largement inspiré lors de son enfance en France par les trésors que l'on déniche, là-bas, dans les braderies.

Ainsi la cave voûtée de la Maison des Jeux Well'Ouej de Lille dans le Nord de la France, que j'ai eu le plaisir de visiter, regorge de jeux traditionnels régionaux tels la Bourle, le Javelot, le Billard Nicolas, les Marteaux, la Table à l'assiette, la Pente à la boule, la Giroulette…une vrai caverne d'Ali baba de jeux !

Afin de monter une collection représentative des jeux joués au Québec avant l'avènement de la production de masse, il fallait se demander «Mais à quoi donc jouaient nos grands parents plus jeunes?» Me voici donc, en Sherlock Holmes, sur les routes du Québec à la quête des jeux d'ici. Direction les magasins d'économie, les ventes de garage, les marchés aux puces, les brocantes et les antiquaires.

Au fil des voyages - un grand jeu de parcours à l'échelle du territoire - et de longues heures passées à fouiller les bric-à-brac, notre collection québécoise de jeux et de jouets commence à prendre forme : Pichenottes, Croquignole, Dards, Fers, Toc, Jeu de poches, Solitaire, Quilles, Croquet, Backgammon, Toupies, Dames canadiennes, Tic Tac To, Crible, Mississipi, Flipper à ressort, Billes, Dames chinoises, Mah-jong, Dominos, dés, chevaux de bois, voitures d'enfants. C'est tout un pan de la culture ludique populaire québécoise qui est mise à jour.

Ces vieux jeux ont du vécu et une histoire qu'attestent leur état, leur esthétique et leurs marques distinctives. À l'encontre des jeux standardisés du commerce, la plupart de ces jeux, faits main, a un petit supplément d'âme.

La Maison des jeux ambulante dont les boîtes remplissent maintenant un minibus scolaire poursuit sa route et répond, pour le plus grand bonheur des mômes, à toutes les occasions: journée pédagogique, relâche scolaire, souper communautaire, fête d'école, etc.

Chemin faisant vers un lieu où elle pourrait s'établir et accueillir à l'année longue une (voire plusieurs) centaine(s) d'enfants simultanément, la Maison des arts et des jeux s'établit alors pour l'été à l'aréna St-Louis de Montréal avec la complicité de l'arrondissement du Plateau Mont-Royal. Elle y plante un campement ludique: le village mondial des jeux.

Nous sommes fin juin et la dernière semaine de cours est enfin arrivée. Pour 150 enfants de l'école primaire Lambert-Closse, c'est l'occasion de sortir de la classe. Nous les avons invités à venir vivre de fantastiques expériences ludiques et récréatives pendant toute une journée.

Afin de les accueillir au Village, tous les animateurs de la Maison des arts et des jeux ont enfilé leur costume et sont devenus autant de personnages auprès desquels les enfants vont découvrir des expériences de jeu différentes.

Embarquons avec le groupe des moyens qui déjà se dirige vers le stand de tir.

Un bonimenteur les y accueille et présente tour à tour ses attractions et jeux forains: Chamboule tout, Dards, Billard à Barres, Sjoelback, Billard japonais, jeu de Poches, Toupies, Casse-tête sans oublier le fameux défi de la Tour de Hanoï, ci-bas.

Vers la Cité des Jeux du Monde

Le groupe est maintenant reçu par Juliette sous sa grange pour être initié à une série de jeux de stratégie et de position, tous traditionnels: Awalé, Réversi, Moulin, Dames chinoises, Gomoku Ninuki, Backgammon. Pour les amateurs de casse tête, le Tangram - un des plus ancien jeu du monde - est présenté.

Le Commissaire de foire que je suis pour l'occasion fait tourner la crécelle pour annoncer la prochaine rotation des groupes qu'un bref coup de siffler vient confirmer.

Après s'être bien creusé les méninges, les jeunes ont le goût de bouger avec leur corps. C'est Christian, dans son personnage de Sir Winston le grand voyageur, qui vient les inviter à une partie de jeux de foule, largement inspirés du livre «Jouer pour Rire» de notre ami et maître de jeu Paul Chartier: les Écureuils et le Renard, Corps à corps, la Grande Évasion, la Danse des bâtons, le Nœud Gordien et autres jeux de groupes théâtraux.

La plupart des enfants n'ont jamais joué aux jeux présentés lors de cette sortie, et pour cause: d'une part nous savons que bon nombre des jeux traditionnels collectifs auxquels nos parents ou grands parents jouaient dans les cours de récréation ont bel et bien disparu; et d'autre part, nos jeunes ont rarement l'occasion de découvrir les jeux préférés des enfants d'ailleurs, tels le kabaddi et le kho kho des Indes, dont Paul a popularisé des versions coopératives en sol québécois.

Au fil des saisons, des lieux, des aménagements et des animations notre expertise se développe, nos techniques d'intervention s'affinent comme d'ailleurs le choix judicieux des jeux selon l'âge et le niveau de développement des enfants.

Cette expertise, acquise avec la Maison des jeux ambulante, commence alors à être reconnue par le milieu scolaire dont les directeurs d'école et les commissaires scolaires de la CSDM (commission scolaire de Montréal) viennent nous rencontrer et évoquent des partenariats possibles à l'issue de l'année 2005. La crise de décroissance scolaire, vécue localement, ainsi que les changements dans la composition des effectifs des classes - avec la pression croissante des enfants issus de l'immigration, invite la commission scolaire à trouver des parades.

La Maison des arts et des jeux du Monde avec ses animations ludiques au fort attrait culturel et éducatif est alors perçue comme étant en capacité de créer un programme d'éducation interculturelle.

Les Journées de la Culture de septembre 2006 marquent l'inauguration de la première Maison des Arts et des jeux du Monde dans un lieu fixe, soit dans une école primaire de quartier!

Une série d'ateliers destinés aux écoles, aux centres communautaires ou aux camps est alors proposée. L'activité phare est l'atelier à la journée intitulé « Explorons les jeux du Monde » qui séduit des cohortes d'enfants en sortie de groupe (journée pédagogique, sortie éducative, activité spéciale du camp).

L'effet produit chez les jeunes par cette étonnante découverte des jeux du patrimoine mondial est immédiat: enfants captivés, attentifs, curieux, joueurs... Mais le plus intéressant est de noter - et ce témoignage nous sera fait à posteriori par de nombreux éducateurs ayant participé à l'activité - qu'une fois rentrés chez eux les enfants ramènent à l'école des jeux traditionnels ou les ressortent des boîtes de jeux du service de garde.

Pour nous qui développons une approche éminemment active mettant en avant des animations participatives et interactives, ce constat est plutôt encourageant. Nous savons le pouvoir de ces jeux qui engendrent sens, plaisir et engagement comme le résume si bien Paul Chartier.

Au début de l'été 2007, la demande d'accueil de groupes aux effectifs plus importants impliquera une relocalisation de la Maison des arts et des jeux du Monde dans des locaux industriels plus spacieux et dotés d'une vue imprenable sur le Mont-Royal.

De même, au fil de nos pérégrinations ludiques de l'été, nous nous retrouvons comme par enchantement dans cette même forêt Laurentienne où notre aventure avait commencé en 2003. Nous installons donc aussi ses pénates aux abords du parc Régional Dufresne de Val-David et de Val-Morin et créons alors la Cité des Jeux du Monde.

Notre Camp Ludiqu'art, camp de jour spécialisé en jeux du Monde, constitue une activité d'été fort appréciée par les enfants et leurs parents car il associe le plaisir de jouer à celui de fabriquer des jeux avec ses mains.

Tel l'enfant qui grimpe en toute sécurité à notre mât de Cocagne afin d'en atteindre le sommet, où l'attendent des objets convoités qui changeront peut-être son existence, la Maison des arts et des jeux prend doucement de l'expansion et de l'altitude afin de répondre aux besoins de ses publics.

Tout comme les citoyens de ces municipalités qui ont misé sur la préservation d'un coin de pays pour les générations futures, nous comptons bien continuer à oeuvrer pour la préservation du patrimoine ludique du Québec et du monde.

Bibliographie

BLAIS Robert, CHARTIER Paul, Jouer pour rire, Louise Courteau éditrice, 1989

BLONDIN Robert, Le Bonheur Possible, Stanké, 2005

BOCANEGRA Alicia Zurita, Juegos y Deportes Autochtonos y Tradicionales de Mexico, Federacion Mexicana de Juegos y Desportes Autochtonos y Tradicionales, A.C., 2000

BRUEL Christian, LETENDRE Bertrand, Jouer pour changer, Éditions Le sourire qui mord, 1984

CLÉMENT Isabelle, Le sens de la vie?, Fides, 2006

CHIRANJIB, Kabaddi Kabaddi, Nirmal Book Agency, Kolcata

CSIKSZENTMIHALYI Mihaly, Flow: The Psychology of Optimal Experience, Harper & Row, 1990

DACOSTA Lamartine, MIRAGAYA Ana, Worldwide Experiences and Trends in Sport For All, Meyer and Meyer Sport, 2002

EITZEN Stanley D., Fair and Foul: Beyond the Myths and Paradoxes of Sport, Rowman and Littlefield, 2003

EITZEN Stanley D., Sport in Contemporary Society, St. Martin's Press, 1996

FLUEGELMAN Andrew, The New Games Book, New Games Foundation, Doubleday & Company Inc, 1976

GEIGER Erwin, GRINDLER Karlheinz, Ébats Joyeux et jeux, Aubanel, 1966

HOWELL Maxwell L., HOWELL, Reet A., History of Sport in Canada, Stipes Publishing Company, 1985

HUIZINGA Johann, Homo Ludens, Paris, Gallimard, 1951

KOEHLER Michael D., Football Coach's Survival Guide, Parker Publishing, 1992

LAVOIE Sylvie, MORIN Yannick Jeux d'hier, jeux d'aujourd'hui, Éditions de l'Homme, 1982

LIPONSKI Wojciech, World Sports Encyclopedia, MBI Publishing Company, 2003

LEONARD George, The Ultimate Athlete, North Atlantic, 1990

ORLICK Terry, Winning through Cooperation, Hawkins & Associates, Acropolis Books LTD., 1978

PRATHER Hugh, A Book of Games, Doubleday & Company, 1981

ROUSSIN Thierry, SOUSEREAU Laurent, ZIMMER Eric Axel Zimmer, Circus Company, Eyrolles, 2007

SELIGMAN Martin, Authentic Happiness: Using the New Positive Psychology to Realize Your Potential for Lasting Fulfillment. Free Press, 2002

STRUTT Joseph, The Sports and Pastimes of the People of England, 1801

TREMBLAY Rémi, BÉRARD Diane, Les Fous du Roi, Éditions Transcontinentales, 2004

ZEIGLER Earle F., History of Physical Education and Sport, Prentice-Hall 1979

Index des Jeux

À propos de l'auteur

À propos de l'auteur:
Paul Chartier

Au-delà de toute chose, l'écrivain doit être prêt à prendre des chances, au risque de passer pour un fou – ou même de prendre le risque de révéler le fait qu'il est un fou.
- Jessamyn West

Tout le monde savait que c'était impossible. Il est venu un imbécile qui ne le savait pas et qui l'a fait.
- Marcel Pagnol

En 1970, Alvin Toffler prédit: *«Les consommateurs vont consciemment se mettre à collectionner des expériences avec autant de passion qu'ils avaient à collectionner des objets»*. À la même époque, Paul Chartier prend le chemin du fou. Il sera ingénieur d'expériences.

À l'école, il fait le fou. Pas étonnant que Paul Chartier soit devenu clown professionnel, fondant en 1974 une des premières troupes de clowns au Canada. Pour lui, le clown est un agent de changement. Agent de changement de la société, mais aussi et surtout agent de changement de soi. Car projeter à l'avant-scène une caricature de soi toujours plus vraie constitue un instrument thérapeutique merveilleusement efficace. Travailler sur son personnage clownesque, c'est s'activer à le transformer et, par la bande, à se transformer.

Poursuivant son chemin, Paul délaisse graduellement le clown-spectacle en faveur de l'animation de foules. C'est qu'il aime bien plus jouer avec son public que jouer pour eux. Proposer des expériences optimales où chacun retrouve le plaisir de jouer, reconnecte avec son enfant intérieur et lâche son fou.

Suite à des stages de formation auprès de la New Games Foundation de Californie, il fonde alors la société Nouveaux Jeux et rituels et se consacre depuis à l'optimisation de l'expérience créative par le jeu. Il crée des grands jeux de foule, anime des grands jeux d'aventure et des événements participatifs, conçoit des neo-resorts de folie douce dans les Caraïbes, scripte des séries de télévision interactive, met sur pied des attractions touristiques participatives et interactives, donne des conférences et des ateliers et conseille des entreprises comme Le Festival des jeux du monde, Intrawest Resorts et Cirque du Soleil.

Paul Chartier
514.688.7991
mail@paulchartier.com
www.paulchartier.com

À propos de l'illustrateur

À propos de l'illustrateur:

François Morin

"Frankoy est un créatif multidisciplinaire comme il en existe très peu sur le marché international. Il est imaginatif, organisé, touche-à-tout, il maîtrise très bien ses logiciels et sait s'en servir pour communiquer habilement du contenu à travers des visuels accrocheurs qui vont au-delà des modes passagères."
- François Dunn, réalisateur LES BLEU POUDRE

"Il a eu maintes fois l'occasion de nous prouver qu'il était un senior capable de mener un travail complet de création graphique et de direction artistique ou de trouver rapidement sa place dans un projet existant. Délais impossibles, création multimédia, Frankoy est à l'aise dans la création contemporaine, point!"
- Laurent Frey, directeur artistique MUSIQUE PLUS

"Designer aux nombreux talents, c'est surtout sa grande créativité, la facilité avec laquelle il "voit" le projet et la grande qualité de son travail qui font de François une ressource si appréciée. Sans oublier qu'il livre le projet dans les temps et les coûts prévus! L'essayer, c'est l'adopter!"
- Line Gingras, directrice de la Synergie Créative CIRQUE DU SOLEIL

Expérience de 20 ans dans les domaines de la création visuelle, des communications, de l'animation interactive, de l'Internet et de l'organisation, à titre de directeur artistique, de consultant en communications et de concepteur graphique et Web.

Partenaire créatif de Paul Chartier depuis 1992, François se charge des aspects visuels de ses projets, dont l'illustration des jeux de ce livre.

Animation théâtrale / brainstorming / branding / coaching en organisation / création / décors/ design d'attractions / direction photo / illustration / interactivité / multimédia / vidéo / anima-

François Morin
514.233.8238
fmorin@frankoy.com
www.frankoy.com